GRANDES NOVELISTAS

Robin Cook

INVASIÓN

Traducción de Constanza Fantín de Bellocq

Robin Cook

INVASIÓN

EMECÉ EDITORES

820-3(73) Cook, Robin
COO   Invasión - 1a ed. - Buenos Aires : Emecé, 1998.
           320 p. ; 23x15 cm. - (Grandes novelistas)

           Traducción de: Constanza Fantín.

           ISBN 950-04-1847-9

           I. Título - 1. Narrativa Estadounidense

Diseño de tapa: *Eduardo Ruiz*
Fotocromía: *Moon Patrol S.R.L.*
Título original: *Invasion*
Copyright © 1997 by Robin Cook
Este libro puede ser vendido en toda Latinoamérica, excluyendo México.
© Emecé Editores S.A., 1998
Alsina 2062 - Buenos Aires, Argentina
Primera edición: 16.000 ejemplares
Impreso en Printing Books,
Carhué 856, Temperley, junio de 1998

E-mail: editorial@emece.com.ar
http: // www: emece.com.ar

IMPRESO EN LA ARGENTINA / PRINTED IN ARGENTINA
Queda hecho el depósito que previene la ley 11.723
I.S.B.N.: 950-04-1847-9
9.015

PRÓLOGO

En la gélida amplitud del espacio interestelar, un punto de materia-antimateria fluctuó desde el vacío, creando un intenso relampagueo de radiación electromagnética. Para la retina humana, el fenómeno hubiera aparecido como la repentina emergencia y expansión de unos puntos de colores que representaban el espectro total de la luz visual. Desde luego, ni los rayos gamma ni los rayos X ni las ondas infrarrojas y radiales habrían resultado visibles a los humanos.

En forma simultánea con el estallido de colores, el testigo humano habría visto emerger una cantidad astronómica de átomos bajo la forma de una concreción rotatoria negra, con forma de disco. El fenómeno parecería un vídeo pasado hacia atrás en el cual se vería el objeto cayendo adentro de una piscina de fluido cristalino, cuyas pequeñas olas serían la deformación del espacio y el tiempo.

Cercana a la velocidad de la luz, la enorme cantidad de átomos en coalición se disparó hacia los extremos distantes del sistema solar, pasando como rayo por las órbitas de los hinchados planetas externos gaseosos: Neptuno, Urano, Saturno y Júpiter. Para cuando esa concreción llegó a la órbita de Marte, su rotación y velocidad habían disminuido significativamente.

El objeto podía verse ahora tal cual era: una nave intergaláctica cuya resplandeciente superficie externa parecía de ónix lustrado. La única malformación en su forma perfecta de disco era una serie de prominencias a lo largo de la superficie del borde exterior. El contorno de cada una de estas prominencias era idéntico a la forma de la imponente nave madre. No había otras distorsiones en la superficie externa: ni ventanillas ni orificios de ventilación ni antenas. Ni siquiera había uniones estructurales.

Al entrar como un rayo en los extremos más distantes de la atmósfera de la Tierra, la temperatura exterior de la nave se elevó considerablemente. Una cola de fuego pareció iluminar el cielo nocturno detrás de ella cuando los átomos atmosféricos encendidos de calor soltaron fotones a modo de protesta.

La nave siguió aminorando en términos de rotación y velocidad. Muy lejos, abajo, aparecieron las luces titilantes de una ciudad desprevenida. La nave preprogramada pasó por alto esas luces: fue una afortunada casualidad que el impacto ocurriera en un paisaje rocoso y árido. A pesar de la velocidad relativamente lenta, se trató más de una colisión controlada que de un aterrizaje; rocas, arena y polvo volaron por el aire. Cuando la nave finalmente se detuvo, quedó semienterrada bajo el polvo. Los escombros que el impacto había lanzado hacia el cielo cayeron sobre su lustroso "techo".

Una vez que la temperatura de superficie hubo descendido debajo de los doscientos grados, apareció una ranura vertical a lo largo del borde externo de la nave. No era como la de una puerta mecánica. Era como si las moléculas en sí mismas trabajaran en conjunto para crear la penetración en la superficie lisa.

Por la ranura salió vapor, prueba de que el interior de la nave estaba tan helado como el espacio más lejano. Adentro, centrales de computadoras hacían correr secuencias automáticas sin descanso. Tomaban muestras de la atmósfera y el suelo de la Tierra para ser analizadas. Estos procedimientos automáticos funcionaron según lo planeado: aislaron también formas procarióticas de vida (bacterias) del polvo. Los análisis de todas las muestras, incluyendo el ADN contenido en ellas, confirmaron que se había llegado al destino correcto. Se inició entonces la secuencia de armado. Mientras tanto, una antena se extendió hacia el cielo nocturno para preparar la transmisión en frecuencia quásar que anunciaría que Magnum había llegado.

I

22:15

—¡Eh, hola! —exclamó Candee Taylor golpeando suavemente el hombro de Jonathan Sellers. Jonathan estaba muy
ocupado besándole el cuello. —¡Tierra a Jonathan, respon-
da, por favor! —añadió y procedió a golpearle la cabeza con
los nudillos.

Candee y Jonathan tenían diecisiete años y estaban en
el penúltimo año de la escuela secundaria Anna C. Scott.
Jonathan había obtenido, poco tiempo atrás, su licencia para
conducir y si bien todavía no tenía permiso para utilizar el
automóvil familiar, se las había arreglado para pedir prestado el VW de Tim Appleton. Aunque era día de semana,
Candee y Jonathan habían logrado escaparse a la colina
que miraba hacia la ciudad. Ambos habían estado esperando con emoción esta primera visita al lugar del encuentro
romántico de todos los colegiales. Para entrar en ambiente,
cosa para la cual no necesitaban ninguna ayuda, habían
sintonizado la radio en KNGA, hogar de los cuarenta éxitos
musicales del momento.

—¿Qué pasa? —preguntó Jonathan, tocándose la zona
sensible de la cabeza. Candee había tenido que golpeársela
con bastante fuerza para distraer su atención. Jonathan era
alto para su edad y delgado. Su estirón adolescente había
sido puramente vertical, para gran satisfacción del entre-
nador de básquetbol.

—Quería que vieras la estrella fugaz.

Candee era gimnasta y estaba, en forma significativa,
más desarrollada físicamente que Jonathan. Su cuerpo era

11

centro de admiración de los muchachos y envidia de las chicas. Podría haber elegido a cualquiera de los varones, pero le gustaba Jonathan porque era bien parecido y le interesaban las computadoras y las manejaba muy bien.

—¿Qué tiene de tan fascinante una estrella fugaz? —se quejó el muchacho. Levantó la vista hacia el cielo, pero en seguida volvió a fijarla en Candee. No podía asegurarlo, pero le parecía que uno de los botones de su blusa, que había estado abotonado cuando llegaron, ahora se había desabotonado misteriosamente.

—Cruzó todo el cielo —respondió Candee, trazando una línea con el dedo sobre el parabrisas para dar énfasis a sus palabras—. ¡Fue espectacular!

En la penumbra del interior del automóvil, Jonathan podía distinguir apenas el imperceptible subir y bajar de los pechos de Candee con la respiración. Eso le resultaba más espectacular que cualquier estrella. Cuando se disponía a inclinarse para tratar de besarla, la radio pareció autodestruirse.

Primero el volumen subió hasta agredir los tímpanos y luego se oyó un fuerte estallido y un siseo. Del tablero salieron chispas y humo.

—¡Mierda! —gritaron Jonathan y Candee al unísono, al tiempo que en un acto reflejo trataban de alejarse del chisporroteante receptor.

Bajaron de un salto del automóvil. Desde la seguridad del exterior, espiaron hacia adentro, creyendo que verían llamas. Pero las chispas cesaron en forma tan repentina como habían brotado. Jonathan y Candee se enderezaron y se miraron por encima del techo del automóvil.

—¿Qué diablos voy a decirle a Tim? —se lamentó Jonathan.

—¡Mira la antena! —exclamó Candee.

Aun en la oscuridad, Jonathan vio que la punta se había ennegrecido.

Candee extendió un dedo y la tocó.

—¡Ay! —chilló—. ¡Está caliente!

Al oír un alboroto de voces, los jóvenes miraron a su alrededor. Varios muchachos y chicas se habían bajado de los automóviles. Una nube de humo acre colgaba sobre la escena. Todas las radios que habían estado encendidas, estuvieran sintonizadas en estaciones de rap, rock o música clásica, se habían quemado. Al menos eso era lo que todos estaban diciendo.

22:15

La doctora Sheila Miller vivía en uno de los pocos edificios de departamentos residenciales de la ciudad. Le gustaban la vista, las brisas del desierto y la cercanía con el Centro Médico de la universidad. De las tres cosas, la última era la más importante.

A los treinta y cinco años, sentía como si ya hubiera vivido dos vidas. Se había casado durante los primeros años de universidad con un compañero de estudios. ¡Habían tenido tantas cosas en común! Ambos pensaban que la medicina iba a ser su interés primario y que compartirían su sueño. Por desgracia, la realidad había sido muy poco romántica debido a sus terribles horarios. Con todo, la relación podría haber sobrevivido si George no hubiera tenido la irritante idea de que su carrera de cirujano era más valiosa que la de Sheila, en su paso primero por medicina interna, y luego por medicina de emergencia. En cuanto a la responsabilidad doméstica, había recaído sólo sobre los hombros de ella.

La decisión irrevocable de George de aceptar una beca de dos años en Nueva York había sido la gota que hizo rebasar el vaso. El hecho de que él pretendiera que ella lo siguiera a Nueva York cuando acababa de aceptar el puesto de jefa del Departamento de Emergencias del Centro Médico de la universidad, le hizo ver lo equivocados que habían estado. El romance que pudo existir entre ellos se había evaporado tiempo atrás, de modo que, con pocas discusiones y apasionamiento, se dividieron la colección de discos compactos y números atrasados de revistas médicas y se fueron cada uno por su lado. A Sheila lo único que le quedó fue un leve sabor amargo por los privilegios que se autoadjudicaban los hombres.

Esa noche en particular, como muchas otras, Sheila estaba ocupada leyendo su interminable pila de revistas médicas. Al mismo tiempo, se había puesto a grabar una película antigua clásica que estaban pasando por televisión, con la idea de mirarla en el fin de semana. Por lo tanto, su departamento estaba en silencio, con excepción del tintineo ocasional de las campanillas de la veleta que tenía en la terraza.

Sheila no vio la estrella fugaz que asombró a Candee, pero en el mismo momento en que los muchachos se asustaron por la destrucción de la radio del automóvil de Tim, Sheila sufrió igual impacto ante una catástrofe similar de su videograbadora. De pronto comenzó a chisporrotear y sisear como si estuviera por lanzarse al espacio.

Sobresaltada, Sheila tuvo la presencia de ánimo suficiente como para desenchufarla. La maniobra no surtió efecto. La máquina continuó su enloquecida actividad hasta el momento en que desconectó la entrada de cable. Entonces, los ruidos cesaron, pero del aparato siguió saliendo humo. Con cuidado, Sheila tocó la superficie de la consola. La sintió tibia, pero nada indicaba que estuviera a punto de incendiarse. Maldiciendo para sus adentros, Sheila volvió a la lectura. Consideró por unos instantes la idea de llevar la videograbadora al hospital al día siguiente por si alguno de los técnicos electrónicos podía arreglarla. Justificó la idea con su largo horario de trabajo. No le quedaba ni un minuto para llevar el aparato al comercio de artefactos para el hogar donde lo había comprado.

22:15

Pitt Henderson había estado tendiéndose con cuidado hasta quedar en posición prácticamente horizontal, desparramado sobre el gastado sillón de su diminuto dormitorio del tercer piso del campus universitario, delante del pequeño televisor blanco y negro de trece pulgadas. Se lo habían regalado sus padres para el cumpleaños anterior. La pantalla podía ser chica, pero la recepción era buena y la imagen sumamente clara.

Pitt estaba en el último año del primer ciclo universitario e iba a graduarse ese año. Se había especializado en química y ahora iba a entrar en la carrera específica de Medicina. Si bien era solamente un estudiante apenas por encima del promedio general, había logrado conseguir un puesto en la Escuela de Medicina gracias a su dedicación al trabajo. Era el único de la especialización de química que había optado por el programa de trabajo y estudio, y practicaba en el Centro Médico de la universidad desde los primeros años, generalmente en los laboratorios. Actualmente lo estaban rotando y le había tocado el Departamento de Emergencias. Con los años, Pitt había tomado la costumbre de volverse útil en cualquier parte del hospital donde lo asignaran.

Un bostezo gigante lo hizo lagrimear y el partido de la NBA que estaba mirando comenzó a esfumarse a medida que el sueño se apoderaba de él. Pitt tenía veintiún años, era fornido y musculoso y había sido estrella del fútbol norteamericano en la secundaria, pero no había logrado entrar en el equipo universitario. Dio un giro positivo a la desilusión que sintió y se concentró en su meta de recibirse de médico.

Justo cuando sus párpados estaban por unirse, la pantalla del televisor estalló, lanzando esquirlas sobre su abdomen y pecho. Fue en el mismo instante en que enloquecieron la radio de Candee y Jonathan y la videograbadora de Sheila.

Pitt quedó inmóvil durante unos segundos. Estaba aturdido y confundido, pues no sabía si lo que lo había despertado había sido algo interno o externo, como esas contracciones musculares que le daban a veces, justo antes de dormirse. Una vez que se acomodó los lentes sobre la nariz y se encontró contemplando las profundidades del tubo quemado del televisor, comprendió que no había estado soñando.

—¡La gran flauta! —exclamó mientras se ponía de pie y se quitaba con cuidado las esquirlas de vidrio de las piernas. Afuera, en el corredor, oyó el crujido de las bisagras de varias puertas.

Salió al pasillo y observó lo que pasaba a su alrededor. Un grupo de estudiantes de ambos sexos, con los atuendos más dispares, se miraban entre ellos, perplejos.

—Me estalló la computadora —se quejó John Barkly—. Estaba navegando por Internet. —John vivía en el dormitorio contiguo al de Pitt.

—A mí me explotó el maldito televisor —anunció otro estudiante.

—Casi se me prende fuego la radiodespertador —se lamentó una muchacha—. ¿Qué diablos pasa? ¿Se trata de algún tipo de broma?

Pitt cerró la puerta y contempló los restos de su amado televisor. Vaya broma, pensó. Si encontraba al responsable, lo molería a golpes.

2

07:30

Al salir de la calle principal y entrar en el estacionamiento de la cafetería Costa's, que estaba abierta las veinticuatro horas, el neumático trasero de la Toyota 4Runner negra de Beau Stark golpeó contra el cordón y el vehículo dio un salto. Sentada en el asiento del acompañante, Cassy Winthrope se golpeó la cabeza contra la ventanilla. No se lastimó, pero el salto la tomó por sorpresa. Por fortuna, tenía puesto el cinturón de seguridad.

—¡Santo Dios! —exclamó—. ¿Dónde aprendiste a manejar? ¿En la tienda Kmart?

—Qué graciosa —replicó Beau, avergonzado—. Giré un poco demasiado pronto, nada más.

—Deberías dejarme manejar a mí, si estás preocupado —dijo Cassy.

Beau condujo por la playa de estacionamiento llena y se detuvo en un espacio delante de la cafetería.

—¿Cómo sabes que estoy preocupado? —preguntó.

Puso el freno de mano y apagó el motor.

—Cuando vives con alguien, te das cuenta por miles de indicios —dijo Cassy mientras se desabrochaba el cinturón de seguridad y bajaba del automóvil—. Sobre todo si es alguien con quien estás comprometida.

Beau hizo lo mismo, pero cuando su pie hizo contacto con el suelo, resbaló sobre una piedra. Beau se aferró a la puerta para no caer.

—Ahí tienes —declaró Cassy al ver otra señal de falta

de atención y coordinación—. Después del desayuno, conduciré yo.

—Puedo conducir sin ningún problema —repuso Beau, fastidiado.

Cerró la puerta con fuerza y la trabó con el control remoto. Se reunió con Cassy detrás del automóvil y juntos se dirigieron a la entrada de la cafetería.

—Sí, claro, igual que cuando te afeitaste —lo acicateó Cassy.

Beau tenía una pequeña jungla de papel tisú pegado en los varios cortes que se había hecho esa mañana.

—Y que cuando serviste el café.

Más temprano esa mañana, Beau había dejado caer la cafetera y había roto uno de los jarritos.

—Sí, bueno, puede ser que esté un poco preocupado —admitió de mala gana.

Beau y Cassy vivían juntos desde hacía ocho meses. Ambos tenían veintiún años y estaban en el último año de la universidad, igual que Pitt. Se conocían desde el primer año, pero no habían salido nunca, pues siempre los dos habían creído que el otro estaba involucrado con alguna persona. Cuando por fin Pitt, amigo mutuo, los juntó sin darse cuenta, pues en ese entonces había estado saliendo con Cassy sin fines serios, el enamoramiento había sido inmediato y absoluto, como si la relación entre ambos hubiera estado predestinada.

Mucha gente opinaba que se parecían de tal modo que hasta podrían haber sido hermanos. Los dos tenían pelo grueso y castaño, cutis terso y aceitunado e impactantes ojos azules. Ambos sentían inclinación por los deportes y con frecuencia se entrenaban juntos. Algunas personas bromeaban con que eran la versión castaña de los muñecos Ken y Barbie.

—¿De verdad piensas que vas a tener noticias de la gente de Nite? —preguntó Cassy mientras Beau le abría la puerta—. Al fin y al cabo, Cipher es la compañía de software más importante del mundo. Creo que te vas a llevar una gran desilusión.

—Van a llamar, ya lo verás —declaró Beau con seguridad, entrando en el restaurante detrás de Cassy—. Con el currículum que les envié, me llamarán en cualquier momento. Se abrió el saco Cerruti para mostrar el extremo del teléfono celular que asomaba del bolsillo interno.

El elegante atuendo de Beau de esa mañana no era ninguna casualidad. Todos los días se tomaba el trabajo de estar impecable. Para él, tener un aspecto exitoso atraía el éxito. Por fortuna, sus padres eran profesionales los dos y se mostraban más que dispuestos a costear sus inclinaciones a la elegancia. El muchacho trabajaba duro, era estudioso y obtenía calificaciones sobresalientes. Si había algo que no le faltaba era confianza en sí mismo.

—¡Eh, muchachos! —exclamó Pitt desde una mesa junto a la ventana—. ¡Aquí estoy!

Cassy saludó con la mano y se abrió paso entre la gente. La cafetería Costa's apodada cariñosamente la "cuchara grasienta" era uno de los lugares preferidos de los universitarios, sobre todo para desayunar. Cassy se deslizó en el asiento frente a Pitt. Beau hizo lo mismo.

—¿No tuvieron problemas con los televisores o con la radio, anoche? —preguntó Pitt en tono ansioso antes de que pudieran intercambiar saludos—. ¿Tenían algo prendido a eso de las diez y cuarto?

Cassy fingió una expresión de exagerado desdén.

—A diferencia de otras personas —dijo Beau con burlona altivez—, nosotros estudiamos los días de semana por la noche.

Pitt le arrojó una servilleta de papel abollada contra la frente. Había estado jugueteando nerviosamente con la servilleta esperando que ellos llegaran.

—Para ustedes, los extraterrestres que no tienen contacto alguno con lo que pasa en el mundo real, anoche a las diez y cuarto estallaron cientos de radios y televisores por toda la ciudad —anunció Pitt—, incluyendo el mío. Algunas personas creen que fue una broma de los muchachos del Departamento de Física. Qué quieren que les diga, estoy furioso.

—Sería lindo que pasara en todo el país —dijo Beau—. Sin una semana de televisión, seguro que aumentaría el promedio del coeficiente intelectual de la nación.

—¿Jugo de naranja para todo el mundo? —preguntó Marjorie, la camarera. Había aparecido de pronto junto a la mesa. Antes de que pudieran responder, comenzó a servirles. Era todo parte del ritual matinal. Después Marjorie tomó los pedidos y les gritó en griego por encima del mostrador, a los dos cocineros.

Mientras disfrutaban del jugo de naranja, se oyó el sonido ahogado del teléfono celular de Beau debajo de la tela de la chaqueta. En su apuro por responder, Beau volcó el jugo de naranja. Pitt tuvo que reaccionar en forma instintiva para evitar que el líquido le cayera sobre los pantalones.

Cassy sacudió la cabeza con fastidio mientras sacaba una docena de servilletas del servilletero para secar el jugo derramado. Puso los ojos en blanco al captar la mirada de Pitt y le indicó con gestos que Beau había estado haciendo esa clase de cosas toda la mañana.

La expresión de Beau se iluminó cuando se dio cuenta de que sus sueños se habían hecho realidad: el llamado provenía de la organización de Randy Nite. Hasta se aseguró de decir el nombre con claridad, Cipher, para que Cassy se enterara.

Cassy explicó a Pitt que Beau estaba buscando empleo con el Papa.

—Con todo gusto acudiré a una entrevista —estaba diciendo Beau con fingida displicencia—. Sería un gran placer. Estaría dispuesto a tomar un avión al este en cuanto el señor Nite quiera verme. Como indiqué en la carta que les envié, me gradúo el mes que viene y de allí en más, estaré disponible para empezar a trabajar.

—¡De allí en más! —exclamó Cassy, atragantándose con el jugo de naranja.

—Sí —acotó Pitt—. ¿De dónde sacó esa expresión? No parece ser el Beau al que hemos aprendido a querer.

Beau les hizo una seña con la mano y los fulminó con la mirada.

—Sí, así es —dijo en el teléfono—. Lo que estoy buscando es una permutación del papel de asistente personal del señor Nite.

—¿Permutación? —interrogó Cassy, conteniendo la risa.

—Lo que me gusta es la voz que pone —declaró Pitt—. Tal vez Beau tendría que dedicarse a actuar y olvidarse de las computadoras.

—Es bastante buen actor, sí —concordó Cassy haciéndole cosquillas en la oreja—. Esta mañana decidió representar el papel de torpe.

Beau se la quitó de encima con un manotazo.

—Sí, estaría muy bien —dijo por el teléfono—. Haré los arreglos necesarios para estar allí. Por favor, dígale al señor Nite que espero ansiosamente el momento de conocerlo...

—¿Ansiosamente? —repitió Pitt, metiéndose el dedo índice en la boca para fingir arcadas.

Beau cortó la comunicación y cerró el teléfono celular. Fulminó luego a Cassy y a Pitt con la mirada.

—¡Son superinmaduros! Puede que esa sea la llamada más importante de mi carrera y no encuentran nada mejor que hacer que payasear.

—¡Superinmaduros! Ahora sí habla como el Beau de siempre —declaró Cassy.

—Sí. ¿Quién era el otro tipo que hablaba por teléfono? —acotó Pitt.

—El que va a trabajar para Cipher a partir de junio —repuso Beau—. Óiganlo bien. Después de eso... ¿quién sabe? Mientras que tú, amigo mío, vas a desperdiciar cuatro años más en la Escuela de Medicina.

Pitt rió a carcajadas.

—¿Desperdiciar cuatro años en la Escuela de Medicina? ¡Qué forma de ver las cosas tan curiosa y retorcida!

Cassy se deslizó hacia Beau y comenzó a mordisquearle el lóbulo de la oreja.

Beau la apartó.

—Por Dios, Cass, aquí hay profesores que conozco, gente que podría tener que darme cartas de recomendación.

—Ay, no estés tan tenso —le dijo Cassy—. Estamos bromeando porque te lo tomas tan a la tremenda. La verdad es que no puedo creer que te hayan llamado de Cipher. Es un golpe increíble. Deben de recibir cientos de pedidos de información sobre trabajos.

—Sí, el golpe verdadero va a ser cuando Randy Nite me ofrezca un empleo —dijo Beau—. La experiencia sería alucinante. Fuera de este mundo. El tipo vale billones.

—Sí, pero también será exigente —dijo Cassy en tono melancólico—. Veinticinco horas por día, probablemente, ocho días por semana, catorce meses por año. Eso no nos dejará mucho tiempo para estar juntos, sobre todo si yo voy a estar enseñando aquí.

—Es sólo una forma de dar el primer paso en la carrera —dijo Beau—. Quiero que me vaya realmente bien para que tú y yo podamos disfrutar de nuestras vidas.

Pitt fingió arcadas nuevamente y suplicó a sus compañeros que no lo hicieran vomitar con esas sandeces románticas.

Cuando llegó la comida, la terminaron rápidamente y miraron en forma involuntaria sus respectivos relojes. No tenían demasiado tiempo.

—¿Alguien quiere ir al cine esta noche? —preguntó Cassy, terminando el último sorbo de café—. Hoy tengo un examen y me merezco un poco de descanso.

—Yo no, amor —se disculpó Beau—. Tengo que entregar un trabajo dentro de un par de días. —Se volvió para tratar de pedir la cuenta a Marjorie con señas.

—¿Tú qué dices? —preguntó Cassy a Pitt.

—Lo siento —dijo éste—. Tengo doble turno en el Centro Médico.

—¿Y Jennifer? —preguntó Cassy—. Podría llamarla.

—Como quieras —repuso Pitt—. Pero no lo hagas por mí. Jennifer y yo estamos peleados.

—Ay, lo lamento —dijo Cassy—. Me parecía que eran una pareja fantástica.

—Sí, a mí también —se lamentó Pitt—. Por desgracia, parece haber encontrado alguien que le gusta más.

Por un instante las miradas de Pitt y Cassy se encontraron y ambos desviaron los ojos, sintiendo una leve incomodidad y una sensación de *déjà vu*.

Beau pidió la cuenta y la desplegó sobre la mesa. A pesar de que los tres habían tomado varios cursos universitarios de matemática, les llevó cinco minutos calcular cuánto debía pagar cada uno después de agregar una generosa propina.

—¿Te llevo hasta el Centro Médico? —preguntó Beau a Pitt cuando salieron al sol matinal.

—Podría ser —respondió Pitt sin demasiada gana. Se sentía levemente deprimido. El problema era que todavía sentía algo por Cassy, a pesar de que ella lo había rechazado por Beau, que era su mejor amigo. Se conocían desde la escuela primaria.

Pitt iba unos pasos detrás de sus amigos. Estuvo a punto de dar la vuelta al automóvil para abrirle la puerta del lado del pasajero a Cassy, pero no quiso dejar mal parado a Beau. De manera que siguió a Beau y se dispuso a subir al asiento trasero, pero Beau lo detuvo poniéndole un brazo sobre el hombro.

—¿Qué diablos es eso? —dijo Beau.

Pitt siguió la línea de la mirada de su amigo. Metido en el polvo, directamente delante de la puerta del conductor, había un curioso objeto redondo y negro, del tamaño de un dólar de plata. Era simétricamente abovedado, liso y, a la luz del sol, tenía un brillo opaco que podía ser de piedra o metal.

—Debo de haber resbalado sobre esto cuando bajé del automóvil —dijo Beau. Había una marca de pisada a un costado del pico redondeado del objeto. —¿Por qué habré patinado?

—¿Crees que se habrá caído de la parte de abajo del automóvil? —preguntó Pitt.

—Tiene aspecto extraño —dijo Beau. Se inclinó y con el canto de la mano quitó parte de la arena que ocultaba a medias el objeto. Vio entonces ocho prominencias simétricamente alineadas alrededor del objeto.

—¡Eh!, vamos, muchachos —exclamó Cassy desde el interior del automóvil—. Tengo que llegar a clase. Ya se me está haciendo tarde.

—Un segundo —repuso Beau. Luego dijo a Pitt: —¿Tienes idea de qué puede ser?

—En absoluto —admitió Pitt—. Veamos si el automóvil arranca.

—No es del automóvil, pedazo de tonto —le informó Beau. Con el pulgar y el índice trató de recoger el objeto, que se resistió a sus esfuerzos. —Debe de ser el extremo de una vara enterrada.

Utilizando ambas manos para escarbar la arena y la grava de alrededor del objeto, Beau se sorprendió al ver que lo liberaba con facilidad. No era parte de una vara. La base era plana. Beau lo levantó. En la cima redondeada, el grosor era de aproximadamente dos centímetros y medio.

—Vaya, es pesado para el tamaño que tiene —declaró. Se lo entregó a Pitt, que lanzó un silbido y puso cara de asombro antes de devolvérselo a Beau.

—¿De qué está hecho? —preguntó Pitt.

—Parece de plomo —repuso Beau. Con la uña trató de rayarlo, pero no lo logró. —Pero no lo es. Caray, te aseguro que es más pesado que el plomo.

—Me recuerda a esas piedras negras que encuentras de tanto en tanto en la playa —dijo Pitt—. Ya sabes, esas que el mar lleva de un lado a otro durante años.

Beau cerró el objeto entre el pulgar y el índice e hizo un movimiento como para lanzarlo.

—Con esa base plana podría hacerlo saltar veinte veces en el agua.

—¡Ni loco! —repuso Pitt—. El peso que tiene lo haría hundirse después del segundo rebote.

—Te apuesto cinco dólares a que lo hago rebotar diez veces como mínimo —dijo Beau.

—Hecho —asintió Pitt.

—¡Ay! —chilló Beau de pronto. Dejó caer el objeto, que se enterró nuevamente a medias en la arena y el pedregullo y se tomó la mano derecha con la izquierda.

—¿Qué pasó? —exclamó Pitt, asustado.

—Esa porquería me pinchó —dijo Beau con fastidio. Se oprimió la base del dedo índice y apareció una gota de sangre en la punta.

—¡Ay, cuidado! —se burló Pitt—. ¡Una herida mortal!

—Vete a la mierda, Henderson —dijo Beau e hizo una mueca de dolor—. Me dolió. Fue como si me hubiera picado una abeja. Lo sentí hasta adentro del brazo.

—Ah, septicemia instantánea —dijo Pitt con sarcasmo.

—¿Qué demonios es eso? —quiso saber Beau, nervioso.

—Me llevaría mucho tiempo explicártelo, hipocondríaco —dijo Pitt—. Además, te estoy tomando el pelo, para que lo sepas.

Beau se inclinó y levantó nuevamente el objeto. Inspeccionó el borde con atención, pero no encontró nada que justificara el pinchazo.

—¡Vamos, Beau! —exclamó Cassy con fastidio—. Me tengo que ir. ¿Qué diablos están haciendo?

—Ya va, ya va —repuso Beau. Miró a Pitt y se encogió de hombros.

Pitt se inclinó y de la base de la última hendidura dejada por el objeto en la arena, recogió una delgada esquirla de vidrio.

—¿Puede ser que haya tenido esto adherido?

—Es posible —repuso Beau. No le parecía probable, pero tampoco se le ocurría otra explicación. Se había convencido de que no había forma de que el objeto pudiera haberlo pinchado.

—¡Beauuuu! —gritó Cassy, rechinando los dientes.

Beau subió detrás del volante de su 4x4. Al hacerlo,

23

distraídamente dejó caer el curioso objeto redondeado dentro del bolsillo de su chaqueta. Pitt trepó al asiento trasero.

—Ahora voy a llegar tarde —protestó Cassy.

—¿Cuándo te diste la última dosis de vacuna antitetánica? —preguntó Pitt desde atrás.

A dos kilómetros de la cafetería de Costa, la familia Sellers estaba en la etapa final de la rutina matinal. La camioneta familiar ya estaba en marcha gracias a Jonathan, que estaba sentado esperanzadamente al volante. Su madre, Nancy, estaba en el umbral de la puerta principal, que se encontraba abierta. Tenía puesto un traje sencillo que concordaba con su puesto de investigadora virológica en una compañía farmacéutica local. Era una mujer bajita, de un metro cincuenta y cinco, con rizado pelo rubio y largo que le daba aspecto de Medusa.

—¡Vamos, tesoro! —dijo a su marido, Eugene.

Eugene estaba hablando por el teléfono de la cocina con uno de los reporteros del periódico local al que conocía personalmente. Le hizo señas de que tardaría un par de minutos.

Nancy pasó el peso de un pie a otro con impaciencia y dirigió una mirada al que era su marido desde hacía veinte años. Tenía aspecto de lo que era: un profesor de Física de la universidad. En todos esos años no había podido cambiarle el atuendo de pantalones bolsudos de corderoy y chaqueta, camisa de algodón azul y corbata tejida. Había llegado al extremo de comprarle ella misma ropa mejor, pero las prendas colgaban sin usar en el placard. La verdad era que no se había casado con Eugene por su sentido de la elegancia o la falta de ella. Se habían conocido en los primeros años de la universidad y ella se había enamorado perdidamente de su rapidez de palabra, de su humor y de su aspecto gentil y bondadoso.

Se volvió y contempló a su hijo, en cuya cara se veía a ella misma y a su marido. Se había puesto a la defensiva esa mañana cuando Nancy le había preguntado qué había hecho la noche anterior en casa de Tim. La actitud evasiva de Jonathan la preocupaba, pues no era nada habitual en él, pero Nancy comprendía que los adolescentes vivían muy presionados.

—Te lo aseguro, Art —estaba diciendo Eugene en voz lo suficientemente alta como para que ella oyera—. No hay forma de que un estallido tan potente de ondas radiales haya provenido de uno de los laboratorios del Departamento de Física. Te aconsejo que verifiques con alguna de las estaciones radiales de la zona. Hay dos cerca de la estación de la universidad. Supongo que puede haberse tratado de algún tipo de broma. Sencillamente, no lo sé.

Nancy miró a su esposo. Sabía que para él era difícil mostrarse cortante con una persona, pero todos iban a llegar tarde. Levantó un dedo y le dijo con los labios: "Un minuto". Acto seguido, se dirigió al automóvil.

—¿Puedo conducir? —preguntó Jonathan.

—No creo que sea la mañana indicada —repuso Nancy—. Estamos atrasados. Hazte a un lado.

—¡Ufa! —se quejó Jonathan—. Nunca me dejan hacer nada.

—No es cierto —lo contradijo Nancy—, pero realmente no me parece apropiado que conduzcas cuando estamos apurados.

Se sentó detrás del volante.

—¿Y papá qué está haciendo? —masculló Jonathan.

—Hablando con Art Talbot —respondió Nancy y miró el reloj. Ya había pasado el minuto. Hizo sonar la bocina.

Eugene apareció en la puerta, salió y la cerró con llave. Corrió al automóvil y subió al asiento trasero. Nancy salió rápidamente marcha atrás hasta la calle y luego aceleró hacia la primera parada: la escuela de Jonathan.

—Lamento haberlos hecho esperar —se disculpó Eugene una vez que hubieron recorrido unos metros en silencio—. Anoche se produjo un fenómeno curioso. Parece que muchos televisores, radios y hasta portones de garaje de la zona de la universidad sufrieron graves daños. Dime, Jonathan, ¿tú y Tim estaban escuchando radio o mirando televisión a eso de las diez y cuarto? Si mal no recuerdo, los Appleton viven por esa zona...

—¿Quién, yo? —preguntó Jonathan demasiado rápido—. No, no. Estábamos... estábamos leyendo. Sí, leyendo.

Nancy miró a su hijo por el rabillo del ojo, preguntándose qué habría estado haciendo realmente.

—¡Eeepaa! —exclamó Jesse Kemper. Logró ingeniárselas para evitar que la taza humeante de café se le derramara sobre las rodillas cuando su compañero, Vince Garbon, giró y mordió el cordón de la acera de la tienda de artículos eléctricos Pierson's, ubicada a unas pocas cuadras de la cafetería Costa's.

Jesse tendría unos cincuenta y cinco años y se mantenía en estado atlético. La mayoría de las personas le daban poco más de cuarenta años. Era un hombre de aspecto imponente, con un bigote hirsuto que contrarrestaba el pelo ralo de su cabeza.

Jesse era teniente detective de la policía ciudadana y gozaba del aprecio de sus colegas. Había sido solamente el quinto miembro negro de la fuerza pero, alentado por su legajo, el municipio había comenzado a reclutar afroamericanos, a tal punto que el departamento ahora era un espejo racial de la comunidad.

Vince condujo el automóvil sin identificación hasta el costado del edificio y frenó afuera del portón abierto del garaje, junto a un patrullero.

—Esto sí que lo tengo que ver —declaró Jesse mientras descendía por la puerta del lado del pasajero.

Al volver de un intervalo para tomar café, Vince y él habían oído por la radio que un granuja de poca monta llamado Eddie Howard había sido encontrado arrinconado contra un edificio desde la noche anterior por un perro de guardia. Eddie era tan conocido en la estación de policía que ya casi lo consideraban un amigo.

Mientras trataban de que sus ojos se adaptaran a la oscuridad interior del garaje, Jesse y Vince oyeron voces desde la derecha, detrás de unas estanterías grandes que llegaban hasta el cielo raso. Al dirigirse hacia allí, encontraron a dos policías uniformados en actitud displicente, como si hubieran dejado sus actividades para fumar un cigarrillo. Pegado a un rincón estaba Eddie Howard. Delante de él había un macizo dogo blanco y negro, inmóvil como una estatua. Los ojos penetrantes del animal miraban sin parpadear a Eddie, fijos como bolitas negras.

—¡Llegó Kemper, gracias a Dios! —exclamó Eddie, muy tieso—. ¡Quítame este animal de encima!

Jesse miró a los dos policías uniformados.

—Llamamos al dueño y viene hacia aquí —le informó uno de ellos—. Por lo general, no llegan antes de las nueve.

Jesse asintió y se volvió hacia Eddie.

—¿Cuánto tiempo llevas aquí?

—Toda la noche, por Dios —dijo Eddie—. Apretado así contra la pared.

—¿Cómo entraste? —quiso saber Jesse.

—Caminando —repuso Eddie—. Estaba dando vueltas por el vecindario y de pronto la puerta del garaje se abrió sola, como por arte de magia. Así que entré para cerciorarme de que todo estuviera bien. Para dar una mano, sabes.

Jesse lanzó una carcajada burlona.

—Parece que el pichicho creyó que tenías otras intenciones.

—Vamos, Kemper —gimió Eddie—. Quítame la bestia de encima.

—Ya va, ya va —rió Jesse. Se volvió hacia los oficiales. —¿Revisaron el portón del garaje?

—Sí —respondió el segundo oficial.

—¿Algún indicio de que fue forzado? —preguntó Jesse.

—Creo que Eddie no mintió en ese aspecto —declaró el policía.

Jesse sacudió la cabeza.

—Anoche pasaron todo tipo de cosas extrañas.

—Casi todas en esta parte de la ciudad —corroboró Vince.

Sheila Miller estacionó su convertible BMW rojo en el lugar que tenía reservado junto a la entrada de la Sala de Emergencias. Volcó el asiento delantero hacia adelante y contempló la videograbadora rota. Trató de pensar en una forma de llevar el aparato, el maletín y un fajo de carpetas a la oficina en un solo viaje. Cuando iba a darlo por imposible, vio que una camioneta Toyota estacionaba junto a la acera para descargar un pasajero.

—¡Disculpe, señor Henderson! —exclamó Sheila al reconocer a Pitt. Se esforzaba por conocer el nombre de todos los que trabajaban en su departamento, fueran empleados o cirujanos. —¿Podría hablarle un minuto?

Aunque era evidente que estaba apurado, Pitt se volvió al oír su nombre. Reconoció de inmediato a la doctora Miller. Con aire avergonzado, cambió de dirección, descendió los escalones y se acercó al automóvil de ella.

—Sé que llegué con unos minutos de retraso —dijo Pitt en tono nervioso. La doctora Miller tenía fama de ser una administradora estricta. Los empleados de menor categoría, sobre todo los residentes de primer año, la apodaban "Dragón". —No volverá a suceder —añadió.

Sheila miró el reloj y luego a Pitt.

—Usted tendría que empezar la escuela de medicina en el otoño.

—Así es —asintió Pitt, sintiendo que se le aceleraba el pulso.

—Bueno, al menos tiene mejor aspecto que la mayoría de los muchachos de este año —dijo Sheila, disimulando una sonrisa. Intuía el nerviosismo de Pitt.

Confundido por el comentario, que parecía ser un cumplido, Pitt se limitó a asentir. En realidad, no sabía qué decir. Tenía la sensación de que estaba riéndose de él, pero no podía estar seguro.

—Le propongo una cosa —dijo Sheila, haciendo un movimiento de cabeza en dirección al asiento trasero—. Si me lleva esa videograbadora a la oficina, no mencionaré esta gravísima infracción al rector.

Pitt ahora tuvo la certeza de que ella estaba bromeando pero, de todos modos, prefirió mantener la boca cerrada. Sin decir una palabra, se inclinó, levantó la videograbadora y siguió a la doctora Miller a la Sala de Emergencias.

Había bastante actividad, causada en gran parte por algunos accidentes automovilísticos matinales. Entre quince y veinte pacientes aguardaban en la sala de espera y algunos más en la sección de Traumatología. El equipo de la mesa de recepción saludó a la doctora Miller con sonrisas, pero dirigieron miradas sorprendidas a Pitt, sobre todo la persona que esperaba ser relevada por él.

Caminaron por el corredor principal y cuando se disponían a entrar en la oficina de Sheila, ella vio a Kerry Winetrop, uno de los técnicos electrónicos del hospital. Mantener todos los equipos de monitoreo del hospital en buenas condiciones ocupaba a varios técnicos con dedicación completa. Sheila llamó al hombre y él se acercó, solícito.

—Anoche a mi videograbadora le dio un ataque —dijo Sheila, señalando el aparato que llevaba Pitt.

—No fue la única —repuso Kerry—. Le sucedió lo mismo a mucha gente. Aparentemente hubo una sobrecarga en la línea de cable en la zona de la universidad a las diez y cuarto de la noche. Ya he visto un par de aparatos que trajeron esta mañana.

—Una sobrecarga, eh —dudó Sheila.

—A mí me estalló el televisor —interpuso Pitt.

—Al menos el mío funciona —dijo Sheila.

—¿Estaba encendido cuando se rompió la videograbadora? —quiso saber Kerry.

—No —repuso la doctora.

—Bueno, fue por eso que no estalló —explicó Kerry—. Si hubiera estado encendido, lo habría perdido, también.

—¿La videograbadora tiene arreglo? —preguntó Sheila.

—No, al menos que quiera cambiarle todo lo que tiene adentro. Para serle franco, le saldrá más barato comprar una nueva.

—Qué mala suerte —se quejó Sheila—. Justo ahora que había aprendido a ponerle el reloj en hora.

Cassy subió corriendo la escalinata de la Escuela Secundaria Anna C. Scott y entró justo en el momento en que sonaba el timbre para anunciar el comienzo de la primera hora. Corrió hacia la clase que tenía asignada, diciéndose para sus adentros que no ganaría nada poniéndose histérica. Iba por la mitad de una tarea de observación de clases de un mes de duración, y esta era la primera vez que llegaba tarde.

Se detuvo delante de la puerta para sacarse el pelo de la cara y alisarse la falda del recatado vestido de algodón; desde adentro se oían voces y gritos. Cassy había esperado oír la voz estridente de la señora Edelman, pero sólo le llegaban sonidos de risas y bulla. Entreabrió la puerta y asomó la cabeza.

Los alumnos estaban desparramados desordenadamente por el salón. Algunos estaban de pie, otros sentados sobre los radiadores y pupitres. El zumbido de las diversas conversaciones era atronador.

Cassy abrió la puerta un poco más y comprendió el porqué de semejante caos. La señora Edelman no estaba en la clase.

Tragó con fuerza. Se le había secado la boca. Vaciló durante unos segundos; tenía muy poca experiencia con alumnos de secundaria. Había enseñado solamente en la primaria. Comprendió que no tenía opción, así que respiró hondo y entró en el salón.

Nadie le prestó atención. Avanzó hasta el escritorio de la señora Edelman y vio una nota escrita a mano por la profesora, que decía simplemente: "Señorita Winthrope, me retrasaré unos minutos. Por favor, hágase cargo de la clase".

Con el corazón al galope, Cassy contempló la escena ante sus ojos. Se sentía incompetente y fuera de lugar; una impostora. No era maestra, al menos no todavía.

—¡Atención, por favor! —dijo. No hubo respuesta. Habló en voz más alta. Finalmente, gritó con todas sus fuerzas, lo que produjo un silencio azorado. Treinta pares de ojos se clavaron en ella. Las expresiones iban desde la sorpresa e irritación por haber sido interrumpidos hasta el más franco desdén.

—Por favor, tomen asiento —dijo Cassy, en voz menos firme de lo que hubiera deseado.

De mala gana, los alumnos obedecieron.

—Muy bien —prosiguió Cassy, intentando dar una imagen de seguridad. —Estoy al tanto de lo que tenían que hacer, así que hasta que vuelva la señora Edelman, ¿por qué no hablamos sobre el estilo de Faulkner en un sentido general? ¿A quién le gustaría empezar?

Cassy recorrió el salón con la mirada. Los alumnos, que minutos antes habían sido la imagen de la animación, ahora parecían tallados en mármol. Las expresiones de los que le devolvían la mirada eran vacías. Un impertinente muchacho pelirrojo frunció los labios en un beso silencioso cuando los ojos de Cassy se posaron por un instante sobre los de él. Ella pasó por alto la mueca.

Sentía gotas de transpiración en la línea del cuero cabelludo. Las cosas no estaban saliendo bien. En el fondo de la última fila, podía ver a un chico rubio concentrado en su computadora portátil.

Cassy miró el esquema de asientos que estaba sobre el secante del escritorio y leyó el nombre del chico: Jonathan Sellers.

Levantó la mirada y lo intentó nuevamente.

—Muy bien; comprendo que les parezca lo máximo hacer como si no existiera; al fin y al cabo soy solamente una estudiante de profesorado y ustedes saben mucho más que yo de lo que sucede aquí, pero...

En ese momento, se abrió la puerta. Cassy se volvió, esperando ver a la competente señora Edelman. Pero no era ella y la situación se le tornó peor cuando vio que el que entraba era el señor Partridge, el director.

El pánico se apoderó de Cassy. El señor Partridge era un hombre agrio y muy estricto en lo que se refería a disciplina. Cassy había estado con él solamente una vez, cuando con su grupo de compañeros de estudios pasaban por la etapa de orientación. Él había dejado muy en claro que no le gustaba el programa de adiestramiento de alumnos del profesorado y que lo había aceptado solamente por obligación.

—Buenos días, señor Partridge —balbuceó Cassy—. ¿Puedo hacer algo por usted?

—¡Continúe, por favor! —ordenó él—. Me informaron del retraso de la señora Edelman, de manera que decidí quedarme a observar un momento.

—Por supuesto —dijo Cassy. Volvió a concentrarse en sus pétreos alumnos y carraspeó. —Jonathan Sellers —continuó en voz más alta—. ¿Querrías comenzar con el tema, por favor?

—Cómo no —respondió Jonathan con afabilidad.

Cassy dejó escapar un imperceptible suspiro de alivio.

—William Faulkner fue un gran escritor norteamericano —declaró, tratando de parecer improvisado.

Cassy se dio cuenta de que estaba leyendo de la pantalla de la computadora, pero no le importó. Es más, se sintió agradecida por su inventiva.

—Es famoso por las vívidas caracterizaciones que hace y por su... estilo... ejem.... rimbombante...

Tim Appleton, sentado a unos metros de Jonathan, trató en vano de contener la risa, pues se dio cuenta de lo que estaba haciendo éste.

—Muy bien —dijo Cassy—. Veamos cómo encaja eso en la historia que tenían que leer para hoy.

Se volvió hacia el pizarrón y escribió "personajes vívidos" y al lado "estructura narrativa compleja". Entonces oyó que la puerta que daba al pasillo se abría y se cerraba. Echó una mirada por encima del hombro y vio con alivio que el avinagrado Partridge se había retirado.

Al volverse y enfrentar a los alumnos de nuevo, se alegró al ver que varios habían levantado la mano para participar . Antes de llamar a uno de ellos, Cassy dirigió una pequeña sonrisa de agradecimiento a Jonathan. No lo supo con certeza, pero le pareció ver que se sonrojaba antes de volver a bajar la vista hacia la pantalla.

3

11:15

El salón Olgavee era uno de los más amplios salones de conferencias con butacas y palcos de la Escuela de Administración. Si bien todavía no se había graduado, Beau había obtenido un permiso especial para tomar un curso avanzado de comercialización que gozaba de mucha fama entre los estudiantes de administración. Es más, había tenido tanto éxito que se necesitaba un salón de gran capacidad como el Olgavee. Las conferencias eran estimulantes y entretenidas. El curso se daba de un modo interactivo con un profesor diferente todas las semanas. La desventaja era que cada clase requería mucha concentración. Había que estar preparado para responder en cualquier momento.

Pero a Beau le estaba costando muchísimo concentrarse en la conferencia de ese día, cosa que no era nada habitual en él. No era culpa del profesor, sino suya. Para su gran consternación y la de sus compañeros cercanos, no podía dejar de moverse en su asiento. Unos incómodos dolores musculares le impedían encontrar una posición adecuada. Además, sentía dolor detrás de los ojos. Y lo peor de todo era que estaba sentado en el centro del salón, en la cuarta fila, directamente en la línea de visión del profesor. Beau siempre se esforzaba por llegar a tiempo para conseguir el mejor asiento.

Se daba cuenta de que el profesor comenzaba a fastidiarse, pero no sabía qué hacer.

Todo había comenzado cuando se dirigía al salón Olgavee. El primer síntoma había sido una sensación de ardor dentro de la nariz que le había provocado una seguidilla de estornudos violentos. Poco tiempo después tuvo que comenzar a sonarse la nariz a cada rato. Al principio, pensó que se había resfriado. Pero ahora se veía obligado a admitir que debía de ser algo más. La irritación pasó de los senos nasales a la garganta, que ahora le dolía cuando tragaba. Y para empeorar las cosas, sobrevinieron unos ataques de tos que le lastimaron aún más la garganta.

La persona que estaba delante de Beau se volvió y lo fulminó con la mirada después de que tuvo un acceso explosivo de tos.

Con el correr de los minutos, Beau empezó a sentir el cuello duro. Trató de masajearse los músculos, pero no sintió alivio. Hasta la solapa de la chaqueta parecía incomodarlo. Pensando que el objeto plomizo que tenía en el bolsillo podía estar contribuyendo a su malestar, Beau lo sacó y lo colocó sobre el pupitre delante de él. Tenía aspecto extraño allí sobre su cuaderno. La forma perfectamente redondeada, la exquisita simetría, le daban el aspecto de una pieza manufacturada, pero Beau no sabía si lo era. Por unos segundos pensó que podía tratarse de un pisapapeles futurista, pero descartó la idea por demasiado prosaica. Más probable era que se tratase de una pequeña escultura, pero en realidad no podía asegurarlo. Se preguntó si debía llevarlo al Departamento de Geología para averiguar si podría ser el resultado de un fenómeno natural como una *geoda*.

Pensar en el extraño objeto hizo que Beau examinara la diminuta herida en la punta del dedo índice. Tenía ahora un punto rojo en el centro de unos milímetros de piel pálida y azulada. Alrededor de eso había una aureola roja de dos milímetros. Al tocarlo, sentía algo de dolor, como cuando el médico lo había pinchado con una de esas extrañas lancetas que utilizaban para extraer una pequeña muestra de sangre.

Un escalofrío interrumpió los pensamientos de Beau. Al temblor le siguió un acceso de tos. Cuando por fin recuperó el aliento, tuvo que admitir que era inútil tratar de seguir hasta el final de la conferencia. No estaba prestando atención y, encima, estaba molestando a sus compañeros y al conferencista.

Beau recogió sus papeles, deslizó el extraño objeto nuevamente dentro del bolsillo y se puso de pie. Tuvo que pedir permiso repetidamente para avanzar lateralmente a lo largo de la fila. A uno de los estudiantes se le cayó el cuaderno y volaron hojas al suelo.

Cuando Beau llegó por fin al pasillo, vio que el conferencista se llevaba una mano a los ojos para ver quién era el que estaba causando tanto revuelo. A él no iba a poder pedirle una carta de recomendación, decidió Beau.

Exhausta emocional y físicamente al final del día, Cassy bajó las escaleras de la secundaria y salió a la entrada de automóviles en forma de herradura. Tenía muy en claro que en cuanto a enseñanza, le gustaba mucho más la escuela primaria que la secundaria. Desde su perspectiva, los adolescentes casi siempre se mostraban egocéntricos y dedicados a desafiar constantemente los límites. Algunos de ellos hasta le parecían malvados. Prefiero toda la vida un inocente y alegre niño de tercer grado, se dijo Cassy.

El sol de la tarde le entibiaba la cara. Se protegió los ojos con una mano y recorrió con la vista las filas de los automóviles de la entrada, buscando la 4x4 de Beau. Insistía en pasar a buscarla todas las tardes y, por lo general, lo encontraba esperando. Al parecer, hoy no era así.

Mientras buscaba un lugar donde sentarse, Cassy vio una cara conocida no lejos de ella. Era Jonathan Sellers, de la clase de Lengua de la señora Edelman. Cassy se acercó y lo saludó.

—Ah, hola —balbuceó Jonathan. Miró a su alrededor, nervioso, esperando que no hubiera compañeros en las cercanías. Sintió que la sangre le subía a la cara. La verdad era que le parecía que Cassy era la profesora más bonita que habían tenido y se lo había comentado a Tim después de la clase.

—Gracias por romper el hielo esta mañana —le dijo Cassy—. Fue una gran ayuda. Por un instante, me pareció estar en un funeral. En el mío, para ser más exacta.

—Fue pura suerte que justo estuviera viendo qué había sobre Faulkner en mi computadora.

—De todos modos, pienso que fue valiente de tu parte decir algo —repuso Cassy—. Te lo agradezco. De allí en más, todo fue más fácil. Tenía miedo de que nadie fuera a abrir la boca.

—Mis amigos a veces son unos idiotas —admitió Jonathan.

Una camioneta azul oscura se detuvo junto a la acera. Nancy Sellers se inclinó hacia un costado y abrió la puerta del lado del pasajero.

—Hola, ma —saludó Jonathan con un ademán algo rígido.

Los ojos brillantes e inteligentes de Nancy Sellers pasaron de su hijo de diecisiete años a la mujer sensual de aspecto universitario. Se había dado cuenta de que a Jonathan se le había despertado el interés por las mujeres, pero esta situación resultaba algo inapropiada.

—¿No vas a presentarme a tu amiga? —dijo Nancy.

—Sí, claro —repuso Jonathan, con la mirada fija en la acera—. Es la señorita Winthrope.

Cassy se inclinó hacia adelante y extendió la mano.

—Mucho gusto, señora Sellers. Puede llamarme Cassy.

—Cassy será, entonces —respondió Nancy. Le estrechó la mano. Hubo un silencio breve y algo incómodo antes de que Nancy preguntara cuánto tiempo hacía que se conocían.

—¡Mamáaaa! —gimió Jonathan. Entendió de inmediato lo que su madre insinuaba y se sintió mortificado. —La señorita Winthrope está haciendo prácticas en la clase de Lengua.

—Ah, comprendo —comentó Nancy con un dejo de alivio.

—Mi madre es investigadora de virología —dijo Jonathan para cambiar de tema e intentar explicar por qué podía haber dicho algo tan tonto.

—¿De veras? —comentó Cassy—. Es un campo muy interesante e importante en el mundo de hoy. ¿Trabaja en el Centro Médico de la universidad?

—No, en Farmacéutica Serotec —respondió Nancy—. Pero mi marido está en la universidad. Es jefe del Departamento de Física.

—Cielos —dijo Cassy con admiración—. Con razón tienen un hijo tan inteligente.

Por encima de la camioneta de los Sellers, Cassy vio que Beau tomaba el camino de entrada.

—Bueno, fue un gusto —le dijo a Nancy. Se volvió hacia Jonathan y nuevamente le dio las gracias por su colaboración.

—No fue nada —insistió Jonathan.

Cassy corrió con paso ligero hasta donde estaba Beau.

Jonathan la observó irse, fascinado por el movimiento de sus glúteos debajo del delgado vestido de algodón.

—¿Bueno, te llevo a casa o no? —preguntó Nancy quebrando el hechizo. Otra vez se sentía preocupada por la idea de que estuviera sucediendo algo de lo que ella no estaba enterada.

Jonathan subió al asiento delantero después de colocar, con cuidado, la computadora en el asiento de atrás.

—¿Por qué te agradeció? —preguntó Nancy al tiempo que ponía el automóvil en marcha. Vio que Cassy subía a un vehículo utilitario conducido por un atractivo muchacho de su edad. Nancy dejó que su preocupación se esfumara. Era difícil criar a un adolescente: de a ratos se sentía orgullosa, de a ratos preocupada. Era una montaña rusa emocional para la cual no se sentía equipada.

Jonathan se encogió de hombros.

—Como dije, no fue nada.

—Por Dios —se quejó Nancy, fastidiada—. Sacarte un mínimo de información es como querer sacar agua de una roca.

—Déjame en paz —dijo Jonathan. Cuando pasaron junto a la 4x4 negra, dirigió una mirada subrepticia a Cassy. Estaba sentada dentro del vehículo, conversando con el conductor.

—Tienes un aspecto terrible —dijo Cassy. Estaba sentada de costado, para poder mirar directamente a Beau. Nunca lo había visto tan pálido. Gotas de transpiración le cubrían la frente como topacios diminutos. Tenía los ojos enrojecidos y vidriosos.

—Gracias por el cumplido —respondió Beau.

—¿Qué te pasa? —le preguntó.

—No lo sé —dijo Beau—. Me empecé a sentir mal justo antes de la clase de comercialización y ahora estoy peor. Debe de ser gripe. Me duelen los músculos, la garganta, me chorrea la nariz, me duele la cabeza; un desastre.

Cassy extendió la mano y le tocó la frente transpirada.

—Estás caliente —dijo.

—Qué raro, porque siento frío —repuso Beau—. Tengo

36

escalofríos. Hasta me metí en cama, pero en cuanto me tapé empecé a tener calor y me destapé.

—No deberías haberte levantado —lo reprendió Cassy—. Hubiera conseguido un viaje de vuelta con alguna de mis compañeras.

—No tenía forma de avisarte —dijo Beau.

—Los hombres son todos iguales —declaró Cassy bajándose del automóvil—. Cuando se sienten mal, no quieren reconocerlo.

—¿Adónde vas? —quiso saber Beau.

Cassy no respondió. Dio la vuelta al automóvil y abrió la puerta del lado de Beau.

—Hazte a un lado —le ordenó—. Voy a conducir yo.

—Puedo conducir perfectamente —se defendió Beau.

—No voy a discutir —declaró Cassy—. ¡A un lado!

Beau no tenía las energías suficientes para protestar. Además, aunque no quisiera admitirlo, sabía que ella tenía razón.

Cassy puso el automóvil en movimiento. Al llegar a la esquina giró a la derecha en lugar de a la izquierda.

—¿Adónde diablos vas? —preguntó Beau. Le dolía la cabeza y no veía la hora de meterse en cama.

—A la enfermería del Centro Médico —respondió Cassy—. No me gusta tu aspecto.

—Me pondré bien en seguida —se quejó Beau, sin demasiada convicción. A medida que transcurrían los minutos se sentía cada vez peor.

Para entrar en la enfermería había que pasar por la Sala de Emergencias y cuando entraron, Pitt los vio y salió de detrás del escritorio de la recepción.

—¡La flauta! —exclamó Pitt al ver a Beau—. ¿La organización Nite te canceló la entrevista o te atacó el equipo de atletismo de mujeres?

—Qué gracioso —masculló Beau—. Creo que me engripé.

—Y cómo —concordó Pitt—. Ven, pasa a uno de los cubículos de la sala. No creo que quieran que entres en los consultorios para estudiantes.

Beau se dejó llevar. Pitt le facilitó las cosas trayéndole a una de las enfermeras más compasivas y yendo a buscar a un médico experimentado del sector de Emergencias.

La enfermera y el médico revisaron rápidamente a Beau. Le extrajeron sangre y le colocaron una vía endovenosa.

—Es sólo para hidratarte —explicó el médico, señalando el frasco de suero—. Creo que tienes una gripe fuerte, pero los pulmones están bien. De todos modos, pienso que lo mejor es que te quedes a pasar la noche, o al menos unas horas, para que podamos bajarte la fiebre y controlarte la tos. Y también podremos ver los análisis de sangre para ver si se me ha escapado algo...

—No me quiero quedar internado —se quejó Beau.

—Si el doctor dice que tienes que quedarte, te quedas —declaró Cassy—. Y nada de hacerte el macho valiente.

Pitt movió nuevamente los hilos y media hora después Beau estaba cómodamente instalado en una de las habitaciones para estudiantes. Parecía una típica habitación de hospital, con pisos vinílicos, muebles de metal, un televisor y una ventana que daba al sur, al jardín del hospital. Beau se había puesto un pijama hospitalario. Su ropa colgaba en el placard y el reloj, la billetera y el extraño objeto negro estaban en una caja de seguridad metálica adosada al escritorio. Cassy había programado la cerradura a combinación con los últimos cuatro dígitos del número telefónico del departamento que compartían.

Pitt se disculpó y dijo que debía regresar a la recepción de la sala de emergencias.

—¿Estás cómodo? —preguntó Cassy. Beau estaba de espaldas y tenía los ojos cerrados. Le habían dado un antitusivo que ya había comenzado a hacer efecto. Se sentía exhausto.

—Tan cómodo como puede esperarse —murmuró Beau.

—El médico me dijo que vuelva dentro de unas horas —dijo Cassy—. Entonces estarán listos todos los análisis y lo más probable es que pueda llevarte a casa.

—Aquí estaré —murmuró Beau. Estaba disfrutando de la extraña y lánguida sensación de sueño que comenzaba a cubrirlo como una frazada. Ni siquiera oyó a Cassy cerrar la puerta cuando se fue.

Beau se durmió en forma profunda, sin sueños. Después de varias horas de este trance comatoso, su cuerpo adquirió una leve fosforescencia. Adentro de la caja de seguridad, el objeto con forma de disco hizo lo mismo, sobre todo una de las ocho pequeñas excrecencias distribuidas a lo largo del borde. De pronto el pequeño disco se soltó y flotó libremente. Su brillo se intensificó hasta que se tornó un punto luminoso, semejante a una estrella lejana.

Moviéndose lateralmente, el punto de luz hizo contacto con el costado de la caja de seguridad, pero no aminoró la velocidad. Con un siseo apagado y un leve chisporroteo atravesó el metal, dejando un orificio perfectamente simétrico detrás de él.

Una vez que estuvo libre, el punto de luz fue directamente hacia Beau, haciendo que la luminosidad de Beau se intensificara. Se acercó al ojo derecho de Beau y quedó allí en el aire, a unos pocos milímetros. Lentamente la intensidad del punto de color disminuyó hasta retomar su color negro opaco habitual.

Unos pocos pulsos de luz visible salieron del objeto y se adhirieron al párpado de Beau. De inmediato el ojo se abrió, mientras que el otro se mantuvo cerrado. La pupila estaba dilatada al máximo y sólo se veía un bordecito de iris.

Pulsos de radiación electromagnética fueron despachados al ojo abierto de Beau, mayormente en la longitud de onda de la luz visible. Fue como descargar una computadora dentro de otra. El proceso llevó casi una hora.

—¿Cómo está nuestro paciente preferido? —preguntó Cassy a Pitt al llegar a la Sala de Emergencias. Pitt no la había visto hasta ese momento. Había estado ocupado, pues había tenido que atender muchas urgencias.

—Creo que bien —respondió—. Pasé a verlo un par de veces y siempre lo encontré durmiendo como un bebé. Creo que ni siquiera cambió de posición. Debe de haber estado exhausto.

—¿Están listos los análisis? —quiso saber Cassy.

—Sí, ya los enviaron y está todo bastante normal. La cuenta de glóbulos blancos estaba algo alta, pero sólo en los linfocitos mononucleares.

—Eh, recuerda que yo de eso no sé nada —lo frenó Cassy.

—Disculpa —dijo Pitt—. Lo importante es que puede irse a su casa. De allí en más, lo de siempre: líquidos, aspirina, reposo y un jarabe para la tos.

—¿Qué tengo que hacer para que le den el alta? —preguntó Cassy.

—Nada. Ya hice todo el papelerío —repuso Pitt—. Sólo nos falta llevarlo al automóvil. Ven, te daré una mano.

Pitt obtuvo permiso de la jefa de enfermeras para tomarse un descanso. Buscó una silla de ruedas y echó a andar por el corredor hacia la zona de internación de estudiantes.

—¿Te parece que la silla de ruedas es necesaria? —preguntó Cassy, preocupada.

—Es mejor tenerla a mano, por cualquier cosa —repuso Pitt—. Estaba bastante inestable cuando lo trajiste.

Llegaron a la puerta y Pitt golpeó suavemente. Al no obtener respuesta, la entreabrió y asomó la cabeza dentro de la habitación.

—Como te dije —anunció. Abrió la puerta para hacer pasar la silla de ruedas. —La bella durmiente todavía no se ha movido.

Pitt estacionó la silla de ruedas y siguió a Cassy hasta la cama. Se ubicaron uno a cada lado de ésta.

—¿Viste? —dijo Pitt—. La imagen de la tranquilidad. ¿Por qué no le das un beso para ver si se transforma en un sapo?

—¿Lo despertamos? —preguntó Cassy—, pasando por alto la broma de Pitt.

—Va a ser necesario hacerlo, si queremos mandarlo a casa —repuso éste.

—Qué pacífico se lo ve —comentó Cassy—. Y tiene mucho mejor aspecto que antes. Le ha vuelto el color normal.

—Puede ser —dijo Pitt.

Cassy sacudió el brazo de Beau con suavidad y lo llamó por su nombre. Al ver que no respondía, lo sacudió con más fuerza.

Beau abrió los ojos. Miró primero a uno y luego a otro y después dijo:

—¿Qué tal?

—La pregunta es qué tal estás tú —dijo Cassy.

—¿Yo? Muy bien —repuso Beau. Sus ojos recorrieron rápidamente la habitación. —¿Dónde estoy?

—En el Centro Médico —le informó Cassy.

—¿Qué hago aquí?

—¿No te acuerdas? —dijo Cassy, preocupada.

Beau sacudió la cabeza. Se destapó y bajó los pies al suelo.

—¿No recuerdas haberte sentido mal en clase? —preguntó Cassy—. ¿Ni que yo te traje aquí?

—Ah, sí —dijo Beau—. Ahora me está volviendo todo.

Sí, lo recuerdo. Me sentía pésimamente mal. —Miró a Pitt. —¿Eh, viejo, qué me dieron? Estoy nuevo.

—Parece que lo que necesitabas era dormir unas horas —dijo Pitt—. Lo único que hicimos fue hidratarte un poco.

Beau se puso de pie y se desperezó.

—Tal vez tenga que venir a que me hidraten más a menudo —dijo—. ¡Qué diferencia! —Vio la silla de ruedas. —¿Y eso para qué es?

—Para ti, por si la necesitabas —respondió Pitt—. Cassy vino a llevarte a casa.

—No necesito ninguna silla de ruedas —declaró Beau. Tosió e hizo una mueca. —Bueno, todavía me duele un poco la garganta y tengo tos, pero vayámonos ya. —Buscó su ropa y fue al baño a cambiarse. —Cassy ¿puedes sacarme la billetera y el reloj de la caja metálica? —dijo desde el baño.

Cassy fue hasta el escritorio y marcó la combinación.

—Si no me necesitan, me iré de vuelta a la recepción —anunció Pitt.

Cassy se volvió, con una mano dentro de la caja metálica.

—Has sido un santo —dijo. Sus dedos se encontraron con la billetera y el reloj. Los sacó y cerró la puerta. Fue luego hasta donde estaba Pitt y lo abrazó. —Gracias por tu ayuda.

—Eh, no fue nada —contestó Pitt, incómodo. Se miró los pies, luego fijó la vista en la ventana. Cassy lo turbaba.

Beau salió del baño, acomodándose la camisa dentro del pantalón.

—Sí, viejo, mil gracias —dijo. Dio un suave puñetazo a Pitt en el brazo. —Estuviste genial.

—Me alegro de que estés mejor —dijo Pitt—. Nos vemos.

Tomó la silla de ruedas y la empujó fuera de la habitación.

—Es un tipazo —declaró Beau.

Cassy asintió.

—Va a ser un buen médico. Se preocupa en serio por los pacientes.

4

22:45

Hacía treinta y cinco años que Charlie Arnold trabajaba en el Centro Médico, desde que, a los diecisiete, decidió dejar la escuela. Comenzó en el Departamento de Edificación y Jardines cortando el césped, podando árboles y sacando malezas de los canteros. Por desgracia, una alergia al césped lo alejó de esa línea de trabajo. Pero como en el hospital lo valoraban como empleado, la administración le ofreció un puesto en limpieza y mantenimiento. Charlie aceptó y disfrutaba de su trabajo. Sobre todo los días muy calurosos, cuando era mucho más agradable estar adentro que afuera.

A Charlie le gustaba trabajar solo. El supervisor le daba la lista de las habitaciones para limpiar y él lo hacía. Esta noche en particular, le faltaba una sola habitación: una de las de internación de estudiantes. Eran siempre más fáciles que las comunes del hospital. Allí uno nunca sabía con qué se iba a topar. Dependía de la enfermedad del ocupante anterior. A veces no era nada agradable.

Silbando por lo bajo, Charlie abrió la puerta y entró con el balde y el carrito de limpieza. Contempló la habitación, con las manos sobre las caderas. Tal como había supuesto, sólo necesitaba pasar el paño con desinfectante y quitar el polvo. Se dirigió al baño y echó un vistazo. Parecía intacto.

Charlie siempre comenzaba por el baño. Después de ponerse los gruesos guantes protectores, limpió la ducha y el lavatorio y desinfectó el inodoro siguiendo su rutina. Luego pasó el lampazo.

Dentro de la habitación, sacó las sábanas de la cama y pasó un paño al colchón. Siempre limpiaba todas las superficies, incluyendo el alféizar. Cuando se disponía a limpiar el piso con el paño, un brillo le llamó la atención. Se volvió hacia el escritorio y se quedó mirando la caja de seguridad. Si bien su mente le decía que era absurdo, la caja parecía brillar como si adentro tuviera una luz inmensamente potente. Desde luego, eso no tenía ningún sentido, puesto que la caja era de metal, de modo que por más potente que fuera la luz, no se podría ver el brillo.

Charlie apoyó el lampazo contra el borde superior del balde y dio unos pasos hacia el escritorio, con la intención de abrir la puerta de la caja de seguridad. Pero se detuvo a un metro de distancia. El brillo que rodeaba la caja se había vuelto más intenso. ¡Hasta le parecía sentir calor en la cara!

El primer pensamiento que se le cruzó por la cabeza fue el de huir de allí, pero vaciló. Era un espectáculo desconcertante y algo atemorizador, pero también despertaba su curiosidad.

Luego, ante el asombro de Charlie, una lluvia de chispas brotó desde el costado de la caja, acompañada por un sonido siseante similar al de una soldadora. En forma instintiva, Charlie se protegió la cara con las manos, pero las chispas cesaron casi de inmediato. Desde el lugar de donde habían salido apareció un disco rotatorio luminoso, rojo, del tamaño de una moneda de un dólar. Se había abierto paso a través del metal, dejando una ranura humeante.

Totalmente anonadado por este fenómeno, Charlie quedó inmovilizado. El disco se desplazó lentamente de costado, hacia la ventana, pasando a treinta centímetros de su brazo. En la ventana se detuvo unos instantes, como apreciando el panorama del cielo nocturno. Después, el color cambió del rojo al blanco y apareció una corona a su alrededor, como una aureola angosta.

La curiosidad de Charlie lo hizo acercarse más a este misterioso objeto. Sabía que nadie le iba a creer cuando lo describiera. Extendió la mano con la palma hacia abajo y la movió de un lado a otro por encima del objeto para asegurarse de que no hubiera un alambre ni un hilo. No podía entender cómo colgaba de ese modo en el aire.

Al sentir el calor, Charlie ahuecó las manos y las acercó lentamente al objeto. Era un calor peculiar que hacía vibrar la piel. Cuando sus manos entraron en la corona, la vibración se acentuó.

El objeto hizo caso omiso de Charlie hasta que, sin querer, él le bloqueó la vista del cielo. En el momento en que lo hizo, el disco se movió hacia un costado y antes de que Charlie pudiera reaccionar, lo quemó, en un instante y sin ningún esfuerzo. ¡Un agujero en el centro de la palma! La piel, los huesos, ligamentos, nervios y vasos sanguíneos quedaron vaporizados.

Charlie lanzó un aullido más de sorpresa que de dolor. Todo había sido tan rápido. Se tambaleó hacia atrás, contemplando su mano perforada con incredulidad total: el olor de carne quemada era inconfundible. No salía sangre, pues los vasos habían sido coagulados por el calor. Un instante después, la corona alrededor del objeto luminoso se expandió hasta alcanzar treinta centímetros de diámetro.

Antes de que Charlie pudiera reaccionar, se oyó un sonido sibilante cuyo volumen fue aumentando hasta tornarse ensordecedor. Al mismo tiempo, Charlie sintió que una fuerza lo tiraba hacia la ventana. Desesperado, extendió el brazo sano y se aferró a la cama, pero sus pies se deslizaron. Apretando los dientes, logró mantenerse aferrado a pesar de que la cama se movía. La violencia del sonido y el movimiento duraron solamente unos segundos: luego cesaron con un ruido vagamente similar al que produce una boca de aspiradora central al cerrarse.

Charlie se soltó y trató de ponerse de pie, pero no pudo. Los músculos de sus piernas parecían de goma. Se dio cuenta de que pasaba algo horrible y trató de gritar para pedir ayuda, pero su voz fue apenas un hilo: además, estaba salivando tan copiosamente que era casi imposible hablar. Juntando la poca fuerza que le quedaba, trató de arrastrarse hacia la puerta. Pero el esfuerzo fue en vano. Después de moverse unos centímetros comenzó a tener arcadas. Instantes más tarde se sumió en una oscuridad total cuando su cuerpo empezó a sacudirse presa de una serie de convulsiones fatales.

5

02:10

Para ser un departamento destinado a estudiantes, era relativamente lujoso y bastante amplio y al estar ubicado en el primer piso hasta tenía buena vista. Tanto los padres de Beau como los de Cassy querían que sus hijos vivieran en un lugar respetable y habían aceptado aumentarles las asignaciones para vivienda cuando ellos decidieron mudarse de sus respectivos edificios de dormitorios estudiantiles para vivir juntos. Tanta generosidad se debía, en parte, a que el desempeño académico de ambos era excelente.

Cassy y Beau habían encontrado el departamento hacía ocho meses y lo habían pintado y amueblado juntos. El amoblamiento consistía, mayormente, en compras de segunda mano recicladas. Las cortinas habían sido hechas con sábanas.

El dormitorio daba al este y, en ocasiones, el intenso sol de la mañana era una desventaja. No era un lugar que invitase a dormir hasta tarde. Pero a las dos y unos pocos minutos de la mañana estaba a oscuras, con excepción de una línea de luz que entraba inclinada por la ventana desde un farol de la playa de estacionamiento.

Cassy y Beau estaban profundamente dormidos: Cassy, de costado y Beau, de espaldas. Según su costumbre, Cassy se había movido a intervalos regulares, primero para un costado, luego para el otro. Beau, por otra parte, no se había movido en absoluto. Había estado inmóvil, de espaldas, igual que esa tarde en la habitación del hospital.

A las dos y diez minutos exactamente, los ojos cerrados

45

de Beau comenzaron a brillar, igual que el dial de la radio de un viejo despertador que Cassy había heredado de su abuela. Después de unos minutos en los que la intensidad del brillo aumentó, los párpados de Beau se abrieron. Ambos ojos estaban dilatados como había sucedido esa tarde con el ojo derecho y ambos resplandecían como si fueran fuentes de luz en sí mismos.

Después de alcanzar un pico de blanca luminosidad, comenzaron a apagarse hasta que las pupilas volvieron a su color negro habitual. Los iris se contrajeron a un tamaño más normal. Después de parpadear unas pocas veces, Beau se dio cuenta de que estaba despierto.

Se incorporó lentamente. Como le había sucedido esa tarde, al principio se sintió momentáneamente desorientado. Paseó los ojos por la habitación y en seguida se dio cuenta de dónde estaba. Levantó las manos y flexionó los dedos. Las sentía diferentes, pero no podía decir por qué. En realidad, sentía una diferencia en todo el cuerpo, pero no le encontraba explicación.

Extendió el brazo en dirección a Cassy y le sacudió un hombro con suavidad. Ella reaccionó rodando de espaldas y mirándolo con párpados pesados. Cuando vio que estaba sentado, inmediatamente hizo lo mismo.

—¿Qué pasa? —preguntó—. ¿Estás bien?

—Perfecto —respondió Beau—. Diez puntos.

—¿No tienes tos?

—Por ahora no. Y tampoco me duele la garganta.

—¿Por qué me despertaste? ¿Necesitas algo?

—No, gracias —repuso Beau—. En realidad, quería que vieras algo. ¡Ven!

Se levantó y dio la vuelta a la cama. Tomó a Cassy de la mano y la ayudó a levantarse.

—¿Quieres mostrarme algo ahora? —preguntó Cassy, aturdida. Miró el reloj.

—Sí, ahora —respondió Beau. La guió hasta la sala y luego hasta el ventanal corredizo que daba al balcón. Cuando le indicó con un ademán que saliera, ella se resistió.

—No puedo salir —protestó—. Estoy desnuda.

—Vamos —insistió Beau—. Nadie nos va a ver. Serán sólo unos instantes y si nos vamos ahora, nos lo perderemos.

Cassy vaciló. En la penumbra, no podía ver la expresión

de Beau, pero su voz sonaba sincera. Por un segundo, se le había ocurrido la idea de que pudiera tratarse de una broma.

—Más vale que sea algo interesante —le advirtió antes de salir al balcón.

El aire nocturno estaba fresco y Cassy cruzó los brazos alrededor del cuerpo, pero no pudo evitar que se le erizara toda la piel del cuerpo.

Beau se puso detrás de ella y la abrazó para que no temblara. Estaban junto a la baranda, delante de una amplia extensión de cielo. Era una noche clara, sin luna y el cielo estaba despejado.

—¿Qué es lo que tengo que ver, entonces? —preguntó Cassy.

Beau señaló el cielo hacia el norte.

—Mira allí, en dirección a las Pléyades, en la constelación de Tauro.

—¿Qué es esto, una lección de astronomía? —preguntó Cassy—. Son las dos y diez de la mañana. ¿Desde cuándo sabes algo sobre constelaciones?

—¡Mira! —le ordenó Beau.

—Estoy mirando —respondió ella—. ¿Qué es lo que tengo que ver?

En ese momento se desencadenó una lluvia de meteoros con colas extraordinariamente largas; todos se desprendían del mismo punto del cielo, como si se tratara de un espectáculo de fuegos artificiales.

—¡Caray! —exclamó Cassy. Contuvo el aliento hasta que la lluvia de estrellas fugaces cesó. El espectáculo fue tan impresionante que por un momento, olvidó el frío. —Nunca vi nada igual. Fue hermoso. ¿Habrá sido lo que llaman una lluvia de meteoros?

—Puede ser —respondió Beau en tono distraído.

—¿Habrá otra? —preguntó Cassy, con los ojos fijos en el punto de origen.

—No, ya terminó —dijo Beau. Soltó a Cassy, luego la siguió otra vez adentro y cerró el ventanal.

Cassy corrió hasta la cama y se arrojó bajo las mantas. Cuando Beau apareció, estaba tapada hasta el mentón, temblando de frío. Le ordenó meterse bajo las sábanas y brindarle un poco de calor.

—Con todo gusto —repuso él.

Se apretaron el uno contra el otro y Cassy dejó de temblar. Apartó la cabeza del hueco del cuello de él y trató de mirarlo a los ojos, pero su rostro estaba en sombras.

—Gracias por sacarme a ver esa lluvia de meteoros —le dijo—. Al principio creí que me estabas haciendo una broma. Pero dime una cosa, ¿cómo te enteraste de que se iba a producir?

—No recuerdo. Lo debo de haber oído en alguna parte.

—¿Lo leíste en el periódico? —sugirió Cassy.

—No creo —Beau se rascó la cabeza—. La verdad es que no me acuerdo.

Cassy se encogió de hombros.

—Bueno, no importa. Lo importante es que lo vimos. ¿Cómo hiciste para despertarte?

—No sé —respondió Beau.

Cassy se apartó y encendió la lámpara de la mesa de luz. Estudió el rostro de Beau. Él sonrió.

—¿Estás seguro de que te sientes bien? —le preguntó Cassy.

Beau sonrió.

—Sí, estoy seguro —dijo—. Me siento fantásticamente bien.

6

06:45

Era una de esas mañanas cristalinas y sin nubes, con el aire tan fresco que casi se podía saborear. Las sierras distantes se distinguían con impresionante claridad. La tierra, habitualmente seca, estaba recubierta por una capa de rocío que resplandecía como un tapiz de infinitos diamantes.

Beau se quedó un instante contemplando la escena. Era como si lo viera por primera vez. No podía creer el espectro de colores que lucían las sierras distantes y se preguntó por qué no lo había apreciado antes.

Estaba vestido con una camisa de algodón, jeans y mocasines sin medias. Carraspeó. La tos se le había ido casi por completo y ya no le dolía la garganta cuando tragaba.

Salió de la entrada del edificio y caminó hasta el estacionamiento trasero. En la arena que bordeaba la periferia del terreno encontró lo que estaba buscando. Tres miniesculturas negras idénticas a la que había recogido en el estacionamiento de Costa's la mañana anterior. Las levantó, les quitó el polvo y las guardó en bolsillos separados.

Una vez cumplida la misión, dio media vuelta y desanduvo el camino.

Adentro del departamento, el despertador comenzó a sonar junto a la cabeza de Cassy. El reloj estaba de su lado de la cama porque Beau tenía la mala costumbre de apagarlo tan rápidamente que después se quedaban dormidos los dos.

Cassy extendió la mano por debajo de las sábanas y golpeó la barra del reloj. La alarma ahora quedaría en silencio por diez exquisitos minutos. Cassy rodó de espaldas y ex-

49

tendió el brazo hacia Beau para darle un empujón, el primero de varios. Beau detestaba las mañanas.

La mano exploradora de Cassy encontró sábanas vacías y frescas. El arco de búsqueda se hizo más amplio. Nada. Cassy abrió los ojos y buscó a Beau en la cama, ¡pero no estaba!

Sorprendida por este poco habitual giro en los acontecimientos, Cassy se incorporó y escuchó con atención para ver si oía ruidos delatores desde el baño. El departamento estaba en silencio. Beau nunca se levantaba antes que ella. De pronto, la invadió la preocupación, un temor a que él se hubiera enfermado otra vez.

Cassy se puso la bata y fue a la sala. En el momento en que iba a llamar a Beau, lo vio junto a la pecera. Estaba inclinado, observando a los peces. Tan concentrado estaba que no la había oído entrar. Mientras Cassy lo miraba, Beau colocó el dedo índice de la mano derecha contra el vidrio. Extrañamente, en su dedo se concentraba la luz fluorescente del acuario haciéndole brillar la punta.

Fascinada por la escena, Cassy permaneció inmóvil, contemplando. Poco a poco los peces se fueron concentrando en el punto donde el dedo de Beau tocaba el vidrio. Cuando él lo movió hacia un costado, todos los peces lo siguieron obedientemente.

—¿Cómo lo haces? —preguntó Cassy.

Sorprendido por la presencia de ella, Beau se irguió y bajó la mano al costado del cuerpo. En el mismo instante, los peces se dispersaron hacia los extremos de la pecera.

—No te oí entrar —dijo Beau con una sonrisa agradable.

—Es evidente —repuso Cassy—. ¿Cómo hiciste para atraer así a los peces?

—Ni idea —respondió Beau—. Tal vez creyeron que iba a darles de comer. —Se acercó a Cassy y le pasó los brazos por sobre los hombros. —Qué hermosa estás hoy.

—Uy, sí, seguro —bromeó Cassy. Se despeinó el pelo con los dedos y luego lo acomodó en su lugar. —Bueno, ya está, ahora estoy lista para el concurso de Miss Estados Unidos. —Miró a Beau, cuyos ojos estaban de un color azul intensísimo con las partes blancas más blancas que nunca.

—A ti se te ve espléndido —dijo Cassy.

—Es que me siento muy, muy bien.

Se inclinó para besar los labios de Cassy, pero ella se escapó por debajo de sus brazos.

—Aguanta un minuto —le dijo—. Miss Estados Unidos todavía no se lavó los dientes. No quisiera que me descalificaran por tener mal aliento matinal.

—No corres ningún peligro —dijo Beau y le dirigió una sonrisa lasciva.

Cassy ladeó la cabeza.

—Parece que te sientes mejor —comentó.

—Como te dije, estoy cero kilómetro —repuso Beau.

—Ese sí que fue un estado gripal corto —dijo Cassy—. Tu recuperación fue notable.

—Creo que debo agradecerte por haberme llevado al Centro Médico —admitió Beau—. Fue allí donde empecé a sentirme muchísimo mejor.

—Pero el médico y la enfermera no hicieron nada —objetó Cassy—. Ellos mismos lo reconocieron.

Beau se encogió de hombros.

—Entonces se trata de una nueva cepa de gripe rápida. Por cierto, no voy a quejarme por lo poco que duró.

—Yo tampoco —declaró Cassy y se dirigió al baño—. ¿Por qué no preparas café mientras me ducho?

—El café ya está listo —dijo Beau—. Te traeré una taza.

—¡Pero qué eficientes estamos! —exclamó Cassy mientras atravesaba el dormitorio.

—Este hotel tiene servicio de cinco estrellas —bromeó Beau.

Cassy seguía maravillada por la veloz recuperación de Beau. Con el aspecto que tenía cuando ella decidió tomar el volante de la camioneta frente a la escuela secundaria, jamás hubiera dicho que se repondría tan pronto. Abrió las canillas de la ducha y ajustó la temperatura. Cuando estuvo de su agrado, se metió bajo el agua. El primer orden del día era su pelo. Se lo lavaba todas las mañanas.

Apenas había terminado de desparramarse el champú por el cuero cabelludo cuando oyó golpecitos en la puerta de la ducha. Sin abrir los ojos, le indicó a Beau que le dejara el jarro de café sobre la parte trasera del lavatorio.

Metió la cabeza bajo el chorro de agua y comenzó a enjuagarse el pelo. Antes de que pudiera darse cuenta de lo que sucedía, Beau estaba bajo la ducha con ella.

Cassy abrió los ojos, incrédula. Beau estaba ante ella,

bajo la ducha, completamente vestido. Hasta tenía puestos los mocasines.

—¿Qué haces, por el amor de Dios? —exclamó Cassy, riendo. Era algo tan inesperado y alocado en él.

Beau no dijo nada. Estiró los brazos y atrajo el cuerpo mojado de Cassy contra él, mientras sus labios buscaban los de ella en un beso profundo y carnal.

Cassy logró emerger en busca de aire, riendo ante lo absurdo de lo que estaban haciendo. Beau rió, también, con el pelo pegado a la frente por el agua.

—Estás loco —comentó Cassy. Tenía el cabello lleno de espuma, todavía.

—Loco por ti, podríamos decir —repuso Beau y comenzó a desabrocharse el cinturón.

Cassy lo ayudó, encargándose de los botones de la camisa y despegándola de sus hombros musculosos. La situación podía ser poco convencional, sobre todo para el normalmente prolijo y meticuloso Beau, pero a Cassy la excitaba. Todo era tan maravillosamente espontáneo, y el ardor de Beau le añadía más sabor todavía.

Más tarde, en medio de la pasión, Cassy comenzó a notar algo más. No solamente estaban haciendo el amor en una circunstancia única, sino que lo estaban haciendo de modo atípico. Beau la estaba acariciando en forma diferente. No podía explicarlo, pero era maravilloso y a ella le encantaba. Era como si Beau estuviera más gentil y sensible que lo habitual, aun en medio de su pasión abrasadora.

Pitt extendió los brazos por encima de la cabeza y se desperezó. Miró el reloj que estaba sobre el escritorio de la Sala de Emergencias. Eran casi las siete y media y pronto terminaría su maratónico turno de veinticuatro horas. Ya estaba fantaseando con el placer que le daría introducir su cuerpo exhausto entre las sábanas. Hacía esos turnos para darse una idea de cómo sería la vida como residente, cuando los turnos de treinta y seis horas eran cosa de todos los días.

—Deberías ir a la habitación donde encontraron al pobre tipo de mantenimiento —dijo Cheryl Watkins. Era una de las enfermeras de día que acababa de iniciar su turno.

—¿Para qué? —preguntó Pitt. Recordaba al paciente muy bien. Alguien de mantenimiento lo había traído a la Sala de Emergencias un poco después de medianoche. Los médicos de guardia habían comenzado a tratar de resucitarlo, pero cesaron al ver que la temperatura corporal del paciente era más o menos la misma que la del ambiente.

Decidir que el hombre estaba muerto había sido fácil. Lo difícil fue establecer qué lo había matado aparte de las convulsiones que aparentemente había tenido. Tenía un curioso agujero sin sangre en una mano, que uno de los médicos dijo que podía haber sido causado por electricidad. Pero el informe decía que lo habían encontrado en una habitación sin ningún acceso a electricidad de alto voltaje.

Otro médico notó que el paciente tenía cataratas particularmente densas, lo que resultaba extraño, pues en el examen físico anual del hombre no decía nada de cataratas y sus compañeros habían declarado que no tenía problemas de visión. Así que eso sugería que el hombre había sufrido de cataratas repentinas, cosa que los médicos habían descartado. Nunca habían oído hablar de algo así, ni siquiera cuando estaba involucrada una potente descarga eléctrica.

La confusión sobre la causa de su muerte llevó a alocadas especulaciones y hasta a algunas apuestas. Lo único que se sabía era que nadie tenía certeza de nada, de modo que el cuerpo fue enviado al examinador médico para que diera la última palabra.

—No voy a decirte por qué deberías ver esa habitación —advirtió Cheryl—, porque si te lo dijera, me acusarías de estar tomándote el pelo. Digamos que es algo más que extraño.

—Dame una pista —dijo Pitt. Estaba tan cansado que la idea de recorrer todo el edificio hasta llegar a la parte de internación no lo atraía, a menos que se tratara de algo realmente único.

—Tienes que verlo con tus propios ojos —insistió Cheryl antes de irse a una reunión.

Pitt se golpeó la frente con un lápiz mientras cavilaba. Se sentía intrigado por todos esos comentarios acerca de lo extraño de las circunstancias. Gritó el nombre de Cheryl y le preguntó dónde estaba ubicada la habitación.

—En el sector de internación de estudiantes —respondió ella por encima del hombro—. Te darás cuenta de cuál es, porque está lleno de gente tratando de dilucidar qué sucedió.

La curiosidad fue más fuerte que la fatiga de Pitt. Si estaba lleno de gente, tal vez valiera la pena hacer el esfuerzo. Se levantó pesadamente y arrastró su cuerpo cansado por el corredor. Al menos el sector de internación de estudiantes no quedaba tan lejos. Mientras caminaba, pensó que si se trataba de algo realmente extraño, tal vez a Cassy y a Beau les interesaría enterarse, pues justo habían estado allí la tarde anterior.

Al doblar la última esquina que llevaba a la enfermería de estudiantes, Pitt vio un grupo numeroso de personas yendo de un lado a otro. Al llegar a la habitación, sentía más curiosidad que nunca, pues era la misma que Beau había ocupado.

—¿Qué pasa? —preguntó en un susurro a una de sus compañeras de clase, que también trabajaba en el hospital para solventarse los gastos. Se llamaba Carol Grossman.

—¡Qué sé yo! —exclamó Carol—. Cuando tuve oportunidad de echar una mirada sugerí que tal vez hubiera pasado Salvador Dalí por aquí, pero nadie se rió.

Pitt le dirigió una mirada interrogante, pero ella no dijo nada más. Pitt se abrió paso a empellones. Había tanta gente que era difícil avanzar. Por desgracia, en un momento mostró demasiada vehemencia y el empujón que dio hizo que se derramara el café de la taza de una doctora. Cuando ésta se volvió, furiosa, para fulminarlo con la mirada, Pitt contuvo el aliento. ¡Tenía que ser la doctora Sheila Miller, tan luego!

—¡Diablos! —exclamó Sheila, sacudiéndose el café caliente del dorso de la mano. Tenía puesto el guardapolvo blanco, y se veían varias manchas frescas de café en el puño de la mano derecha.

—Le pido mil disculpas —balbuceó Pitt.

Sheila fijó sus ojos verdes en él. Llevaba el pelo recogido en un rodete que le daba un aire particularmente severo. Un rubor de irritación le coloreaba las mejillas.

—¡Señor Henderson! —exclamó con fastidio—. Espero que no piense dedicarse a ninguna especialidad que requiera coordinación, como cirugía ocular, por ejemplo.

—Fue un accidente —se disculpó Pitt.

—Sí, lo mismo dijeron de la Primera Guerra Mundial —dijo Sheila—. ¡Y piense en las consecuencias! Usted es empleado de la Sala de Emergencias. ¿Qué diablos hace abriéndose paso a empujones por aquí?

Pitt buscó desesperadamente una explicación que fuera más allá de la simple curiosidad. Mientras tanto, sus ojos recorrieron la habitación, esperando ver algo que pudiera servir de ayuda. Pero lo que vio, en cambio, lo dejó azorado.

Lo primero que notó fue la forma de la cabecera de la cama: estaba distorsionada, como si hubiera sido calentada hasta el punto de fusión y succionada hacia la ventana. La mesa de luz estaba igual. De hecho, mientras sus ojos completaban el circuito de la habitación, vio que casi todos los muebles y las aplicaciones estaban deformados. Los vidrios de las ventanas parecían haberse derretido; el cristal formaba estalactitas que colgaban de los marcos.

—¿Pero qué pasó aquí? —exclamó Pitt.

Sheila le respondió entre dientes.

—Para responder a esa pregunta están estos profesionales aquí. ¡Regrese de inmediato a la Sala de Emergencias!

—Voy para allá —se apresuró a decir Pitt.

Luego de una última mirada a la extraña transformación del cuarto, se perdió entre el gentío, preguntándose si habría puesto en peligro su carrera al hacer enfadar al Dragón.

—Lamento la interrupción —dijo Sheila. Estaba hablando con el teniente detective Jesse Kemper y su compañero, Vince Garbon.

—No hay problema —respondió Jesse—. No estaba diciendo nada demasiado inteligente, tampoco. Bueno, la situación es bastante extraña, pero no me parece que sea la escena de un crimen. Mi instinto me dice que esto no fue un homicidio. Tal vez convendría que trajeran a unos científicos aquí para que nos dijeran si pudo entrar un rayo por la ventana o algo así.

—Pero si no había tormenta —objetó Sheila.

—Lo sé —repuso Jesse en tono filosófico. Abrió las manos en gesto de súplica. —Pero usted dice que los ingenieros descartaron que haya sido por una descarga eléctrica del edificio. El tipo parece haberse electrocutado, así que si fue así, tal vez se haya tratado de un rayo.

—No me cierra —dijo Sheila— . No soy patóloga forense, pero sé que cuando un rayo golpea a un ser humano no hace un agujero. Hace una descarga a tierra, sale por los pies y en ocasiones hace volar los zapatos, pero aquí no hay pruebas de ese tipo. Esto se parece más a un potente rayo láser.

—Eh, eso me gusta —exclamó Jesse—. No se me había ocurrido. ¿Tienen rayos láser aquí en el hospital? Tal vez alguien haya disparado por la ventana.

—Por supuesto que tenemos rayos láser en el hospital —admitió Sheila—. Pero nada que pudiera haber hecho el orificio que vimos en la mano del señor Arnold. Además, no imagino a un láser deformando los muebles de este modo.

—Bueno, yo aquí estoy fuera de mi ámbito —confesó Jesse—. Si la autopsia revela que tenemos un cuerpo del delito y un homicidio, entraremos en acción. De otro modo, pienso que lo mejor será llamar a los expertos científicos.

—Nos hemos puesto en contacto con el departamento de Física —dijo Sheila.

—Me parece una excelente idea —concordó Jesse—. Mientras tanto, le dejo mi tarjeta. —Se acercó y se la entregó a Sheila. Luego entregó otra a Richard Halprin, presidente del Centro Médico Universitario y a Wayne Martínez, jefe de seguridad hospitalaria. —Pueden llamarme a cualquier hora. Esto me interesa, a decir verdad. Hace un par de noches que suceden cosas muy extrañas. Más que en los treinta años que llevo en la fuerza. ¿Hay luna llena o algo de eso?

Al final del espectáculo, la música llegó a un punto culminante y con un tronar final de timbales, la bóveda del planetario quedó a oscuras. Se encendieron las luces generales. El público aplaudió, lanzó silbidos entusiastas y empezó a conversar en voz alta. La mayoría de los asientos estaban ocupados por niños de escuela primaria que habían salido de excursión. Cassy y Beau eran los únicos adultos, fuera de las maestras y acompañantes de los niños.

—Estuvo divertidísimo —exclamó Cassy—. Había olvidado cuán bueno podía ser un espectáculo del planetario. La última vez que vine fue en cuarto grado, con la señorita Korth.

—A mí también me gustó —declaró Beau con entusiasmo—. Es fascinante ver la galaxia desde el punto de vista de la Tierra.

Cassy parpadeó y se quedó mirándolo. Toda la mañana había mostrado una tendencia a dejar caer comentarios extraños.

—Vamos —siguió diciendo Beau, sin notar la perplejidad de ella. Se puso de pie. —Huyamos antes de que salgan todos estos niños.

Tomados de la mano, salieron del auditorio y pasearon por los jardines que separaban el planetario del Museo de

Historia Natural. Compraron salchichas con pan a un vendedor ambulante, las condimentaron con chile y cebollas y se sentaron a la sombra de un árbol a disfrutar del almuerzo.

—También había olvidado lo divertido que es hacerse la rabona —dijo Cassy, entre bocados.— Por suerte hoy no tenía que ir a participar de una clase. Hacerse la rabona de clases es una cosa, pero faltar a las clases que tengo que dar es otra completamente distinta. No hubiera podido venir.

—Qué suerte que salió todo bien —dijo Beau.

—Me sorprendió que lo sugirieras —comentó Cassy—. ¿Es la primera vez que faltas a clases?

—Ajá —respondió Beau.

Cassy rió.

—¿Qué es esto, el nuevo Beau? Primero te comportas como un león ardiente y te metes en la ducha vestido y ahora faltas voluntariamente a tres clases. Ojo, no me interpretes mal: no me estoy quejando.

—Es todo culpa tuya —la acusó Beau. Dejó el pan con la salchicha a un costado, atrajo a Cassy hacia sí y la envolvió en un abrazo juguetón y sensual. —Eres irresistible. —Trató de besarla, pero Cassy levantó la mano y lo detuvo.

—¡Espera! —exclamó—. Tengo chile por toda la cara.

—Mm, qué sabroso —bromeó Beau.

Cassy se limpió con una servilleta.

—¿Qué te pasa, me quieres decir?

Beau no respondió. La besó larga y ardientemente. Igual que en la ducha, el gesto impulsivo de él la encendió de pasión.

—Cielos, te estás convirtiendo en un Casanova —murmuró Cassy, echándose hacia atrás para respirar y tratar de recuperar la compostura. La sorprendía el hecho de que pudiera excitarse tan fácilmente en público, a plena luz del día.

Beau volvió alegremente a su salchicha. Mientras masticaba, se llevó la mano a los ojos para protegerse del sol y poder mirarlo al mismo tiempo.

—¿A qué distancia dijeron que estaba la Tierra del Sol? —preguntó.

—Ni idea —repuso Cassy. Como había experimentado el despertar del deseo, le costaba cambiar de tema, sobre todo hacia algo tan específico como las distancias astronómicas. —Ciento y tantos miles de millones de kilómetros.

—Ah, sí —recordó Beau—, ciento noventa mil millones de kilómetros. Eso quiere decir que el efecto de un reflejo solar tardaría poco más de ocho minutos en llegar aquí.

—¿Qué dices? —preguntó Cassy. Otra vez Beau con esos comentarios descolgados. Ella ni siquiera sabía qué era un reflejo solar.

—¡Mira! —exclamó Beau, señalando el cielo hacia el oeste—. Se puede ver la Luna aunque es pleno día.

Cassy se protegió los ojos y siguió la línea del dedo de Beau. Era cierto. Se veía la delicada imagen de la Luna. Miró a Beau. Estaba disfrutando inmensamente, en forma tierna y casi infantil. Su entusiasmo era contagioso y la hacía sentirse bien.

—¿Por qué te dieron ganas de venir al planetario, hoy? —le preguntó.

Beau se encogió de hombros.

—Se me despertó el interés —repuso—. Me pareció una buena oportunidad de aprender un poco más sobre este hermoso planeta. ¿Qué te parece si ahora vamos al museo?

—¿Por qué no? —exclamó Cassy.

Jonathan se llevó el almuerzo afuera. En un día tan lindo, le molestaba quedarse en la cafetería llena de gente, sobre todo porque que no había visto a Candee adentro. Dio la vuelta al mástil en el patio central y se dirigió a las gradas junto al campo de béisbol. Sabía que era uno de los lugares preferidos de Candee para alejarse de la multitud. Su esfuerzo se vio recompensado. Candee estaba sentada en la hilera más alta de asientos.

Se saludaron con la mano y Jonathan empezó a subir. Había una brisa leve que agitaba la pollera de Candee y revelaba insinuantes atisbos de muslos. Jonathan trató de que no resultara evidente que la estaba mirando.

—Hola —dijo Candee.

—Hola —respondió Jonathan. Se sentó junto a ella y sacó un emparedado de manteca de maní y banana.

—¡Puaj! —exclamó Candee—. No puedo creer que comas eso.

Jonathan estudió su sándwich antes de darle un mordisco.

—Me encanta —respondió.

—¿Qué dijo Tim de la radio? —preguntó Candee.

—Sigue enojado —dijo Jonathan—. Pero al menos ya no

piensa que fue culpa nuestra. A un amigo de su hermano le pasó lo mismo.

—¿Nos va a seguir prestando el automóvil? —preguntó Candee.

—No sé —admitió Jonathan—. Ojalá mis padres no fueran tan pesados con el asunto del nuestro. Me tratan como si tuviera doce años. Solamente me dejan conducir cuando están ellos.

—Al menos a ti te permitieron obtener la licencia —se quejó Candee—. Mis padres me la dejarán sacar cuando cumpla dieciocho.

—¡Qué criminales! —exclamó Jonathan—. Si me hicieran eso a mí, creo que me iría de casa. ¿Pero de qué me sirve la licencia sin ruedas? ¡Qué rabia me da que me traten así! Al fin y al cabo tengo cerebro ¿no? Me saco buenas notas y no me drogo.

Candee puso los ojos en blanco.

—Bueno, ese porro que fumamos no lo considero droga —declaró Jonathan—. Además, ¿cuántas veces lo hicimos? ¡Dos!

—¡Eh, mira! —exclamó Candee. Señaló la playa de estacionamiento a treinta metros de distancia, donde los camiones descargaban mercadería. Estaba a nivel del subsuelo y se podía llegar por una rampa cavada en la tierra justo detrás del campo de béisbol.

—¿No es el señor Partridge con la enfermera de la escuela? —preguntó Candee.

—Sí, es él —repuso Jonathan—. Y no se lo ve muy bien que digamos. Mira cómo lo sostiene la señorita Golden. ¡Y la tos que tiene!

En ese momento, un viejo automóvil Lincoln Town Car dobló por el costado del edificio y descendió la rampa. Detrás del volante pudieron reconocer a la señora Partridge, a la que todos los estudiantes llamaban Señorita Piggy. La señora Partridge tosía tanto o más que su marido.

—Qué pareja —murmuró Jonathan.

Bajo la mirada de Jonathan y Candee, la enfermera logró bajar al señor Partridge por los escalones y subirlo al automóvil. La señora Partridge no descendió.

—Está de lo peor —dijo Candee.

—No, el premio se lo lleva ella —objetó Jonathan.

El automóvil dio marcha atrás, giró y aceleró para subir

la rampa. Mientras subía, rozó levemente la pared de hormigón. Jonathan hizo una mueca al oír el chirrido.

—Uy, adiós a la pintura —comentó.

—¿Qué diablos haces aquí otra vez? —exclamó Cheryl Watkins. Estaba sentada ante el escritorio de recepción cuando Pitt Henderson entró arrastrándose por las puertas giratorias. Se lo veía exhausto; las ojeras le sombreaban los ojos.

—No podía dormir —explicó—. Así que se me ocurrió venir y tratar de salvar lo que queda de mi carrera médica.

—¿De qué estás hablando, me quieres decir?

—Esta mañana, cuando fui a ver esa habitación que me sugeriste, hice la peor de las metidas de pata.

—¿Cómo fue? —quiso saber Cheryl. Lo veía preocupado y eso la inquietaba. Pitt era muy querido entre el personal de la unidad.

—Choqué sin querer contra el Dragón y le derramé el café encima —narró Pitt—. No sabes cómo se puso. Quiso saber qué estaba haciendo ahí y a mí no se me ocurrió ninguna explicación.

—¡Ay, ay! —se apiadó Cheryl—. A la doctora Miller no le gusta ensuciarse el uniforme, mucho menos temprano por la mañana.

—¡Como si no lo supiéramos! —se lamentó Pitt—. Me trató duramente. En fin, pensé que si volvía, al menos podría impresionarla con mi dedicación.

—Mal no te va a hacer, pero está más allá de lo que te corresponde —dijo Cheryl—. Aunque la verdad es que nos viene bien un poco de ayuda: me encargaré de que nuestra indómita jefa se entere de tu vuelta. Mientras tanto, por qué no te encargas de registrar los casos más rutinarios. Tuvimos un accidente grave de tránsito hace una hora así que estamos retrasadísimos y las enfermeras están ocupadas.

Satisfecho de tener una tarea asignada, sobre todo una que le gustaba, Pitt tomó la primera tablilla de la pila y se dirigió a la sala de espera. El nombre de la paciente era Sandra Evans, de cuatro años.

Pitt la llamó en voz alta. De la multitud de personas que esperaban impacientemente sobre las sillas duras de plástico en el atestado salón, se pusieron de pie una madre y su hija. La mujer tenía poco más de treinta años y un aspecto algo descuidado. La niña era una preciosura, con cerrados rizos rubios, pero se la veía enferma y sucia. Llevaba puesto un pijama desprolijo y una bata.

Pitt las guió de regreso a la sala de examen. Alzó a la niña y la colocó sobre la camilla. Tenía los ojos azules vidriosos y la piel, pálida y húmeda. Se sentía lo suficientemente mal como para no preocuparse por el ambiente hospitalario.

—¿Usted es el médico? —preguntó la madre al ver lo joven que era Pitt.

—Soy estudiante y estoy empleado aquí —respondió Pitt. Después de tanto tiempo de trabajar en Emergencias y de registrar a los pacientes, Pitt ya no se sentía incómodo al revelar su posición.

—¿Qué pasa, tesoro? —preguntó Pitt mientras colocaba el medidor de presión alrededor del brazo de Sandra y lo inflaba un poco.

—Tengo un bicho —respondió la niña.

—Una infección, quiere decir —explicó la madre—. Siempre se confunde. Es gripe, o algo así. Empezó esta mañana con tos y estornudos. No se termina nunca, con los chicos.

La presión sanguínea estaba normal. Mientras Pitt le quitaba el medidor, vio una colorida banda autoadhesiva en la palma de la mano derecha de Sandra.

—Parece que te hiciste nana, también —comentó Pitt, disponiéndose a tomarle la temperatura.

—Una piedra me picó en el jardín —le contó Sandra.

—Sandra, te dije que no inventaras cosas —la reprendió la madre. Era evidente que le quedaba muy poca paciencia.

—No estoy inventando nada —replicó Sandra, indignada.

La señora Evans puso cara de resignación.

—¿Te han mordido muchas piedras? —bromeó Pitt. Miró el termómetro. Treinta y siete grados. Lo anotó en la ficha, junto con la presión sanguínea.

—Solamente una —respondió Sandra—. Una negra.

—Va a haber que tener cuidado con las piedras negras, entonces —dijo Pitt. Luego instruyó a la madre para que vigilara atentamente a la niña hasta que llegara el médico.

Pitt volvió a la recepción y colocó la ficha en la hilera correspondiente, para que la recogiera el primer médico que hubiera disponible. Iba a dar la vuelta al mostrador cuando las puertas vaivén se abrieron con violencia.

—¡Ayúdenme! —gritó un hombre con una mujer en brazos que sufría de convulsiones. Se tambaleó dentro de la Sala de Emergencias, a punto de caer al suelo.

Pitt fue el primero en llegar a su lado. Sin vacilar un segundo, tomó a la mujer en sus propios brazos, liberando así al hombre de su carga. Era difícil sostenerla, pues estaba rígida por la convulsión.

Cheryl ya había rodeado el mostrador, seguida de varios residentes de Emergencias. Hasta la doctora Sheila Miller había salido de su oficina al oír los gritos.

—Al sector de Traumatología —ordenó la doctora Miller.

Sin esperar una camilla, Pitt llevó a la mujer a las profundidades del edificio. Con la ayuda de Sheila, que se había puesto del otro lado de la camilla de examen, Pitt acostó a la paciente. Mientras lo hacía, sus ojos se toparon con los de Sheila por segunda vez en el día. Ninguno de los dos habló, pero en esta ocasión el mensaje transmitido fue completamente distinto.

Pitt retrocedió. Su lugar fue ocupado por médicos y enfermeras. Pitt se quedó mirando, deseando estar capacitado como para participar.

El equipo médico comandado por Sheila pronto puso fin a la convulsión. Pero mientras comenzaban a evaluar qué podía haberla provocado, la paciente tuvo una segunda convulsión, todavía más violenta que la anterior.

—¿Por qué hace eso? —se lamentó el marido. Todos habían olvidado que los había seguido hasta allí. Una de las enfermeras se le acercó y le indicó con un gesto que se fuera.

—Tiene diabetes, pero jamás tuvo convulsiones. No sé por qué le pasa esto. Solamente tenía tos. Además, es una mujer joven. Esto es grave, estoy seguro.

Minutos después de que el marido fuera acompañado a la sala de espera, Sheila levantó la cabeza para ver el monitor cardíaco. Un repentino cambio en el sonido de los latidos le había llamado la atención.

—¡Ay, ay! —dijo—. Acá pasa algo, y no me gusta.

Los latidos regulares se habían vuelto erráticos. Antes de que alguien pudiera reaccionar, sonó la alarma del monitor. La paciente tenía fibrilación.

—¡Código rojo en Emergencias! —rugió el intercomunicador.

Más médicos entraron en el cubículo en respuesta al llamado de paro cardíaco. Pitt retrocedió aún más para no interferir. La escena le resultaba estimulante y aterradora a la vez. Se preguntaba si alguna vez llegaría a saber lo suficiente como para participar con pericia en una situación similar.

El equipo trabajó incansablemente, pero en vano. Tiempo después Sheila se enderezó y se secó la frente transpirada con el antebrazo.

—Bueno, basta —dijo en tono resignado—. Se nos fue.

Hacía treinta minutos que el monitor mostraba una monótona línea recta.

Los médicos agacharon la cabeza, decepcionados.

La vieja balanza de resortes crujió cuando el doctor Curtis Lapree echó el hígado de Charlie Arnold dentro del recipiente. La aguja trepó en la escala.

—Bueno, todo normal —anunció Curtis.

—¿Esperaba que hubiera anormalidades? —preguntó Jesse Kemper. Junto con el detective Vince Garbon habían ido a observar la autopsia del empleado de mantenimiento del Centro Médico. Los policías vestían sendos trajes anticontaminantes descartables.

Ni Jesse ni Vince se sentían intimidados o asqueados por la autopsia. En el transcurso de los años habían presenciado más de cien, sobre todo Jesse, que le llevaba once años a Vinnie.

—No —repuso Curtis—. Al parecer, éste va a ser otro de esos misterios.

—Ah, no, no me diga eso —se quejó Jesse—. Cuento con usted para que me diga si se trató de un homicidio o un accidente.

—Cálmese, teniente —dijo Curtis, riendo—. Le estoy tomando el pelo. A esta altura ya debería saber que la disección es sólo el comienzo de la autopsia. En este caso, calculo que el examen microscópico va a ser la parte más importante. La verdad es que no sé qué pensar del agujero en la mano. ¡Mírenlo!

Curtis levantó la mano de Charlie Arnold.

—El maldito agujero es un círculo perfecto.

—¿Podría tratarse de una herida de bala? —preguntó Jesse.

—Usted mismo puede responderse la pregunta —dijo Curtis—. Con todas las heridas de bala que habrá visto.

—Sí, es cierto, no parece una herida de bala —admitió Jesse.

—Claro que no —concordó Curtis—. Tendría que haber sido una bala que iba a la velocidad de la luz, una bala más caliente que el interior del Sol. Miren cómo todo quedó cauterizado en los márgenes. ¿Y qué pasó con lo que falta de tejido y hueso? Ustedes dijeron que no había ni sangre ni tejidos en la escena.

—Nada —declaró Jesse—. Nada de eso, quiero decir. Había vidrio derretido y muebles derretidos, pero no sangre ni tejidos.

—¿Muebles derretidos, qué es eso? —preguntó Curtis. Se limpió las manos con el delantal después de sacar el hígado de la balanza.

Jesse describió la habitación, ante la total fascinación de Curtis.

—No lo puedo creer.

—¿Se le ocurre alguna explicación? —preguntó Jesse.

—Puede ser —admitió Curtis—. Pero no le va a gustar. A mí tampoco me gusta. Es una locura.

—Dígamelo —pidió Jesse.

—Primero les mostraré algo —dijo Curtis. Fue hasta una mesa y trajo un par de pinzas retráctiles. Las colocó dentro de los labios del muerto, dejando al descubierto los dientes. El cadáver adquirió una horrible expresión.

—Qué horror —dijo Vinnie—. Me va a hacer tener pesadillas.

—Muy bien, doctor —dijo Jesse—. ¿Qué quiere que vea, aparte de esos dientes horribles? Por el amor de Dios, el tipo no debe de habérselos lavado nunca.

—Mire el esmalte de los dientes incisivos —dijo Curtis.

—Lo estoy mirando —respondió Jesse—. Está todo destruido.

—Ahí tiene —respondió Curtis. Sacó las pinzas y las dejó de nuevo en la mesa.

—Bueno, qué tanto secreto —dijo Jesse—. ¿Qué me quiere decir?

—Lo único que sé que causa ese efecto en el esmalte de los dientes es la contaminación radiactiva aguda —explicó Curtis.

Jesse quedó boquiabierto.

—Le dije que no le iba a gustar —le recordó Curtis.

—Jesse ya está por jubilarse —dijo Vince—. Es una maldad tomarle el pelo de esta forma.

—Hablo en serio —dijo Curtis—. Es lo único que tiene relación con todo lo que se encontró, como el agujero en la mano y los cambios en el esmalte. Hasta las cataratas que no aparecieron en su último examen físico.

—¿Entonces qué fue lo que le pasó a este pobre infeliz? —quiso saber Jesse.

—Va a parecer una locura —les advirtió Curtis—. Pero la única forma que tengo de relacionar todo lo que sé hasta el momento es la hipótesis de que alguien le tiró una bola al rojo vivo de plutonio en la mano que le hizo el agujero y le suministró una dosis gigante de radiación al mismo tiempo. Hablo de una megadosis.

—Es absurdo —objetó Jesse.

—Le dije que no le iba a gustar —se defendió Curtis.

—No había plutonio en la escena —dijo Jesse—. ¿Se fijó si el cadáver tenía restos radiactivos?

—Sí, en realidad, sí —respondió Curtis—. Por razones de seguridad personal.

—¿Y?

—No tiene nada —aseguró Curtis—. Si no fuera así, no estaría metido hasta los codos en él.

Jesse sacudió la cabeza.

—Esto, en vez de mejorar, cada vez se pone peor. ¡Plutonio, la puta! Eso significaría una emergencia nacional, o algo así. Creo que será mejor que me asegure que no haya nada de eso en el hospital. ¿Puedo usar el teléfono?

—Por supuesto —respondió Curtis en tono amable.

Un repentino acceso de tos llamó la atención de todos. Era Michael, un técnico patólogo, que estaba en la pileta, lavando las vísceras. Siguió tosiendo durante varios minutos.

—Caray, Mike —dijo Curtis—. Qué mal estás. Y tienes un aspecto espantoso, si me perdonas que te lo diga.

—Lo sé, doctor Lapree —asintió Mike—. Creo que me engripé. He estado tratando de no darle importancia, pero ahora ya siento escalofríos.

—Vete a tu casa temprano —le recomendó Curtis—. Métete en cama, toma aspirinas y té.

—Primero quiero terminar con esto y después rotular los frascos de muestras.

—Déjate de tonterías —le ordenó Curtis—. Haré que lo termine otro.

—Está bien —dijo Mike. A pesar de sus protestas, se alegró de que lo relevaran.

7

20:15

—Lo que no dejo de preguntarme es por qué no venimos nunca por aquí —comentó Beau—. Es hermoso.

Con Cassy y Pitt estaba caminando por la calle peatonal del centro comercial, comiendo helado después de haber cenado pastas con vino blanco.

Cinco años antes, el centro se había convertido en un pueblo fantasma, pues la mayoría de la gente y los restaurantes se habían mudado a los suburbios. Pero como en muchas otras ciudades estadounidenses, esta también estaba resurgiendo. Unas cuantas renovaciones comenzaron una carrera imposible de detener y ahora el centro era una fiesta para los ojos y el paladar. La gente circulaba por todas partes, disfrutando del espectáculo.

—¿De verdad que faltaron hoy a clase? —preguntó Pitt, asombrado e incrédulo.

—¿Qué tiene de malo? —respondió Beau—. Fuimos al planetario, al Museo de Historia Natural, al Museo de Arte y al zoológico. Aprendimos mucho más que si hubiéramos ido a clase.

—Es un razonamiento interesante —comentó Pitt—. Espero que en el próximo examen les toquen muchas preguntas sobre el zoológico.

—Ay, vamos, estás celoso —bromeó Beau, despeinándolo cariñosamente.

—Puede ser —admitió Pitt; se alejó del alcance de Beau y continuó—: Hice treinta horas en Emergencias desde ayer a la mañana.

—¿Treinta horas? —exclamó Cassy—. ¿De veras?

—De veras —respondió Pitt. Les contó luego la historia de la habitación donde Beau había pasado la tarde y el episodio del café derramado sobre la doctora Sheila Miller, jefa de todo el Departamento de Emergencias.

Beau y Cassy escucharon fascinados, sobre todo la parte acerca del estado de la habitación y la muerte del empleado de mantenimiento. Beau hizo un montón de preguntas, pero eran pocas las respuestas que tenía Pitt.

—Están esperando los resultados de la autopsia —les dijo—. Todos piensan que eso los ayudará a resolver los misterios. En este momento, nadie tiene la menor idea de qué fue lo que sucedió.

—Qué espanto —comentó Cassy, con una mueca de asco—. Un agujero quemado en la mano. ¡Por favor! No podría dedicarme a la medicina. Nunca.

—Tengo una pregunta para ti, Beau —dijo Pitt después de unos minutos de caminar en silencio—. ¿Cómo hizo Cassy para convencerte de que dedicaras este día a la cultura?

—¡Eh, un momento! —objetó Cassy—. ¡No fue idea mía, sino de Beau!

—Déjate de pavadas —dijo Pitt, escéptico—. No hay forma de que crea eso. Justamente el señor Alumno Ejemplar, que nunca pierde una hora de clase...

—Pregúntaselo —lo desafió Cassy.

Beau rió.

Cassy, concentrada en dejar en claro que el día de frivolidad no había sido idea de ella, se había vuelto y estaba caminando hacia atrás para confrontar a Pitt.

—Vamos, pregúntaselo —lo instó.

De pronto, chocó con un peatón que venía en sentido contrario, sin prestar demasiada atención, tampoco. Los dos experimentaron un sacudón, pero sin consecuencias.

Cassy se disculpó de inmediato y el individuo hizo lo mismo. Al mirarlo con atención, Cassy dio un respingo. Era el señor Partridge, el agrio director de la secundaria Anna C. Scott. Partridge también se sobresaltó.

—Un momento —dijo y su rostro se distendió en una sonrisa—. La conozco. Usted es la señorita Winthrope, la encantadora estudiante asignada a la señora Edelman.

Cassy sintió que se ruborizaba. Se dio cuenta de que era probable que hubiera provocado una catástrofe. Pero el señor Partridge era la imagen misma de la amabilidad.

—Qué agradable sorpresa —estaba diciendo—. Le presento a mi esposa, Clara Partridge.

Cassy estrechó la mano de la señora Partridge y disimuló una sonrisa. Estaba al tanto de cómo la apodaban los estudiantes.

—Y él es un nuevo amigo nuestro —prosiguió el señor Partridge, pasando un brazo sobre los hombros del hombre que venía con ellos—. Les presento a Michael Schonhoff, uno de los abnegados empleados públicos que trabaja en la oficina del médico forense.

Todos se estrecharon las manos en medio de presentaciones. Beau se mostró particularmente interesado en Michael Schonhoff y se puso a conversar con él mientras Ed Partridge concentraba su atención en Cassy.

—He recibido muy buenos comentarios sobre las prácticas de enseñanza que está haciendo —declaró—. Y el otro día me gustó mucho cómo manejó esa clase, cuando la señora Edelman se atrasó.

Cassy no sabía cómo responder a estos inesperados cumplidos. Ni a la libidinosa inspección del señor Partridge. Varias veces sus ojos recorrieron el cuerpo de ella, de arriba abajo. Después de la primera vez, creyó que podían ser ideas de ella, pero cuando lo vio hacerlo por tercera vez, se dio cuenta de que su actitud era deliberada.

Minutos después, los dos grupos se despidieron y siguieron caminando en direcciones opuestas.

—¿Quién diablos es Ed Partridge? —quiso saber Pitt en cuanto se alejaron.

—El director de la secundaria donde estoy haciendo las prácticas —respondió Cassy. Sacudió la cabeza.

—Era evidente que estaba muy impresionado contigo —comentó Pitt.

—¿Viste cómo me miraba? —preguntó Cassy.

—¿Cómo no iba a verlo? —replicó Pitt—. Me dio vergüenza ajena, sobre todo porque el cerdito de su mujer estaba allí delante. ¿Te diste cuenta, Beau?

—No, en realidad, no —repuso Beau—. Estaba hablando con Michael.

—Nunca se comportó de ese modo —dijo Cassy—. De hecho, por lo general es bastante amargo.

—Eh, muchachos, allí enfrente hay otra heladería. Voy a tomar otro helado. ¿Alguien quiere otro?

Cassy y Pitt negaron con la cabeza.

—En seguida vuelvo —dijo Beau. Cruzó corriendo y se puso en la fila de los clientes de la heladería.

—¿Me crees cuando te digo que este día de rabona fue idea de Beau? —preguntó Cassy.

—Si tú lo dices —respondió Pitt—. Pero estoy seguro de que me entiendes. Es algo muy poco característico de él.

—No me lo digas a mí —concordó Cassy.

Se quedaron mirando cómo Beau flirteaba con dos estudiantes atractivas. Desde donde estaban pudieron oír la risa característica de Beau.

—Está totalmente desatado —comentó Pitt.

—Es una buena forma de describirlo —asintió Cassy—. Hoy lo pasamos genial, sí, pero su comportamiento está empezando a inquietarme un poco.

—¿En qué sentido?

Cassy rió sin alegría.

—Está demasiado amable. Sé que parece una locura y hasta suena cínico, pero no es su comportamiento habitual. No es el Beau de siempre. Faltar a clase fue sólo una de las cosas poco características de él.

—¿Qué más hubo? —preguntó Pitt.

—Bueno... es algo personal —titubeó Cassy.

—Eh, soy un amigo —la alentó Pitt, pero al mismo tiempo, sintió que se le secaba la boca. No sabía si quería enterarse de algo demasiado personal. Por más que tratara de negarlo, sus sentimientos por Cassy no eran puramente platónicos.

—En el aspecto sexual, también ha estado diferente —dijo Cassy en tono vacilante—. Esta mañana, él...

Se detuvo en la mitad de la oración.

—¿El qué? —quiso saber Pitt.

—No puedo creer lo que te estoy contando —dijo Cassy, avergonzada—. Digamos nada más que hay algo distinto en él.

—¿Fue hoy, solamente? —preguntó Pitt.

—Anoche y hoy —repuso Cassy. Pensó en contarle cómo Beau la había sacado desnuda al balcón en la mitad de la noche para ver la lluvia de meteoros, pero cambió de idea.

—Todos tenemos días en los que nos sentimos más vitales —dijo Pitt—. ¿Me entiendes? Me refiero a que la comida sabe mejor y las relaciones sexuales... bueno, también parecen mejores. —Se encogió de hombros. Ahora era él quien se sentía avergonzado.

—Puede ser —dijo Cassy sin demasiada convicción—. Pero lo que me pregunto es si su comportamiento pudo haber tenido algo que ver con esa gripe fugaz que tuvo. Nunca lo vi tan mal, aunque se recuperó rapidísimo. Tal vez se asustó. Qué sé yo, pudo haber pensado que iba a morirse o algo así. ¿Te parece que tiene sentido?

Pitt negó con la cabeza.

—No me pareció que estuviera tan mal —dijo.

—¿Se te ocurre alguna otra cosa? —preguntó Cassy.

—Para serte franco, estoy demasiado cansado como para pensar con creatividad —se disculpó Pitt.

—Si se te... —comenzó a decir Cassy, pero se detuvo—. ¡Mira lo que está haciendo Beau ahora!

Pitt miró hacia la heladería. Beau se había vuelto a encontrar con Ed Partridge, la señora Partridge y su amigo Michael. Los cuatro estaban conversando animadamente.

—¿Qué hace hablando con ellos? —exclamó Cassy.

—Bueno, no sé, pero eso sí, todos parecen estar de acuerdo —comentó Pitt—. Mira cómo asienten con la cabeza.

Beau miró el reloj del tablero de su 4x4. Eran las dos y media de la mañana. Estaba con Michael Schonhoff, y habían estacionado en la rampa de carga de la oficina del médico forense, junto a uno de los furgones mortuorios.

—¿Entonces te parece que es la mejor hora? —preguntó Beau.

—Sí, estoy seguro —repuso Michael—. Los empleados de limpieza ya deben de estar arriba.

Abrió la puerta del lado del acompañante y se dispuso a descender.

—¿No me necesitas? —preguntó Beau.

—Estaré bien —dijo Michael—. Espérame aquí, mejor. Habrá que dar menos explicaciones si me topo con los de seguridad.

—¿Qué posibilidades hay de que eso suceda?

—Pocas —admitió Michael.

—Entonces voy contigo —declaró Beau, y descendió de la camioneta.

—Como quieras —asintió Michael con amabilidad.

Juntos fueron hasta la puerta. Michael abrió con sus llaves y en pocos segundos estuvieron adentro.

Sin una palabra, Michael le indicó a Beau con señas que lo siguiera. Desde lejos se oían los sonidos de una radio sintonizada en un programa nocturno de entrevistas.

Pasaron por una antecámara, bajaron una rampa y entraron en el depósito de cadáveres. A lo largo de todas las paredes había compartimientos refrigeradores.

Michael sabía perfectamente bien cuál refrigerador abrir. El clic del mecanismo de la puerta sonó atronador en el silencio. El cuerpo se deslizó hacia afuera con facilidad, sobre una bandeja de acero inoxidable.

Los restos de Charlie Arnold estaban en una bolsa de plástico transparente. Tenía la cara de un color blanco fantasmagórico.

Michael, que conocía el edificio, consiguió una camilla. Con ayuda de Beau, puso el cuerpo sobre ésta y cerró el refrigerador.

Después de cerciorarse de que no hubiera nadie en la antesala, transportaron el cadáver por la rampa y lo sacaron por la puerta. En pocos minutos lo tenían en la parte trasera de la 4x4.

Mientras Beau subía al vehículo, Michael corrió a devolver la camilla. Pronto estuvieron de nuevo en la camioneta. Beau arrancó y se fueron.

—Fue muy fácil —comentó Beau.

—Te dije que no iba a haber problemas —repuso Michael.

Condujeron hacia el este, en dirección al desierto. Se apartaron de la ruta principal y tomaron por un camino de tierra hasta que estuvieron en terreno salvaje y deshabitado.

—Aquí me parece bien —dijo Beau.

—Perfecto, te diría —concordó Michael.

Beau detuvo el automóvil. Juntos sacaron el cadáver y lo llevaron diez metros más adentro. Después lo apoyaron sobre un montículo de arena y piedras. Por encima de ellos, se extendía la bóveda del cielo nocturno, sin luna, pero con millones de estrellas.

—¿Listo? —preguntó Beau.

Michael retrocedió unos pasos.

—Listo.

Beau sacó uno de los discos negros que había recuperado esa mañana y lo colocó encima del cuerpo. Casi inmediatamente empezó a brillar y la intensidad del brillo fue aumentando rápidamente.

—Será mejor que nos alejemos —sugirió Beau.

Retrocedieron unos doce metros. El brillo del disco negro ya había llegado al punto en que comenzaba a formarse una corona; el cadáver de Charlie Arnold también había empezado a brillar. El color de la luz pasó del rojo al blanco y la corona se expandió para envolver también al cuerpo.

Comenzó el sonido de aire en movimiento y con él sopló un viento que atrajo primero hojas, luego piedritas y después trozos de roca hacia el cuerpo. El sonido se tornó ensordecedor, como el rugido de una enorme turbina. Beau y Michael se aferraron el uno al otro para evitar ser arrastrados.

El sonido se cortó en forma tan brusca que causó una onda de choque que los sacudió a ambos. El disco negro, el cuerpo y varias piedras, hojas, algunos palos y otros escombros habían desaparecido. La piedra saliente donde había estado apoyado el cuerpo estaba caliente y su superficie se había retorcido en forma de espiral.

—Con esto causaremos un buen revuelo —vaticinó Beau.

—Así es —concordó Michael—. Y los mantendremos ocupados por un tiempo.

8

08:15

—¿No me vas a contar adónde fuiste anoche? —se quejó Cassy. Tenía la mano sobre la manija de la puerta y estaba a punto de descender del automóvil. Beau se había detenido en la plazoleta de entrada delante de la escuela secundaria Anna C. Scott.

—Ya te lo dije: a dar una vuelta —respondió Beau—. ¿Que tiene de raro?

—Nunca en tu vida saliste a dar una vuelta a medianoche —declaró Cassy—. ¿Por qué no me despertaste para decirme que ibas a salir?

—Dormías profundamente —argumentó Beau—. No quise molestarte.

—¿No se te ocurrió que podía despertar y preocuparme por tu ausencia?

—Perdóname —dijo Beau—. Se inclinó hacia ella y le palmeó el brazo. —Admito que tendría que haberte despertado. En ese momento me pareció mejor dejarte dormir.

—¿Me despertarás si alguna vez sucede de nuevo? —quiso saber Cassy.

—Te lo prometo —repuso Beau—. Cielos, qué lío armas por una tontería.

—Es que me asusté —explicó Cassy—. Hasta llamé al hospital para ver si no estabas allí. Y a la comisaría, también, por si había habido un accidente.

—Muy bien —dijo Beau—. Ya acusé recibo.

Cassy descendió de la camioneta y volvió a asomarse por la ventanilla.

—¿Pero por qué salir en automóvil a las dos de la mañana? ¿Por qué no diste una caminata o si no podías dormir, no miraste un poco de televisión? O, mejor aún, podrías haber leído un libro.

—No vamos a empezar otra vez con el tema —declaró Beau en tono firme, pero no enojado—. ¿De acuerdo?

—De acuerdo —respondió Cassy de mala gana. Por lo menos había conseguido que Beau se disculpara: se lo veía razonablemente contrito.

—Nos vemos a las tres —dijo Beau.

Se saludaron con la mano mientras Beau se alejaba. Cuando llegó a la esquina, Beau no se volvió. De haberlo hecho, habría visto que Cassy no se había movido del lugar donde había quedado. Lo observó doblar la esquina y tomar en dirección contraria a la universidad. Sacudió la cabeza. El comportamiento extraño de Beau no había mejorado.

Beau silbaba por lo bajo, totalmente ajeno a las preocupaciones de Cassy. Condujo por el centro de la ciudad; tenía una misión y estaba concentrado en ella, pero no hasta el punto de no notar con aprecio cuántos peatones y conductores tosían y estornudaban, sobre todo cuando se detenía en los semáforos. Era como si casi toda la gente sufriera de una infección de las vías respiratorias superiores. Además de ello, muchas personas estaban pálidas y transpiradas.

Al llegar a las afueras de la ciudad, Beau salió de la calle principal y tomó por Goodwin Place. A su derecha estaba el refugio de animales; entró por el portón de alambre, que estaba abierto y estacionó cerca del edificio de la administración. Estaba construido con bloques de cemento pintados y tenía ventanas con celosías de aluminio.

Beau podía oír ladridos incesantes que provenían de la parte de atrás. Al entrar, se topó con una secretaria; le dijo lo que buscaba y ella le indicó que se sentara en una pequeña sala de espera. Podría haberse puesto a leer mientras aguardaba pero, en cambio, se dedicó a escuchar con atención los ladridos, hasta el maullido intermitente de algunos gatos. Le pareció que era una forma extraña de comunicarse.

—Me llamo Tad Secolow —anunció un hombre, interrumpiendo sus pensamientos—. Tengo entendido que quiere un perro.

—Así es —dijo Beau, al tiempo que se ponía de pie.

—Ha venido al lugar indicado —declaró Tad—. Tenemos

74

de todas las razas posibles. El hecho de que esté dispuesto a dar un hogar a un perro adulto le da más posibilidad de elección que si estuviera decidido a llevarse un cachorro. ¿Tiene en mente alguna raza en especial?

—No —dijo Beau—. Pero sabré qué es lo que quiero cuando lo vea.

—¿Cómo dice? —preguntó Tad.

—Dije que reconoceré al animal que quiero cuando lo vea —repitió.

—¿Quiere ver fotografías, primero? —propuso Tad—. Tenemos fotografías de todos los perros que están disponibles.

—Preferiría ver a los animales en carne y hueso.

—Muy bien —asintió Tad con amabilidad.

Hizo pasar a Beau por detrás de la secretaria hacia la parte trasera del edificio, que estaba llena de jaulas de animales. Tenía un leve olor a granero que competía con el pegajoso aroma de desodorante. Tad explicó que los animales que estaban adentro recibían tratamiento veterinario día por medio. La mayoría de estos perros no ladraba. Algunos parecían estar enfermos.

El terreno detrás del edificio tenía hileras de jaulas de alambre. Por el centro había dos largos corredores cerrados con cercas de alambre. El piso de todo el complejo era de cemento. Había rollos de manguera apilados contra la pared.

Tad guió a Beau por el primer pasillo. Los perros se pusieron a ladrar alocadamente al verlos. Tad enumeraba las ventajas de las razas, a medida que caminaban. Se detuvo más tiempo delante de una jaula que alojaba a un perro de lanas. Era de color gris plateado y tenía oscuros ojos suplicantes que parecían comprender la situación.

Beau sacudió la cabeza y siguieron caminando.

Mientras Tad hablaba de las bondades de un Labrador negro, Beau se detuvo a mirar un perrazo color caramelo que le devolvió la mirada con leve curiosidad.

—¿Y éste? —dijo Beau.

Tad arqueó las cejas cuando vio a qué animal se estaba refiriendo.

—Es un magnífico animal —dijo—. Pero es grande y muy fuerte. ¿Está interesado en un perro de ese tamaño?

—¿Qué raza es? —preguntó Beau.

—Mastín inglés —repuso Tad—. En general, la gente les teme por su tamaño y este individuo podría arrancarle a usted el brazo, si así lo quisiera. Pero parece tener buen carácter. La palabra "mastín" en realidad deriva de una palabra latina que significa "manso".

—¿Cómo llegó aquí este perro? —quiso saber Beau.

—Voy a serle franco —dijo Tad—. El dueño anterior tuvo un hijo inesperado. Tuvieron miedo de la reacción del perro y no quisieron arriesgarse. Al perro le encanta cazar pequeñas presas.

—Abra la puerta —propuso Beau—. Veamos si nos llevamos bien.

—Traeré un collar —dijo Tad. Volvió hacia el edificio y desapareció adentro.

Beau se inclinó y abrió una pequeña puerta de alimentación. El perro se levantó de donde estaba sentado en el fondo de la jaula y se acercó a oler la mano de Beau, moviendo la cola en forma vacilante.

Beau metió la mano en el bolsillo y sacó otro de sus discos negros. Sosteniéndolo entre el pulgar y el índice con el índice sobre la superficie de la bóveda, lo apretó contra el hombro del perro. Casi de inmediato el perro lanzó un aullido ahogado y dio un paso atrás. Luego ladeó la cabeza con expresión interrogante.

Beau guardó el disco justo cuando Tad volvió a aparecer con el collar.

—¿Puede ser que haya gritado? —preguntó Tad, al acercarse a Beau.

—Creo que lo rasqué con demasiada fuerza —repuso Beau.

Tad abrió la puerta de la jaula. Por un instante, el perro vaciló, mirando primero a un ser humano y luego al otro.

—Vamos, grandulón —lo alentó Tad—. Con el tamaño que tienes, no tendrías que mostrarte tan indeciso.

—¿Cómo se llama? —preguntó Beau.

—Rey —respondió Tad—. En realidad, Rey Arturo. Pero es un poco exagerado. ¿Se imagina tratar de gritar "Rey Arturo" por la puerta de su cocina?

—Rey es un buen nombre —dijo Beau.

Tad le puso el collar y lo sacó de la jaula. Beau se inclinó para acariciarlo, pero Rey se echó hacia atrás.

—¡Vamos, Rey! —se quejó Tad—. Esta es tu gran oportunidad. ¡No la eches a perder!

—No hay problema —dijo Beau—. Me gusta. Es lo que estaba buscando.

—¿Lo va a llevar, entonces? —preguntó Tad.

—Así es.

Tomó la correa y luego se agachó para palmear la cabeza del perro. La cola de Rey se elevó lentamente y comenzó a moverse.

—No tengo demasiado tiempo —dijo Cassy a Pitt, mientras caminaban por el pasillo del sector de Emergencias, en dirección a la zona de internación de estudiantes—. Solamente tengo una hora entre clases.

—No nos llevará más de unos minutos —la tranquilizó Pitt—. Sólo espero que no sea demasiado tarde.

Llegaron a la habitación que había ocupado Beau. Lamentablemente, no pudieron entrar. Dos obreros estaban forcejeando para sacar la cama retorcida.

—Mira la cabecera —dijo Pitt.

—Qué extraño —comentó Cassy—. Parece como si se hubiera derretido.

En cuanto pudieron, entraron. Había otros obreros sacando los objetos retorcidos, incluyendo los soportes de metal del cielo raso. Otro hombre estaba cambiando los vidrios de la ventana.

—¿Ya saben qué fue lo que pasó? —preguntó Cassy.

—Nadie tiene idea —repuso Pitt—. Después de la autopsia hubo un momento de pánico relacionado con radiación, pero la habitación y la zona fueron revisadas a fondo y no había nada.

—¿Crees que haya relación entre esto y la forma en que se ha estado comportando Beau? —preguntó Cassy.

—Por eso quería que lo vieras —dijo Pitt—. No sé por qué, pero después que me contaste que estaba diferente, me puse a pensar. Al fin y al cabo, él estuvo aquí la tarde antes de que sucediera todo eso.

—Es raro —asintió Cassy. Se acercó a contemplar el brazo retorcido que había sujetado el televisor. Estaba tan deformado como la cabecera de la cama. Justo cuando estaba por volver junto a Pitt, su mirada se cruzó con la del hombre que estaba cambiando los vidrios.

El hombre la miró fijo por una fracción de segundo y

luego paseó su mirada lascivamente por el cuerpo de Cassy, como lo había hecho el señor Partridge la noche anterior.

Cassy volvió junto a Pitt y le tironeó de la manga. Él estaba mirando el reloj sobre la pared. Acababa de darse cuenta de que las agujas se habían caído.

—Salgamos de aquí —dijo Cassy y enfiló hacia la puerta.

Afuera, en el pasillo, Pitt la alcanzó.

—¡Eh, no corras tanto! —le dijo.

Cassy aminoró el paso.

—¿Viste cómo me miró el hombre que estaba arreglando la ventana? —exclamó.

—No —repuso Pitt—. ¿Qué hizo?

—Lo mismo que Partridge anoche —respondió Cassy—. ¿Qué les pasa a estos tipos? Parecería que les diera la regresión adolescente.

—Bueno, los obreros son famosos por eso.

—Sí, pero esto no fue el silbido proverbial ni el clásico "Eh, preciosa!" —objetó Cassy—. Más bien fue una violación visual. Es difícil de explicar, pero una mujer me entendería. Es desagradable; te asusta.

—¿Quieres que vuelva y lo increpe? —preguntó Pitt.

Cassy lo miró como si estuviera loco.

—No seas tonto.

Regresaron a la Sala de Emergencias y Cassy se despidió.

—Tengo que volver a la escuela. Gracias por invitarme, aunque ver ese dormitorio no me tranquilizó en absoluto. No entiendo nada de esto.

—Ya sé qué hacer —declaró Pitt—. Hoy tengo mi partido habitual de basquetbol con Beau. Tendré la oportunidad de preguntarle qué pasa.

—No vayas a decir nada de que te hablé de temas sexuales —le advirtió Cassy.

—Por supuesto que no. Le sacaré el tema de la rabona. Y luego le diré que anoche durante la cena y cuando caminábamos, no era el Beau que conozco. La diferencia es sutil, pero real.

—¿Me contarás qué te dice? —preguntó Cassy.

—Por supuesto —la tranquilizó Pitt.

En la sala de oficiales de la comisaría siempre había movimiento, sobre todo cerca del mediodía. Pero Jesse Kemper estaba acostumbrado al ruido y no tenía dificultad en pasarlo por alto. Su escritorio estaba en el fondo, contra la pared de vidrio que separaba el despacho del capitán del salón principal.

Jesse estaba leyendo el informe preliminar de la autopsia que había enviado el doctor Curtis Lapree. Lo que decía el documento no le gustaba nada.

—El doctor sigue con la idea del envenenamiento por radiación —le gritó a Vince que estaba junto a la máquina expendedora de café. Vince bebía un promedio de quince tazas por día.

—¿Le dijiste que no había radiactividad en la escena? —preguntó Vince.

—Por supuesto —respondió Jesse, fastidiado. Arrojó la hoja impresa sobre el escritorio y tomó la fotografía de Charlie Arnold que mostraba el orificio en la mano. Se rascó la parte de la cabeza donde tenía menos pelo mientras contemplaba la fotografía. Era una de las cosas más extrañas que hubiera visto.

Vince se acercó al escritorio de Jesse. La cuchara golpeó contra el borde de la taza mientras revolvía el café.

—Este maldito caso no tiene pies ni cabeza —se quejó—. Se me representa en la mente el estado en que quedó esa habitación y no se me ocurre ninguna explicación.

—¿Alguna noticia de esa doctora sobre los científicos que iban a examinar la habitación? —preguntó Vince.

—Sí —repuso Jesse—. Llamó para decir que a nadie se le ocurría nada. Eso sí, uno de los científicos descubrió que el metal de la habitación estaba magnetizado.

—¿Y con eso qué? —quiso saber Vince.

—Para mí, no mucho que digamos —admitió Jesse—. Llamé al doctor Lapree y se lo conté. Dijo que eso lo puede causar un rayo.

—Pero todos concuerdan en que no hubo rayos esa noche —objetó Vince.

—Exacto. Así que volvemos a cero.

Sonó el teléfono de Jesse. Éste no se inmutó, de manera que respondió Vince.

Jesse hizo rotar su silla giratoria y arrojó la fotografía de Charlie por encima de su hombro. Cayó de nuevo sobre el escritorio, en medio del desorden. Jesse había perdido ya la paciencia. No sabía si estaban hablando de un crimen o de un acto de la naturaleza. Sumido en sus pensamientos, oyó vagamente que Vince asentía por el teléfono, repitiendo "Sí" una y otra vez. Finalmente concluyó diciendo: "De acuerdo, se lo diré. Gracias por llamar, doctor".

Antes de que Jesse pudiera hacer girar la silla otra vez, vio salir a dos oficiales uniformados de la oficina del capitán. Lo que le llamó la atención fue que ambos tenían un aspecto terrible; estaban casi tan pálidos como Charlie Arnold en la fotografía que Jesse acababa de arrojar por encima de su hombro. Los oficiales tosían y estornudaban sin parar.

Jesse era bastante hipocondríaco y le molestaba que la gente fuera tan poco considerada como para andar esparciendo gérmenes. A juicio de él, los malditos deberían haberse quedado en casa.

Una exclamación ahogada brotó de la oficina del capitán y distrajo la atención de Jesse de los dos oficiales engripados. Por la ventana vio que el capitán se había llevado un dedo a la boca. En la otra mano sostenía con cuidado un disco negro.

—Jesse, ¿me escuchas o no? —vociferó Vince.

Jesse hizo girar la silla.

—Perdóname... ¿qué estabas diciendo?

—Hubo más complicaciones en el caso de Charlie Arnold. Desapareció el cadáver.

—No lo dices en serio.

—Es verdad —le aseguró Vince—. El doctor dice que decidió volver para tomar una muestra de médula ósea y cuando abrió el refrigerador donde había estado el cadáver de Charlie Arnold, no encontró nada.

—¡La puta madre! —exclamó Jesse, al tiempo que se ponía de pie—. Será mejor que vayamos para allá. Esto se está poniendo demasiado raro.

Pitt se puso su equipo de basquetbol y usó la bicicleta para trasladarse desde su dormitorio hasta las canchas. Beau y él jugaban a menudo en la liga tres-contra-tres bajo techo. Los partidos eran siempre buenos. Muchos de los jugadores podrían haber competido contra otras universidades si hubieran tenido más motivación.

Como era su costumbre, Pitt llegó temprano para practicar sus tiros. Le parecía que le costaba más que a los demás entrar en calor. Sorprendido, vio que Beau ya estaba allí.

Beau estaba vestido como para jugar, pero se encontraba a un costado de la cancha, detrás de una cerca de alambre, conversando concentradamente con dos hombres y una mujer. Lo sorprendente era que tenían aspecto de profesionales y todos eran mayores de treinta años. Vestían trajes de oficina. Uno llevaba un elegante maletín de cuero.

Pitt tomó una pelota y comenzó a encestar. Si Beau lo vio, no dio ninguna señal. Unos minutos después, algo más de la situación llamó la atención de Pitt. ¡El que hablaba sin cesar era Beau! Los otros lo escuchaban y de tanto en tanto asentían con la cabeza.

Comenzaron a llegar los otros jugadores, entre ellos Tony Ciccone, que era el tercero del equipo de Beau y Pitt. No fue hasta que todos, incluso los contrincantes, habían entrado en calor, que Beau terminó su conversación con las tres personas y fue a reunirse con Pitt, que ahora estaba haciendo ejercicios de elongación.

—Eh, viejo, qué gusto verte —dijo Beau—. Tenía miedo de que no pudieras venir, después del maratón que hiciste ayer en Emergencias.

Pitt se irguió y recogió una pelota.

—Después de lo mal que estuviste anteayer, deberías sorprenderte tú de estar aquí.

Beau rió.

—Parece que hubiera sido hace años. Ahora me siento fantásticamente bien. Es más, mejor que nunca. Te aseguro que vamos a reventar a estos mariquitas.

Los otros tres jugadores seguían entrando en calor alrededor del otro cesto. Tony se estaba atando los cordones de las zapatillas altas.

—Yo no me haría tan el soberbio —dijo Pitt, entrecerrando los ojos para protegerse del sol—. ¿Ves al musculoso de pantalones morados? Créase o no, su nombre es Rocko. Es fortísimo, y encima tiene muy buena puntería.

—Ningún problema —dijo Beau. Le quitó la pelota a Pitt y la envió volando hacia el cesto. Entró con un chasquido limpio, sin tocar otra cosa que la red.

Pitt quedó impresionado. Estaban a más de diez metros del aro.

—Y lo mejor de todo es que tenemos público a favor —dijo Beau. Se puso las puntas de los dedos pulgar e índice en la boca, frunció los labios y lanzó un silbido agudo. Un enorme perro de pelo claro, que había estado echado a unos treinta metros de distancia, se levantó y se acercó con paso lento. Al llegar al borde de la cancha, se echó nuevamente y apoyó la cabeza entre las patas delanteras.

Beau se agazapó y le palmeó la cabeza. La cola del perro se movió levemente, luego quedó inmóvil.

—¿De quién es el perro? —preguntó Pitt—. Si es que se puede llamarlo perro, claro. Es más bien un pony.

—Es mío —dijo Beau—. Se llama Rey.

—¿Tienes un perro? —preguntó Pitt, incrédulo.

—Ajá —repuso Beau—. Necesitaba compañía canina, así que fui a la perrera esta mañana y ahí estaba, esperándome.

—Hace una semana dijiste que no te parecía justo tener perros grandes en la ciudad —objetó Pitt.

—Cambié de idea —dijo Beau—. En cuanto lo vi, supe que era el perro de mis sueños.

—¿Cassy lo sabe?

—Todavía no —admitió Beau. Rascó las orejas del perro con entusiasmo. —Qué sorpresa se va a llevar ¿no?

—Sí, vaya sorpresa —dijo Pitt, poniendo los ojos en blanco—. Sobre todo con un perrazo de ese tamaño. ¿Pero qué le pasa? ¿Está enfermo? Se lo ve aletargado y tiene los ojos enrojecidos.

—No, se está adaptando, nada más. Acaban de soltarlo de su jaula. Hace pocas horas que lo tengo.

—Está babeando —señaló Pitt—. ¿No tendrá rabia, no?

—En absoluto —dijo Beau—. De eso estoy seguro. —Beau tomó la cabeza del perro entre sus manos. —Vamos, amigo. Ya deberías de estar sintiéndote mejor. Te necesitamos para que nos alientes.

Beau se puso de pie, sin dejar de mirar a su nuevo compañero.

—Tal vez sea algo letárgico, pero es un lindo perro, ¿no te parece?

—Puede ser —asintió Pitt—. Pero escucha, Beau. Conseguirte un perro, sobre todo uno enorme como éste, es un acto terriblemente impulsivo y conociéndote como te conozco, debo admitir que de lo más inesperado. Es más, últimamente has estado haciendo cosas sumamente inesperadas, a mi juicio. Estoy preocupado y creo que deberíamos hablar.

—¿Hablar de qué?

—De ti —dijo Pitt—. De cómo te has estado comportando; esas inasistencias a clases, por ejemplo. Es como si después de esa gripe...

Antes de que Pitt pudiera terminar, Rocko se acercó desde atrás y le dio una palmada amistosa en el hombro que lo envió varios pasos hacia adelante.

—¿Eh, cretinos, van a jugar o abandonan de entrada? —se burló—. Pauli, Duff y yo hace media hora que estamos listos para masacrarlos.

—Creo que será mejor que hablemos más tarde —susurró Beau al oído de Pitt—. Los aborígenes se están poniendo nerviosos.

Empezaron a jugar. Como había predicho Pitt, Rocko dominaba el juego con sus tácticas de topadora. Para colmo de males, la tarea de cubrir a Rocko había recaído sobre sus hombros, puesto que Rocko eligió marcarlo a él. Cada vez que tomaba la pelota se esmeraba por embestir a Pitt antes de dar un paso atrás para saltar.

Cuando iban por la mitad del partido, con Rocko y sus secuaces al frente, Pitt reclamó una jugada sucia después que Rocko le dio un codazo deliberado en el estómago para atrapar un rebote.

—¿Qué? —gritó Rocko, ofuscado. Arrojó la pelota con fuerza contra el suelo y la hizo rebotar unos tres metros en el aire. —¿Este pedazo de infeliz va a pedir infracción ofensiva? Ni loco. ¡La pelota es nuestra! ¡No pienso aceptar el reclamo!

—Me toca a mí —insistió Pitt—. Me hiciste una infracción. Es más, es la segunda vez que me haces la misma jugada sucia.

Rocko se acercó a Pitt y le dio un pechazo deliberado. Pitt dio un paso atrás.

—¿Así que jugada sucia, eh? —gruñó—. Muy bien: hablar, hablan todos. Ahora veamos si el llorón sabe pegar. ¡Vamos! Tengo los brazos a los costados del cuerpo.

Pitt no iba a cometer el error de pelearse con Rocko. Otros lo habían intentado y habían terminado con dientes rotos u ojos amoratados.

—Disculpen —intervino Beau con cordialidad, poniéndose entre Pitt y Rocko—. No creo que valga la pena discutir por semejante nimiedad. Les diré qué haremos. Cedemos la pelota, pero cambiamos las marcas. Creo que ahora te marcaré yo, Rocko, y tú me cubrirás a mí.

Rocko lanzó una risotada y miró a Beau de arriba abajo. Aunque ambos medían cerca de un metro ochenta, Rocko debía pesar unos quince kilos más que Beau.

—¿No te importa, no? —preguntó Beau a Pitt.

—No, en absoluto.

Resuelto el tema, se reanudó el juego. La boca tensa y dura de Rocko mostraba una leve sonrisa de placer anticipado. No bien atrapó la pelota, se lanzó directamente hacia Beau; los músculos de sus muslos parecían de piedra.

Con extraordinaria coordinación, Beau logró quitarse de en medio en el mismo instante en que Rocko pensaba hacer contacto. El resultado fue casi cómico. Esperando la colisión, Rocko había echado su cuerpo muy hacia adelante de su centro de gravedad. Al no encontrar resistencia, cayó desparramado en el suelo.

Todos, hasta Pitt, hicieron una mueca de dolor al verlo patinar sobre el asfalto. Sufrió varios raspones grandes que quedaron salpicados con trocitos de grava.

Beau estuvo a su lado de inmediato, con la mano extendida.

—Rocko, lo lamento —dijo—. Te ayudo a levantarte.

Rocko le dirigió una mirada furiosa y pasando por alto su gesto, se levantó por sus propios medios.

—¡Ayyy! —dijo Beau con una mueca comprensiva—. ¡Cómo te raspaste! Creo que será mejor que suspendamos el partido para que puedas ir a la enfermería a que te limpien las heridas.

—Ni lo sueñen —gruñó Rocko—. Dame la pelota. Terminaremos el partido.

—Como quieras —dijo Beau—. Pero el tiro es nuestro. Lo perdiste con tu caída.

Pitt había observado el intercambio con creciente preocupación. Beau no parecía darse cuenta qué clase de matón era Rocko y lo estaba provocando. Pitt temía que la tarde fuera a terminar en problemas.

Continuaron el partido y Rocko siguió tratando de imponer sus tácticas agresivas, pero en cada ocasión, Beau pudo evitar el contacto. Rocko se cayó varias veces más, lo que lo enfureció; cuanto más se enojaba, más fácil le resultaba a Beau manejarlo.

En el juego ofensivo, Beau se convirtió en una máquina. Cuando atrapaba la pelota, anotaba puntos a voluntad, a pesar de los esfuerzos de Rocko por controlarlo. En varios encuentros, Beau rodeó a Rocko con velocidad tan repentina que Rocko quedó varado en el polvo, con expresión aturdida. Para cuando Beau encestó el último tiro para ganar el partido, Rocko estaba rojo de furia.

—Eh, gracias por dejarnos ganar —le dijo Beau. Extendió la mano, pero Rocko no le prestó atención. Él y sus compañeros de equipo se elejaron cabizbajos hacia un costado de la cancha para secarse.

Beau, Pitt y Tony se dirigieron hacia donde estaba Rey, echado en el césped. El perro parecía aún más letárgico que antes del partido.

—Les dije que Rey iba a ayudar —dijo Beau.

Tony destapó unas bebidas frías. Pitt se alegró de ver líquido y a pesar de sus jadeos, logró beberse una lata entera en tiempo récord. Tony le alcanzó otra.

Pitt estaba por comenzar a beberla cuando notó que Beau contemplaba a un par de estudiantes atractivas que venían caminando por la pista con livianos equipos deportivos.

—¡Qué piernas! —comentó Beau.

Fue entonces cuando Pitt notó que Beau no estaba sin aliento como Tony y él. De hecho, ni siquiera estaba transpirado y todavía no había bebido nada.

Beau vio que Pitt lo miraba por el rabillo del ojo.

—¿Qué pasa? —preguntó.

—No estás agitado, como nosotros —comentó Pitt.

—Será que me habré quedado parado mientras ustedes hacían todo.

—¡Uy! —masculló Tom—. Aquí viene el tanque Sherman.

Pitt y Beau se volvieron para ver acercarse a Rocko por la cancha.

—No lo provoques —advirtió Pitt a Beau.

—¿Quién, yo? —se quejó Beau con aire inocente.

—Queremos la revancha —gruñó Rocko cuando llegó hasta el grupo.

—Yo, por hoy, ya estoy hecho —dijo Pitt.

—Yo también —anunció Tony.

—Entonces está todo dicho —acotó Beau con una sonrisa—. No sería justo que yo solo jugara contra ustedes tres.

Rocko le clavó la mirada.

—Eres bastante arrogante para ser tan insignificante.

—No dije que fuera a ganar —objetó Beau—. Aunque estoy seguro de que el partido estaría parejo, sobre todo si ustedes juegan como jugaron hace unos momentos.

—Viejo, te la estás buscando —le advirtió Rocko.

—No levantes la voz —dijo Beau—. Mi perro está durmiendo justo a tu lado y hoy no se siente bien.

Rocko dirigió una mirada a Rey, luego otra a Beau.

—Me importa un carajo tu perro de mierda.

—Un momento —dijo Beau y se puso de pie—. No entiendo bien. ¿Le estás diciendo "perro de mierda" a *mi* perro?

—Eso y más también —declaró Rocko—. Opino que es un p...

Con una velocidad que asombró a todos, Beau extendió una mano y tomó a Rocko del cuello. Rocko también reaccionó rápidamente: cerró el puño y soltó un potente gancho de izquierda.

Beau vio venir el golpe, pero no le prestó atención. El puño de Rocko se estrelló contra el costado de la cara de Beau, justo delante de la oreja derecha. El ruido sordo hizo que Pitt frunciera el rostro en una mueca de dolor.

Rocko sintió una punzada de dolor en los nudillos después de golpear el pómulo de Beau. El golpe había sido fuerte y había dado en el blanco, pero la expresión de Beau no cambió. Era como si no lo hubiera sentido.

Rocko quedó impactado por la aparente inefectividad de lo que hasta el momento había sido siempre su mejor arma. Sus adversarios nunca esperaban un potente gancho de izquierda en el primer contacto de una pelea. El golpe siempre le había dado resultado y más de una vez había puesto fin a la pelea. Pero con Beau era diferente. El único cambio en el aspecto de Beau después del golpe fue que se le dilataron las pupilas. Rocko hasta tuvo la impresión de que comenzaban a brillar.

El otro problema que estaba teniendo Rocko era falta de oxígeno. La cara se le puso roja y comenzaron a desorbitársele los ojos. Trató de zafarse de la mano de Beau, pero no pudo. Era como si estuviera sujetado por un par de pinzas de hierro.

—Perdón —dijo Beau con serenidad—. Creo que le debes una disculpa a mi perro.

Rocko tomó el brazo de Beau con las dos manos, pero no pudo aflojar la presión sobre su cuello. Sólo pudo emitir sonidos guturales.

—No te oigo —declaró Beau.

Pitt, que minutos antes había estado preocupado por Beau, ahora estaba inquieto por Rocko, a quien la cara se le estaba poniendo azulada.

—No puede respirar —intervino.

—Tienes razón —dijo Beau. Soltó el cuello de Rocko y lo sujetó del pelo con una mano. Hizo fuerza hacia arriba y logró poner a Rocko en puntas de pie. Rocko seguía tirando del brazo de Beau con dos manos, pero no podía soltarse.

—Estoy esperando la disculpa —anunció, al tiempo que aumentaba la tensión sobre el pelo de Rocko.

—Lamento lo que dije de tu perro —logró balbucear Rocko.

—No me lo digas a mí —repuso Beau con toda tranquilidad —. Díselo al perro.

Pitt había perdido el habla. Por un segundo le pareció que Beau levantaba a Rocko en el aire.

—Perdón, perro —gimió Rocko en un hilo de voz.

—Se llama Rey —le hizo saber Beau.

—Perdón, Rey —repitió Rocko.

Beau lo soltó. Rocko se llevó las dos manos a la cabeza. Le ardía el cuero cabelludo. Con una mirada que contenía una mezcla de furia, dolor y humillación, Rocko se alejó cabizbajo a reunirse con sus azorados compañeros.

Beau se limpió una mano contra la otra.

—¡Puaj! —dijo—. Me pregunto qué porquería usará para el pelo.

Pitt y Tony estaban tan anonadados como los compañeros de Rocko y miraban boquiabiertos a Beau, que no se dio cuenta de sus expresiones hasta que se agachó para levantar la correa de Rey.

—¿Qué les pasa, muchachos? —preguntó.

—¿Cómo lo hiciste? —quiso saber Pitt.

—¿De qué hablas? —repuso Beau.

—¿Cómo te las arreglaste para manejar a Rocko tan fácilmente? —preguntó Pitt.

Beau se golpeó la sien con los dedos.

—Con inteligencia —repuso—. El pobre Rocko usa solamente la fuerza bruta. La fuerza puede se útil, pero su poder no es nada comparado con la inteligencia. Por eso los humanos dominan este planeta. En términos de selección natural, no hay nada que se les acerque.

De pronto Beau miró en dirección a la biblioteca.

—Ah —dijo—. Creo que voy a tener que dejarlos, muchachos.

Pitt siguió su mirada. A unos cien metros de distancia, se acercaba otro grupo de hombres y mujeres de negocios. Esta vez eran seis: cuatro hombres y dos mujeres. Todos llevaban maletines.

Beau se volvió hacia sus compañeros de equipo.

—Fue un partido buenísimo, muchachos —dijo. Golpeó la palma de la mano contra las palmas de Pitt y Tony y luego se volvió hacia Pitt. —Nuestra charla va a tener que quedar para otro momento.

Respondiendo a un tirón, Rey se puso de pie de mala gana y siguió a su dueño por el césped en dirección a la inesperada reunión.

Pitt miró a Tony, que se encogió de hombros.

—No sabía que Beau fuera tan fuerte —dijo.

—¿Cómo cuernos puede desaparecer un cadáver? —preguntó Jesse al doctor Curtis Lapree—. ¿Acaso ya sucedió alguna otra vez?

Jesse y Vince habían ido hasta el depósito de cadáveres y ahora estaban de pie a cada lado del compartimiento refrigerante vacío, donde había estado el cuerpo de Charlie Arnold.

—Por desgracia, ha sucedido otras veces —admitió el doctor Lapree—. No muchas, gracias a Dios, pero ha sucedido. La última vez fue hace poco más de un año. Desapareció el cuerpo de una mujer joven, un caso de suicidio.

—¿Lo recuperaron alguna vez? —preguntó Jesse.

—No —respondió el doctor Lapree.

—¿Nos informaron del hecho? —quiso saber Jesse.

—La verdad es que no lo sé —admitió el doctor Lapree—. El asunto quedó en manos del comisionado de Salud, que trató directamente con la policía. Fue un bochorno, así que mantuvieron la mayor discreción posible.

—¿Y qué han hecho respecto de este caso? —preguntó Jesse.

—Lo mismo —dijo Lapree—. Informé el asunto al jefe de Patología, que se lo informó al comisionado de salud. Antes de hacer algo, será mejor que pregunten a sus jefes. Creo que ni siquiera debí habérselo contado.

—Comprendo —asintió Jesse—. Y respetaré su confianza. ¿Pero tiene alguna sospecha de por qué alguien se robaría el cadáver?

—Como patólogo forense sé mejor que la mayoría de la gente que el mundo está lleno de personas raras —dijo el doctor Lapree—. A más de uno le gustan los cadáveres.

—¿Cree que ese fue el motivo esta vez? —preguntó Jesse.

—No tengo la menor idea —admitió el doctor Lapree.

—Nos preocupa que la desaparición del cadáver añada peso a la idea de que la muerte del hombre haya sido un homicidio —confesó Jesse.

—Es como si el que lo hizo quisiera borrar los rastros —añadió Vince.

—Comprendo —asintió el doctor Lapree—. Pero el problema con esa línea de pensamiento es que yo ya había hecho la autopsia.

—Sí, pero iba a extraer nuevos tejidos —objetó Jesse.

—Es cierto —concordó Lapree—. No había sacado muestra de la médula espinal. Pero era sólo para darle más peso a mi teoría de la radiación intensa.

—Si se llevaron el cadáver para que usted no pudiera sacar esa última muestra, entonces parece tratarse de un trabajo hecho por alguien de adentro —dijo Jesse.

—Somos conscientes de eso —admitió el doctor Lapree—. Estamos investigando quiénes fueron todos los que tuvieron acceso al cadáver.

Jesse suspiró.

—Qué caso endemoniado —se quejó—. La idea de jubilarme cada vez me atrae más.

—Nos informará si averiguan algo ¿no es así? —dijo Vince.

—Por supuesto —respondió el doctor Lapree.

Jonathan cerró su armario de gimnasia con llave. Ese semestre, había tenido gimnasia en la última hora del día y lo detestaba. Prefería tenerla en la mitad de la jornada, como un oasis entre materias académicas.

Abandonó el ala del gimnasio por una puerta lateral y echó a andar por el patio. A lo lejos, vio a un grupo de chicos agrupados alrededor del mástil. Al acercarse, los oyó vitorear. Cuando por fin estuvo al pie del mástil, vio lo que estaba sucediendo. Un chico del noveno grado, a quien Jonathan apenas conocía, se estaba trepando por el mástil, tratando de llegar a la cima. Se llamaba Jason Holbrook. Jonathan sabía quién era porque había jugado en el equipo de basquetbol.

—¿Qué pasa? —preguntó Jonathan a uno de sus compañeros de curso, que estaba a un costado. Se llamaba Jeff.

—Ricky Javetz y su pandilla encontraron a otro chico de noveno grado a quien molestar —contó Jeff—. El pobre tiene que tocar el águila de la cima o no lo van a dejar entrar en el grupo.

Jonathan se protegió los ojos del brillante sol de la tarde.

—Ese mástil es altísimo —observó—. Debe de tener unos veinte metros o más.

—Y la última parte es bastante delgada —concordó Jeff—. Qué suerte que no soy yo el que está allí arriba.

Jonathan miró a su alrededor. Lo sorprendió el hecho de que ningún profesor hubiera aparecido para poner fin a esta ridícula situación. Justo en ese momento vio salir a Cassy Winthrope del ala norte. Jonathan codeó a Jeff.

—Ahí viene esa practicante tan sensual.

Jeff se volvió a mirar. Cassy estaba vestida como siempre, con un vestido simple y suelto de algodón. Con el sol detrás de ella, los muchachos pudieron ver la silueta de su cuerpo, hasta la sombra de la ropa interior.

—¡Uau! —masculló Jeff—. Qué pedazo de trasero.

Hipnotizados, los muchachos vieron cómo Cassy se fundía entre la multitud y volvía a aparecer junto a la base del mástil. Arrojó al suelo unos libros que llevaba, ahuecó las manos alrededor de la boca y le gritó a Jason que bajara.

El alboroto cesó ante la interferencia de Cassy.

Jason, que había trepado tres cuartos del mástil, vaciló. El mástil comenzaba a sacudirse; parecía más alto de lo que había creído.

Cassy miró a su alrededor. La multitud de estudiantes se había cerrado alrededor de ella. La mayoría eran del último año de la escuela secundaria y mucho más corpulentos que ella. Le vino a la mente la idea de que por todo el territorio de Estados Unidos, estudiantes atacaban a diario a las profesoras.

Cassy volvió a mirar hacia la punta del mástil. Desde la base se veían las oscilaciones.

—¿Me oíste? —gritó Cassy otra vez, sin prestar atención a los demás estudiantes—. ¡Baja de allí ahora mismo!

Cassy sintió que una mano le aferraba el brazo y dio un respingo. Sorprendida, se encontró frente al rostro sonriente y libidinoso del señor Ed Partridge.

—Señorita Wintrhope, se la ve espléndida hoy.

Cassy liberó el brazo de los dedos de él.

—Tenemos un alumno trepado al mástil —dijo.

—Ya lo vi —repuso Ed. Rió por lo bajo al tiempo que echaba la cabeza hacia atrás para mirar hacia arriba. —Apuesto a que llega a la cima.

—No me parece que deba permitirse este tipo de actividades —dijo Cassy, a pesar de sí misma.

—Vamos… ¿por qué no? —contrarrestó Ed. Ahuecando las manos alrededor de la boca, gritó a Jason: —¡Vamos, muchacho, no te achiques ahora! ¡Ya casi estás en la cima!

Jason miró hacia arriba. Le quedaban unos seis metros todavía. Al oír los gritos de aliento de abajo, reanudó la trepada. El problema era que tenía las manos transpiradas y húmedas. Con cada impulso hacia arriba, se deslizaba hacia abajo la mitad de la distancia ganada.

—Señor Partridge —objetó Cassy—. Esto no es…

—Tranquilícese, señorita Winthrope. Debemos permitir que nuestros alumnos se expresen. Además, es entretenido ver si un prepúber como Jason es capaz de lograr semejante hazaña.

Cassy levantó la mirada. Las oscilaciones se habían vuelto más intensas. No quería pensar en lo que sucedería si el chico se caía.

Pero Jason no se cayó. Alentado por los gritos de la muchedumbre, logró llegar a la cima, tocar el águila y comenzar el descenso. El señor Partridge fue el primero en felicitarlo cuando volvió a poner los pies sobre la tierra.

—Bien hecho, muchacho —dijo Ed, palmeándole la espalda—. No creí que tuvieras el coraje necesario para lograrlo. —El señor Partridge posó luego la mirada sobre el resto del alumnado. —Muy bien, ahora desconcéntrense, por favor.

Cassy no se fue. Se quedó mirando cómo el señor Partridge arreaba una cantidad de alumnos hacia el ala central, hablándoles animadamente. Cassy estaba desconcertada. Alentar una acción semejante le parecía irresponsable y totalmente ajeno a la personalidad del señor Partridge.

—Creo que estos libros son suyos —dijo una voz .

Cassy se volvió y vio a Jonathan Sellers con los libros en las manos. Los tomó y le dio las gracias.

—No hay problema —dijo él. Se quedó mirando la silueta borrosa del señor Partridge. —Últimamente se ha vuelto totalmente diferente —comentó, haciendo eco de los pensamientos de Cassy.

—Igual que mis padres —interpuso otra voz.

Jonathan se volvió. Detrás de él estaba Candee. No la había visto entre el alumnado. Balbuceando, se la presentó a Cassy y al hacerlo, notó que tenía los ojos rojos por la falta de sueño.

—¿Te pasa algo? —le preguntó.

Candee negó con la cabeza.

—Estoy bien, pero anoche no pegué un ojo.

Dirigió una mirada nerviosa a Cassy, turbada por tener que hablar ante una desconocida, pero sintiendo al mismo tiempo la necesidad de desahogarse. Como era hija única, no había podido hablar con nadie, y estaba preocupada.

—¿Por qué? —quiso saber Jonathan.

—Porque mis padres están rarísimos —confesó Candee—. Es como si no los conociera. Están distintos.

—¿Qué quieres decir con "distintos"? —la interrogó Cassy, pensando inmediatamente en Beau.

—No sé, están diferentes —dijo Candee—. No sé cómo explicarlo. Están raros. Como el viejo Partridge.

—¿Desde cuándo están así? —preguntó Cassy. Estaba anonadada. ¿Qué le estaba pasando a la gente?

—Desde hace uno o dos días —repuso Candee.

9

16:15

—¿Quiere fenitoína? —gritó el doctor Draper a la doctora Sheila Miller. El doctor Draper era uno de los residentes de más jerarquía del sistema de medicina de emergencia del Centro Médico Universitario.

—¡No! —replicó Sheila—. No quiero correr riesgos de provocar una arritmia. Déme diez miligramos de valium endovenoso ahora que tenemos la vía asegurada.

La ambulancia municipal había llamado momentos antes para informar que traían a un diabético de cuarenta y dos años con convulsiones graves. Después de lo que había sucedido con la mujer diabética del día anterior, todo el equipo de Emergencias, incluida la doctora Sheila Miller, se había presentado para tratar este nuevo caso.

No bien llegó el paciente, lo llevaron directamente a uno de los cubículos donde se le dio prioridad absoluta a la entrada de aire. Después se realizó la extracción sanguínea. Se lo conectó a los monitores y luego se le suministró glucosa endovenosa.

Como las convulsiones no cedían, fue necesario darle más medicamentos. Fue entonces cuando Sheila se decidió por el valium.

—Valium suministrado —informó Ron Severide, uno de los enfermeros de la noche.

Sheila estaba mirando el monitor. No quería que, al igual que la mujer del día anterior, este paciente también sufriera un paro respiratorio.

—¿Cómo se llama el paciente? —preguntó. El hombre estaba allí desde hacía diez minutos.

—Louis Devereau —respondió Ron.

—¿Alguna otra historia clínica aparte de la diabetes? —quiso saber Sheila—. ¿Antecedentes cardíacos?

—Que lo sepamos, no —dijo el doctor Draper.

—Bien —dijo Sheila, un poco más tranquila. El paciente también parecía estar serenándose. Después de unos espasmos más, la convulsión cesó.

—Buena señal —comentó Ron.

Antes de que las palabras optimistas hubieran terminado de salir de su boca, el paciente fue presa de una nueva convulsión.

—Es increíble —dijo el doctor Draper—. Tiene convulsiones a pesar del valium y la glucosa. ¿Qué diablos está sucediendo aquí?

Sheila no respondió. Estaba demasiado ocupada vigilando el monitor cardíaco. Había habido un par de latidos ectópicos. Cuando se disponía a ordenar que suministraran lidocaína, el paciente hizo un paro.

—¡No, no me hagas esto! —exclamó Sheila, al tiempo que se unía a los demás en un esfuerzo por resucitar al hombre.

De modo horriblemente similar a la experiencia del día anterior con la mujer, Louis Devereau pasó de fibrilaciones a línea plana a pesar de los esfuerzos de todo el equipo. Abatidos, tuvieron que admitir una nueva derrota. El paciente fue declarado muerto.

Con un sentimiento de ira ante la ineficacia de sus esfuerzos, Sheila se quitó los guantes y los arrojó con fuerza dentro del recipiente apropiado. El doctor Draper hizo lo mismo. Juntos se encaminaron hacia la recepción.

—Comuníquense con el patólogo forense —dijo Sheila— y transmítanle la necesidad de averiguar cuál fue la causa de esta muerte. Esto no puede seguir así. Ambos eran pacientes relativamente jóvenes.

—Los dos eran insulinodependientes —comentó el doctor Draper—. Y ambos padecían diabetes desde hacía mucho tiempo.

Llegaron al amplio mostrador de la recepción. Había mucha actividad.

—¿Y desde cuándo es mortal la diabetes en la mediana edad? —quiso saber Sheila.

—Buena pregunta —repuso el doctor Draper.

Sheila echó una mirada a la sala de espera y arqueó las cejas. Había tantos pacientes que ya no había asientos desocupados. Diez minutos antes, la cantidad de enfermos había sido normal para esa hora del día. Se volvió para preguntarle a uno de los empleados que estaban sentados detrás del mostrador si existía alguna explicación para esa repentina multitud y se encontró cara a cara con Pitt Henderson.

—¿Nunca se va a su casa, usted? —preguntó—. Cheryl Watkins me comentó que volvió apenas unas horas después de haber cumplido un turno de veinticuatro horas.

—Estoy aquí para aprender —dijo Pitt. Era una respuesta planeada; la había visto aproximarse al mostrador.

—Bueno, pero por Dios, no se arruine la salud —dijo Sheila—. Todavía ni siquiera empezó la carrera de Medicina.

—Acabo de oír que el diabético que entró hace unos momentos murió —dijo Pitt—. Qué duro para usted.

Sheila miró al joven universitario. La sorprendía. Apenas la mañana anterior la había irritado cuando le derramó el café encima del brazo en una habitación donde no tenía por qué estar. Ahora se estaba mostrando inusitadamente sensible, teniendo en cuenta que era varón y universitario. Era también atractivo, con su pelo renegrido y los ojos oscuros y líquidos. Por una fracción de segundo, Sheila se preguntó cómo reaccionaría si él tuviera veinte años más.

—Tengo algo aquí que tal vez quiera ver —dijo Pitt, al tiempo que le entregaba una hoja impresa del laboratorio.

Sheila tomó la hoja y la miró.

—¿Qué es?

—El análisis sanguíneo de la diabética que murió ayer —repuso Pitt—. Pensé que podría interesarle, porque todos los valores son absolutamente normales. Hasta el azúcar en la sangre.

Sheila estudió los análisis. Pitt tenía razón.

—Va a ser interesante ver cuáles son los valores del paciente de hoy —añadió Pitt—. Por lo que he leído, no se me ocurre ningún motivo por el que la primera paciente haya tenido que tener convulsiones.

Sheila estaba azorada. Ninguno de los otros estudiantes que había pasado por el programa de empleos del Centro Médico había mostrado tanto interés.

—Cuento con usted para que me consiga los análisis del paciente de hoy.

—Será un placer —respondió Pitt.

—Mientras tanto —inquirió Sheila—, ¿tiene alguna idea de por qué hay tanta gente en la sala de espera?

—Creo que sí —afirmó Pitt—. Ha de ser porque casi todos esperaron a salir del trabajo para venir. Hay muchísimos con estado gripal. Estuve mirando los registros de ayer y hoy y cada vez está viniendo más gente con los mismos síntomas. Creo que es algo de lo que habría que ocuparse.

—Pero es la temporada de la gripe —dijo Sheila, cada vez más impresionada. Pitt había estado pensando.

—Puede ser, pero este brote parece único —insistió Pitt—. Hablé con el laboratorio y todavía no han encontrado ni un análisis positivo al virus de la influenza.

—A veces hay que hacer un cultivo de tejidos antes de que el análisis dé positivo. Y eso lleva varios días.

—Sí, lo leí —asintió Pitt—. Pero en este caso, creo que es extraño porque todos estos pacientes han tenido muchos síntomas respiratorios, así que el virus debería estar muy presente. Al menos así decía el texto que estuve leyendo.

—Debo decirle que me causa muy buena impresión su iniciativa —dijo Sheila.

—Bueno, es que la situación me preocupa —admitió Pitt—. ¿Y si se tratara de una nueva cepa o tal vez de una nueva enfermedad? Mi mejor amigo la tuvo hace un par de días y estuvo realmente mal, pero solamente por unas cuantas horas. A mí eso no me suena como la auténtica gripe. Además, después de que se recuperó, no ha sido el mismo. Quiero decir, quedó en perfecto estado de salud, pero se ha estado comportando en forma muy extraña.

—¿A qué se refiere? —preguntó Sheila. Comenzaba a considerar la posibilidad de encefalitis viral. Era una complicación poco habitual que podía tener la gripe.

—Bueno, a que está distinto. Es otra persona —dijo Pitt—. Bueno, no completamente diferente, pero distinto. Y lo mismo parece haberle sucedido al director de la secundaria.

—¿Está hablando de una leve alteración de la personalidad? —preguntó Sheila.

—Bueno, creo que podría decirse que sí.

No se atrevía a contarle del aparente aumento de la

fuerza y velocidad de Beau y el hecho de que hubiera ocupado la habitación donde se había producido esa situación tan extraña; tenía miedo de perder toda credibilidad. Ya bastante nervioso lo ponía hablar con la doctora Miller a la que no se hubiera atrevido a dirigirse si ella no le hubiera hablado primero.

—Y otra cosa —añadió Pitt, pensando que ya que había hecho veinte, podía hacer veintiuno—. Verifiqué la historia clínica de la mujer diabética que murió ayer. Tuvo síntomas de gripe antes de sufrir convulsiones.

Sheila se quedó mirando los ojos oscuros de Pitt mientras pensaba en lo que él acababa de decir. De pronto levantó la vista y llamó al doctor Draper, para preguntarle si Louis Devereau había tenido síntomas de gripe antes de las convulsiones.

—Sí, tuvo —respondió el doctor Draper—. ¿Por qué me lo pregunta?

Sheila ignoró la pregunta y miró a Pitt.

—¿Cuántos pacientes con esta gripe atendimos y cuántos están esperando ahora?

—Cincuenta y tres —dijo Pitt. Mostró la hoja donde había estado llevando la cuenta.

—¡Por todos los santos! —exclamó la doctora Miller. Por un instante miró a la distancia sin ver y se mordió el lado interno de la mejilla mientras pensaba en el curso de acción a seguir. Volvió a mirar a Pitt y ordenó:

—¡Venga conmigo y traiga ese papel!

Pitt se esforzó por mantenerse a la par de Sheila, que caminaba como impulsada por un motor.

—¿Adónde vamos? —preguntó el muchacho al ver que entraban en el edificio del hospital propiamente dicho.

—A la oficina del presidente —respondió Sheila sin rodeos.

Pitt se apretujó dentro del ascensor con la doctora Miller. Trató de leerle el rostro, pero no pudo. No tenía idea de por qué lo estaba llevando a la administración. Tenía miedo de que fuera por motivos de disciplina.

—Quiero ver al doctor Halprin de inmediato —anunció Sheila a la secretaria administrativa principal, la señora Kapland.

—El doctor Halprin está ocupado en este momento —repuso la mujer con una sonrisa amistosa—. Pero le informaré que usted está aquí. Mientras tanto, ¿desearían un café o una gaseosa?

—Dígale que es urgente —pidió Sheila.

Los hicieron esperar veinte minutos y luego la secretaria los hizo pasar al despacho. Sheila y Pitt se dieron cuenta de que el hombre no se sentía bien. Estaba pálido y tosía continuamente. Una vez que estuvieron sentados, Sheila resumió escuetamente lo que Pitt le había dicho y sugirió que el hospital tomara alguna medida.

—Un momento —dijo el doctor Halprin entre ataques de tos—. Cincuenta casos de gripe durante la época de la gripe no es un motivo para asustar a la comunidad. Si hasta yo estoy engripado y no es tan grave aunque, si pudiera, estaría en casa metido en la cama.

—Son más de cincuenta casos solamente en este hospital —le recordó Sheila.

—Sí, pero somos el hospital más grande de la comunidad —se ufanó Halprin—. Siempre somos los que más casos vemos de todas las enfermedades.

—Se me han muerto dos diabéticos que antes habían estado bien controlados y creo que puede haberse debido a esta enfermedad —dijo Sheila, preocupada.

—Sí, la gripe tiene esas cosas —comentó el doctor Halprin—. Lamentablemente es sabido que puede ser una enfermedad seria para los ancianos y débiles.

—El señor Henderson conoce a dos personas que han tenido la enfermedad y como secuela han mostrado cambios en su personalidad. Uno de ellos es su mejor amigo.

—¿Cambios marcados de personalidad? —preguntó Halprin dirigiéndose a Pitt.

—No marcados —admitió Pitt—. Pero sí definidos.

—Déme un ejemplo —pidió el doctor Halprin, sonándose la nariz ruidosamente.

Pitt le contó de la actitud repentinamente osada de Beau y el hecho de que había perdido todo un día de clases para ir a museos y al zoológico.

El doctor Halprin dejó el pañuelo de papel y miró a Pitt, sin poder evitar una sonrisa.

—Discúlpeme, pero eso no parece ser muy grave.

—Tendría que conocer a Beau para darse cuenta de lo sorprendente que es.

—Bueno, hemos tenido algo de experiencia con esta enfermedad justamente aquí en la oficina —narró el doctor Halprin—. No solamente me la pesqué yo hoy, sino que mis dos secretarias la tuvieron ayer. Se inclinó sobre el intercomunicador, oprimió el botón y pidió a sus dos secretarias que vinieran.

La señora Kapland apareció de inmediato, seguida de una mujer más joven, llamada Nancy Casado.

—La doctora Miller está preocupada por este virus de influenza o gripe que anda dando vueltas —explicó el doctor Halprin—. Tal vez ustedes puedan tranquilizarla.

Las dos mujeres se miraron, vacilantes, sin saber a quién le correspondía hablar. Como empleada de mayor antigüedad, comenzó la señora Kapland.

—Me vino en forma repentina y me sentí terriblemente mal —dijo—. Pero al cabo de unas cuatro o cinco horas, ya estaba mejor. Ahora me siento fantásticamente bien. Hace tiempo que no me sentía tan bien.

—A mí me sucedió lo mismo —relató Nancy Casado—. Empecé a toser y a sentir mucho dolor de garganta. Estoy segura de que tuve fiebre, aunque no me tomé la temperatura, así que no podría saber hasta dónde subió.

—¿A alguna de las dos le parece que la personalidad de la otra cambió desde la recuperación? —preguntó el doctor Halprin.

Las dos mujeres rieron y se taparon la boca con la mano, mientras intercambiaban miradas conspiratorias.

—¿Qué hay de tan gracioso? —quiso saber el doctor Halprin.

—Nada, es un chiste privado —dijo la señora Kapland—. Pero para responder a su pregunta, ninguna de las dos cree que la personalidad de la otra haya cambiado. ¿Usted qué opina, doctor Halprin?

—¿Yo? —dijo Halprin—. No tengo mucho tiempo para fijarme en esas cosas, pero no, no creo que hayan cambiado.

—¿Conocen gente que se haya enfermado? —preguntó Sheila a las mujeres.

—Sí, mucha —respondieron al unísono.

—¿Han notado cambios en la personalidad de alguna persona? —inquirió Sheila.

—Yo no —repuso la señora Kapland.

—Yo tampoco —dijo Nancy Casado.

El doctor Halprin extendió las manos con las palmas hacia arriba.

—No me parece que haya un problema con esto —dijo—. Pero gracias por venir. —Sonrió.

—Bueno, ya está notificado —señaló Sheila, poniéndose de pie.

Pitt la imitó y saludó con la cabeza al presidente y a las secretarias. Cuando sus ojos se toparon con los de Nancy Casado, notó que lo miraba de un modo curiosamente provocativo. Tenía los labios entreabiertos y se le veía la punta de la lengua. En cuanto vio que él la estaba mirando, lo recorrió de arriba abajo con la mirada.

Pitt se volvió rápidamente y salió de la oficina detrás de la doctora Miller. Se sentía incómodo. Ahora comprendía lo que Cassy había estado tratando de decirle esa mañana después de la visita a la habitación que Beau había ocupado en el sector de internación para estudiantes.

Haciendo equilibrio con los libros, la cartera y comida china para llevar, Cassy logró meter la llave en la cerradura y abrir la puerta. Entró y cerró de un puntapié.

—¿Beau, ya llegaste? —gritó mientras dejaba las cosas sobre la mesita junto a la puerta.

Un gruñido bajo y amenazador le erizó el pelo de la nuca. El gruñido había sonado muy cerca. Es más, directamente detrás de ella. Lentamente, levantó la vista hacia el espejo decorativo que estaba sobre la mesita de entrada. A la izquierda de su imagen se veía la de un gigantesco mastín color marrón claro, con los dientes a la vista.

Muy despacio, para no alterar más al animal, Cassy giró para enfrentarlo. Sus ojos eran como bolitas negras. Era una criatura intimidante, que le llegaba hasta la cintura.

Beau, mordiendo una manzana, apareció en la puerta de la cocina.

—¡Epa, Rey, tranquilo! No pasa nada. Te presento a Cassy.

El perro dejó de gruñir, se volvió hacia Beau y ladeó la cabeza.

—Es Cassy —repitió Beau—. Ella también vive aquí.

Beau se acercó a Cassy, palmeó a Rey en la cabeza y depositó un sonoro beso sobre los labios de Cassy.

—Bienvenida, princesa —dijo alegremente—. Te estábamos extrañando. ¿Dónde has estado?

Beau se dirigió al sofá y se sentó sobre un apoyabrazos.

Cassy no había movido un músculo. Tampoco el perro, con excepción de la breve mirada a Beau. Ya no gruñía, pero seguía observándola con su mirada ominosa.

—¿Cómo que dónde estuve? —exclamó Cassy. Se suponía que ibas a ir a buscarme. Esperé media hora.

—Ah, sí —dijo Beau—. Lo siento. Tuve una reunión importante y no pude comunicarme contigo. Pero me dijiste que te era fácil conseguir que alguien te trajera de vuelta.

—Sí, cuando lo planeo de antemano —dijo Cassy—. Cuando me di cuenta de que no ibas a venir ya se había ido todo el mundo. Tuve que llamar un taxi.

—¡Caramba! —exclamó Beau—. Lo siento. De verdad. Es que tuve un montón de cosas que hacer. ¿Qué te parece si te llevo a comer a tu restaurante preferido, el Bistro?

—Ya salimos anoche —le recordó Cassy—. ¿No tienes que estudiar? Traje comida china.

—Bueno, como quieras, tesoro —dijo Beau—. Me siento mal por haberte dejado plantada esta tarde, así que te lo compensaré de otra forma.

—Bueno, el hecho de que aceptes disculparte ya es un gran adelanto —declaró Cassy. Después bajó la vista hacia el perro inmóvil.

—¿Y esta bestia? —preguntó— ¿Se la estás cuidando a alguien?

—No —respondió Beau—. Es mío. Se llama Rey.

—No lo dices en serio —balbuceó Cassy.

—Sí, de verdad. —Beau se levantó del apoyabrazos y se acercó a Rey, le rascó detrás de las orejas. El perro meneó la cola y lamió la mano de Beau con su lengua gigante. —Me pareció que nos vendría bien un poco de protección.

—¿Protección de qué? —preguntó Cassy. Casi no podía hablar por el asombro que sentía.

—Protección, así en general —respondió Beau vagamente—. Un perro como éste tiene los sentidos del olfato y el oído mucho mejor desarrollados que los nuestros.

—¿No te parece que deberíamos haber conversado antes de tomar esa decisión? —dijo Cassy. Su temor se estaba convirtiendo en indignación.

—Podemos conversar ahora —respondió Beau con aire inocente.

—¡Pero, por Dios! —exclamó Cassy, furiosa. Tomó el paquete de comida china y se dirigió a la cocina. Sacó los envases de la bolsa y platos del armario, asegurándose de golpear bien fuerte las puertas. Del cajón junto a la máquina de lavar platos sacó cubiertos y puso la mesa ruidosamente.

Beau apareció en la puerta.

—No hay por qué alterarse —dijo.

—¿Ah, no? —gritó Cassy y los ojos se le llenaron de lágrimas involuntarias—. ¡Qué fácil te resulta decirlo! Yo no soy la que se está comportando de manera extraña, ni la que sale en medio de la noche y vuelve con un perro del tamaño de un búfalo.

Beau entró en la cocina y trató de abrazarla. Ella lo apartó y corrió al dormitorio, sollozando.

Beau la siguió, la rodeó con los brazos y Cassy no se resistió. Por un instante, no dijo nada y la dejó llorar. Finalmente la hizo girar y la miró a los ojos. Ella le devolvió la mirada.

—Está bien —dijo—. Lamento lo del perro, también. Debería haberte hablado de la idea, pero tengo la cabeza llena de cosas. ¡Es tanto lo que está sucediendo! Tuve noticias de la gente de Nite. Voy a viajar para entrevistarme con ellos.

—¿Cuándo tuviste noticias? —preguntó Cassy, secándose los ojos. Sabía que Beau estaba ansioso por conseguir ese empleo con Cipher Software. Tal vez su comportamiento extraño tuviera una explicación.

—Hoy —dijo Beau—. Todo parece muy alentador.

—¿Cuándo irás?

—Mañana —repuso Beau.

—¿Mañana? —repitió Cassy. Las cosas estaban sucediendo demasiado rápido. Sentía una sobrecarga emocional. —¿No ibas a contármelo?

—Claro que te lo iba a contar —dijo Beau.

—¿Y realmente quieres un perro? —quiso saber Cassy—. ¿Qué vas a hacer con él cuando vayas a hablar con los de Nite?

—Lo voy a llevar —respondió Beau sin vacilar.

—¿Vas a llevar el perro a una entrevista?

—¿Por qué no? Es un perro maravilloso.

Cassy digirió esa sorprendente información. Desde su punto de vista, resultaba totalmente inadecuado. Tener un perro le parecía incompatible con su estilo de vida.

—¿Quién va a sacarlo a caminar cuando estés en clase? Y darle de comer... Es mucha responsabilidad.

—Ya sé, ya sé —dijo Beau y levantó los brazos, en señal de rendición—. Te prometo que me ocuparé de él. Lo sacaré a caminar, le daré de comer, limpiaré lo que ensucie y lo castigaré si te mastica los zapatos.

Cassy sonrió, a pesar de sí misma. Beau parecía el típico niño que le suplica a la madre que le compre un perro, mientras que la madre sabe muy bien quién terminará cargando con la responsabilidad de la mascota.

—Lo saqué de la perrera —explicó Beau—. Estoy seguro de que te gustará, pero si no es así, lo devolveremos. Lo tomaremos como un experimento y dentro de una semana decidiremos.

—¿En serio?

—Claro que sí —declaró Beau—. Espera, lo iré a buscar para presentártelo como corresponde. Es un perro fantástico.

Cassy asintió y Beau salió de la habitación. Cassy respiró hondo. ¡Era tanto lo que estaba sucediendo! Al dirigirse al baño para lavarse la cara, notó que por la computadora de Beau estaba corriendo un programa extraño, muy veloz. Se detuvo un instante y contempló el monitor. Información en forma de gráficos y texto aparecía y desaparecía de la pantalla a velocidad impresionante. Entonces notó otra cosa. Delante del aparato de rayos infrarrojos de Beau estaba ese curioso objeto negro que él había encontrado unos días antes en el estacionamiento del restaurante Costa. Cassy lo había olvidado. Recordando que los varones habían dicho que era pesado, extendió la mano para tomarlo.

—Aquí está el monstruo —anunció Beau, distrayendo la atención de Cassy. El perro se acercó a lamer la mano de Cassy, siguiendo las instrucciones de su dueño.

—Qué lengua tan áspera —comentó Cassy.

—Es un perro genial —dijo Beau, sonriendo.

Cassy le palmeó el flanco.

—Es sólido, hay que admitirlo —dijo—. ¿Cuánto pesa? —Se estaba preguntando cuántas latas de comida para perros consumiría por día.

—Diría que unos sesenta y cinco kilos —repuso Beau.

Cassy rascó las orejas de Rey y luego hizo una seña con la cabeza en dirección a la computadora de Beau.

—¿Qué le pasa a tu máquina? Parece enloquecida.

—Está bajando información de Internet —respondió Beau. Se acercó a la computadora. —Podría apagar el monitor, en realidad.

—¿Vas a imprimir todo eso? —preguntó Cassy—. Tendrás que ir a comprar papel.

Beau apagó el monitor pero se aseguró de que la luz del disco rígido siguiera parpadeando.

—Bueno, ¿qué vamos a hacer? —preguntó Beau, enderezándose—. ¿Comer comida china o ir al Bistro? Tú eliges.

Los ojos de Beau se abrieron simultáneamente con los de Rey. Sosteniéndose sobre un codo, Beau miró más allá del cuerpo dormido de Cassy para ver la hora. Eran las dos y media de la mañana.

Cuidándose de no hacer chillar los resortes de la cama, Beau bajó las piernas al suelo y se levantó. Palmeó la cabeza de Rey, se vistió y luego fue hasta la computadora. Unos instantes antes, la luz roja del disco rígido había dejado por fin de parpadear.

Tomó el disco negro y se lo metió en el bolsillo. Luego, en un anotador que estaba junto a la computadora, escribió: "Salí a caminar. En seguida vuelvo. Beau".

Después de colocar la nota sobre la almohada, Rey y él abandonaron silenciosamente el departamento.

Beau salió del edificio y dio la vuelta hasta el estacionamiento. Rey se mantenía a su lado sin necesidad de una correa. Era otra noche magnífica; la ancha franja de la Vía Láctea se arqueaba directamente sobre su cabeza. No había luna, lo que hacía que las estrellas parecieran todavía más luminosas.

En la parte trasera del estacionamiento, Beau encontró una zona sin automóviles. Extrajo luego el disco negro de su bolsillo y lo colocó sobre el asfalto. No bien lo soltó, el disco empezó a brillar. Para cuando Beau y Rey se alejaron a veinte metros de distancia, se había empezado a formar la corona y el disco estaba pasando del rojo vivo al blanco.

Cassy había estado durmiendo mal toda la noche, con sueños inquietos. No supo por qué despertó, pero de pronto se encontró contemplando el cielo raso, que iba iluminándose poco a poco con una luz poco habitual.

Cassy se incorporó en la cama. Toda la habitación tenía un brillo extraño, creciente, que parecía estar entrando por la ventana. Cuando se disponía a levantarse, vio que Beau se había ido, igual que la noche anterior. Esta vez, sin embargo, vio que había una nota.

Cassy tomó el papel y fue hasta la ventana para mirar afuera. Vio inmediatamente el origen del brillo. Era una bola blanca de luz cuya intensidad iba aumentando hasta hacer que los autos estacionados arrojaran sombras oscuras.

Un instante después, la luz desapareció como si la hubiesen apagado repentinamente. Fue como una implosión. Unos segundos después oyó un fuerte ruido de aire en movimiento que terminó de modo igualmente abrupto.

Sin tener idea de lo que acababa de ver, Cassy se preguntó si debería llamar a la policía. Mientras pensaba qué hacer, se volvió para regresar al dormitorio, pero unos movimientos en el estacionamiento captaron su atención. Enfocó la mirada y vio a un hombre y un perro. Casi de inmediato reconoció a Beau y Rey.

Segura de que él debía haber visto la bola de luz, se dispuso a gritarle, pero en ese momento vio que otras figuras salían de las sombras. Sorprendida, vio aparecer como de la nada a unas treinta o cuarenta personas.

Había algunos postes de luz cerca de la zona de estacionamiento, así que Cassy podía distinguir apenas algunos de los rostros. Al principio, no reconoció a nadie. Pero después le pareció ver a dos personas conocidas. ¡El señor y la señora Partridge!

Cassy parpadeó varias veces. ¿Estaba realmente despierta o se trataba de un sueño? Un escalofrío le subió por la espalda. Era aterrador sentirse confundida en cuanto al sentido de la realidad. Ahora comprendía el horror de las enfermedades psiquiátricas.

Volvió a mirar y vio que todas las personas se habían congregado en el centro de la playa de estacionamiento. Parecía una reunión clandestina. Cassy pensó por un instante en ponerse algo encima y bajar a ver de qué se trataba el asunto, pero tuvo que admitir que estaba asustada. La situación era surrealista.

De pronto, tuvo la sensación de que Rey la había visto en la ventana. El perro había girado la cabeza hacia allí; sus ojos brillaban como los de un gato cuando se los ilumina. Un ladrido hizo que todos levantaran la mirada, incluido Beau.

Cassy se apartó de la ventana con una mezcla de horror y sorpresa. A todos les brillaban los ojos como a Rey. Se estremeció y volvió a preguntarse si estaría soñando.

Volvió a los tropezones a la cama y encendió la luz. Leyó la nota, esperando encontrar alguna explicación, pero era totalmente genérica. Dejó el papel sobre la mesa de luz y se preguntó qué debía hacer. ¿Llamar a la policía? ¿Si los llamaba, qué les diría? ¿Se reirían de ella? Si venían y resultaba haber una explicación razonable, sería un bochorno para ella.

Súbitamente, pensó en Pitt. Tomó el teléfono y comenzó a discar. Pero no terminó. Recordó que eran las tres de la mañana. ¿Qué podía hacer o decir él? Cassy colgó el auricular y suspiró.

Decidió que tendría que esperar a que Beau volviera. No tenía idea de lo que estaba sucediendo, pero lo iba a averiguar. Enfrentaría a Beau y le exigiría que se lo dijera.

Al tomar la decisión, aunque fuera pasiva, Cassy se sintió un poco menos ansiosa. Se apoyó contra la almohada y cruzó las manos detrás de la cabeza. Trató de no pensar en lo que acababa de ver e hizo un esfuerzo por relajarse concentrándose en la respiración.

Cassy oyó crujir las bisagras de la puerta del departamento y se incorporó en la cama. Se había quedado dormida, por lo que se preguntó otra vez si no habría sido un sueño, después de todo. Pero una mirada a la mesa de luz reveló la nota de Beau y el hecho de que estuviera prendida la luz le informó que no había estado soñando.

Beau y Rey aparecieron en la puerta; Beau tenía los zapatos en la mano, para no hacer ruido.

—Sigues despierta —comentó en tono desilusionado.

—Te estaba esperando —dijo Cassy.

—¿Encontraste mi nota, no? —preguntó él. Arrojó los zapatos dentro del armario y comenzó a desvestirse.

—Sí —repuso Cassy—. Gracias.

Estaba indecisa. Quería hacer preguntas pero no se atrevía. Toda la situación parecía una pesadilla.

—Bien —dijo Beau y desapareció dentro del baño.

—¿Qué pasaba allí afuera? —preguntó Cassy, juntando coraje.

—Salimos a caminar, como te dije —respondió Beau desde el baño.

—¿Quién era toda esa gente? —siguió Cassy.

Beau apareció en la puerta, secándose la cara con una toalla.

—Un grupo que salió a caminar, como yo —repuso Beau.

—¿Los Partridge? —inquirió Cassy con sarcasmo.

—Sí, estaban allí —dijo Beau—. Buena gente. Con mucho entusiasmo.

—¿De qué hablaban? —preguntó Cassy—. Los vi desde la ventana. Parecía una reunión.

—Sé que nos viste —dijo Beau—. No estábamos escondiendo nada. Hablábamos, nada más, principalmente sobre el medio ambiente.

A Cassy se le escapó una risa sardónica. En esas circunstancias, la declaración de Beau era absolutamente ridícula.

—Sí, claro —ironizó—. A las tres de la mañana hay una reunión de ecología en el barrio.

Beau se acercó a la cama y se sentó en el borde. En su cara había una expresión consternada.

—¿Cassy, qué pasa? —preguntó—. Otra vez estás alterada.

—¡Claro que estoy alterada! —chilló Cassy.

—Cálmate, querida, por favor —dijo Beau.

—Vamos, Beau. ¿Por quién me tomas? ¿Qué diablos te pasa?

—A mí, nada —declaró él—. Me siento fantásticamente bien, las cosas están saliendo de maravillas.

—¿No te das cuenta de lo extraño que ha sido tu comportamiento últimamente?

—No sé de qué me hablas —se disculpó Beau—. Tal vez mi escala de valores esté cambiando, pero qué demonios, soy joven, estoy en la universidad, al fin y al cabo estoy aprendiendo.

—Pero es que te has convertido en otra persona—insistió Cassy.

—Claro que no —dijo Beau—. Soy Beau Eric Stark, el mismo tipo que la semana pasada y que la anterior a esa.

Nací en Brookline, estado de Massachussetts; mis padres son Tami y Ralph Stark. Tengo una hermana llamada Jeanine y...

—¡Basta, Beau! —exclamó Cassy—. Sé que tu historia no ha cambiado, lo que cambió es tu comportamiento. ¿No te das cuenta?

Beau se encogió de hombros.

—No. Lo siento, pero soy la misma persona de siempre.

Cassy soltó un suspiro de exasperación.

—Te aseguro que no es así. Y te advierto que no soy la única que lo ha notado. Tu amigo Pitt piensa lo mismo.

—¿Pitt? —preguntó Beau—. Bueno, ahora que lo mencionas, algo me dijo acerca de que yo había estado haciendo cosas inesperadas.

—Exactamente —dijo Cassy—. De eso te estoy hablando. Escucha, quiero que veas a algún profesional. Iremos los dos. ¿Qué te parece? —Cassy soltó otra risa sarcástica.

—Qué diablos, tal vez sea yo.

—De acuerdo —dijo Beau de buen grado.

—¿Irás a ver a alguien? —dijo Cassy. Había esperado oposición.

—Si te hará sentir mejor, iré a ver a alguien —dijo Beau—. Pero por supuesto, tendrá que ser después de que vuelva de la reunión con la gente de Nite y no sé bien cuándo será eso.

—Pero... pensé que ibas a ir por el día —objetó Cassy.

—Será más de un día —dijo Beau—. Pero no sabré exactamente cuánto tiempo hasta que llegue allí.

10

09:50

Nancy Sellers trabajaba en su casa todo lo que podía. Con la computadora se conectaba con la central de Farmacéutica Serotec y con un grupo magnífico de técnicos en el laboratorio, trabajaba mejor en su casa que en la oficina. La razón principal era que la separación física la escudaba del sinnúmero de dolores de cabeza administrativos que traía aparejado el manejo de un laboratorio importante de investigación. La segunda razón era que la tranquilidad de la casa silenciosa estimulaba su creatividad.

Acostumbrada al silencio absoluto se sorprendió al oír el ruido de la puerta a las diez menos diez de la mañana. Pensando con pesimismo que solamente podía tratarse de malas noticias, cerró el programa en el que estaba y salió de su escritorio.

Se detuvo junto a la baranda del corredor y miró hacia abajo, donde estaba el vestíbulo. Jonathan apareció en su línea de visión.

—¿Por qué no estás en la escuela? —dijo Nancy desde arriba. Ya había evaluado mentalmente la salud de su hijo. Tenía buen color y caminaba bien.

Jonathan se detuvo al pie de las escaleras y miró hacia arriba.

—Necesitamos hablar contigo.

—¿"Necesitamos"? ¿Quiénes?

Pero no bien salieron las palabras de sus labios vio que una joven se acercaba desde detrás de su hijo y levantaba la cabeza.

—Ella es Candee Taylor, ma —explicó Jonathan.

A Nancy se le secó la boca. Lo que veía era un rostro de duende sobre un cuerpo femenino bien desarrollado. La primera idea que le vino a la mente era que estaba embarazada. Ser madre de un adolescente era como hacer un acto de equilibrismo: el desastre estaba siempre acechando en las sombras.

—En seguida bajo —dijo Nancy—. Espérenme en la cocina.

Nancy hizo un rápido desvío por el baño, más para apaciguar sus emociones que para ocuparse de su aspecto. Hacía un año que temía que Jonathan se metiera en este tipo de problemas, pues había visto crecer su interés por las chicas y él se había vuelto poco comunicativo y furtivo.

Cuando se sintió preparada para enfrentar lo que viniera, se reunió con los jóvenes en la cocina. Se habían servido café del jarro que ella siempre mantenía sobre la cocina. Nancy se sirvió una taza y se sentó sobre uno de los taburetes que rodeaban la isla central. Los chicos estaban sentados en la banqueta.

—Muy bien —dijo Nancy, preparada para lo peor—. Cuéntenme.

Jonathan habló primero, pues Candee estaba muy nerviosa. Describió la forma extraña en que estaban actuando los padres de ella. Dijo que había ido a su casa el día anterior y lo había comprobado él mismo.

—¿De eso querían hablarme? —masculló Nancy—. De los padres de Candee.

—Sí —dijo Jonathan—. Es que la madre de Candee trabaja en Farmacéutica Serotec, en el Departamento de Contaduría.

—Ah, debe de ser Joy Taylor —dijo Nancy, tratando de disimular el alivio que sentía—. La conozco; hablé con ella varias veces.

—Sí, lo suponíamos —dijo Jonathan—. Pensamos que quizá quisieras hablar con ella, porque Candee está realmente preocupada.

—¿Pero qué hace de tan raro la señora Taylor? —preguntó Nancy.

—Son los dos: mi madre y mi padre —explicó Candee.

—Te lo puedo decir desde mi punto de vista —acotó Jonathan—. Hasta ayer no les gustaba que fuera a su casa.

No me querían ver por allí. Y ayer se mostraron tan amistosos que no lo podía creer. Hasta me invitaron a quedarme a dormir.

—¿Por qué creerían que querrías quedarte a dormir? —dijo Nancy.

Jonathan y Candee intercambiaron una mirada y se ruborizaron.

—¿Estás diciéndome que querían que durmieran juntos? —preguntó.

—Bueno, no lo dijeron directamente —admitió Jonathan—. Pero a los dos nos dio esa impresión.

—Con todo gusto le hablaré —declaró Nancy con vehemencia. Estaba horrorizada.

—No es solamente la forma en que se comportan —interpuso Candee—. Directamente parecen otras personas. Hasta hace unos días casi no tenían amigos. Y ahora, de pronto, reciben gente a cualquier hora del día o de la noche para hablar de las selvas tropicales, de la contaminación y todo eso. Gente a la que nunca vieron antes y que se pasea por toda la casa. Tengo que cerrar la puerta de mi dormitorio con llave.

Nancy dejó la taza de café. Se sentía avergonzada por sus sospechas iniciales. Miró a Candee y en lugar de una vampiresa, vio a una chiquilla asustada. La imagen hizo vibrar las cuerdas de su instinto maternal.

—Hablaré con tu madre —repitió Nancy—. Y puedes quedarte aquí, si quieres, en la habitación de huéspedes. Pero voy a ser franca con los dos: nada de pavadas. ¿Creo que me entienden, no?

—¿Qué van a pedir? —preguntó Marjorie Stephanopolis. Cassy y Pitt notaron su sonrisa radiante. —Hermoso día ¿no creen?

Cassy y Pitt se miraron, azorados. Era la primera vez que Marjorie trataba de iniciar una conversación con ellos. Estaban almorzando en uno de los compartimientos de la cafetería Costa.

—Para mí una hamburguesa, papas fritas y una Coca —dijo Cassy.

—Para mí también —pidió Pitt.

Marjorie recogió los menús.

—Les traeré el pedido en cuanto pueda —dijo—. Espero que disfruten del almuerzo.

—Bueno, por lo menos alguien lo está pasando bien —comentó Pitt cuando ella desapareció en dirección a la cocina—. Hace tres años y medio que vengo y nunca la vi tan locuaz.

—Nunca pides hamburguesa con papas fritas —señaló Cassy.

—Tampoco tú —le recordó Pitt.

—Fue lo primero que me vino a la mente —explicó Cassy—. Estoy tan apabullada por todo. Y te juro que lo de anoche fue verdad. No tuve alucinaciones.

—Pero me dijiste que no sabías si estabas soñando o despierta —le recordó Pitt.

—Me convencí de que estaba despierta —replicó Cassy con rabia.

—Bueno, bueno, cálmate —le recomendó Pitt. Echó una mirada alrededor. Varias personas los estaban mirando con fastidio.

Cassy se inclinó por encima de la mesa y susurró.

—Cuando levantaron la mirada hacia la ventana, donde estaba yo, a todos les brillaban los ojos, hasta al perro.

—Ay, Cassy, por favor —se quejó Pitt.

—¡Te digo que es verdad! —le espetó Cassy.

Pitt volvió a mirar a su alrededor. Más gente les prestaba atención; era evidente que el tono alto de Cassy les molestaba.

—¡No hables tan fuerte! —susurró Pitt.

—Está bien —dijo Cassy. Ella también había visto las miradas de reprobación. —Cuando le pregunté a Beau de qué estaba hablando allí afuera a las tres de la mañana me dijo: "Del medio ambiente".

—No sé si reírme o largarme a llorar —declaró Pitt—. ¿No te habrá hecho una broma?

—No, en absoluto —replicó Cassy, con certeza.

—Pero la idea de reunirse afuera en el estacionamiento en la mitad de la noche para hablar del medio ambiente es absurda.

—También lo es el hecho de que les brillaran los ojos —dijo Cassy—. Pero no me contaste qué te dijo Beau cuando hablaste con él ayer.

—No pude hablar —explicó Pitt.

Procedió a contarle a Cassy todo lo que había pasado durante el partido y después. Cassy escuchó con gran interés, sobre todo la parte acerca del encuentro de Beau con los sujetos de traje en medio del campo deportivo.

—¿Tienes alguna idea de qué estaban hablando? —preguntó.

—No, ninguna.

—¿Pueden haber sido de la empresa Cipher Software? —inquirió Cassy. Trataba de encontrarle una explicación razonable a todo lo que había estado sucediendo.

—No sé —dijo Pitt—. ¿Por qué lo dices?

Antes de que Cassy pudiera responder, Pitt vio que Marjorie estaba a un costado de la mesa, con dos Cocas en la mano. En cuanto la miró, ella se acercó a poner las bebidas sobre la mesa.

—Ya viene la comida —anunció alegremente.

Una vez que Marjorie hubo desaparecido Pitt comentó:

—Me estoy volviendo paranoico. Hubiera jurado que estaba escuchándonos.

—¿Pero por qué iba a hacer una cosa así? —quiso saber Cassy.

—Ni idea —repuso Pitt—. Dime, ¿Beau fue a clase, hoy?

—No, se tomó un vuelo para ir a reunirse con los de Cipher Software. Por eso te pregunté si podían ser ellos. Me dijo que tuvo noticias ayer. Supuse que habían llamado, pero tal vez hayan venido en persona. Bueno, la cosa es que fue a una entrevista.

—¿Cuándo vuelve?

—Me dijo que no sabía.

—Bueno, eso tal vez sea bueno —dijo Pitt—. Es posible que cuando vuelva se comporte normalmente otra vez.

Marjorie volvió a aparecer con la comida. Con gestos exagerados, dejó los platos delante de ellos y hasta los rotó para orientarlos perfectamente, como si Costa's fuera un restaurante fino.

—¡Que lo disfruten! —dijo alegremente antes de volver hacia la cocina.

—No es solamente Beau el que ha estado raro —comentó Cassy—. También Ed Partridge y su mujer y he oído de otros. Creo que, sea lo que fuere, se está esparciendo. Es más, pienso que tiene algo que ver con esa gripe que ha andado dando vueltas.

—¡Coincido totalmente! —declaró Pitt—. Yo tengo la misma sensación; ayer hasta se lo comenté a la jefa del Departamento de Emergencias.

—¿Y cómo reaccionó? —quiso saber Cassy.

—Mejor de lo que yo esperaba —le contó Pitt—. Es una mujer algo dura y estricta llamada Sheila Miller, pero se mostró dispuesta a escucharme y hasta me llevó a hablar con el presidente del hospital.

—¿Y qué dijo él?

—No se mostró impresionado —admitió Pitt—. Pero estaba atacado de gripe. Tenía todos los síntomas.

—¿Hay algún problema con la comida ? —preguntó Marjorie, que se había acercado nuevamente a la mesa.

—Está muy bien —dijo Cassy , fastidiada por la interrupción.

—Pero no la han tocado —insistió Marjorie—. Si hay algún problema, puedo traerles otra cosa.

—¡Estamos bien! —replicó Pitt con aspereza.

—Bueno, llámenme si me necesitan.

Se alejó a toda prisa.

—Me va a volver loca —dijo Cassy—. Creo que la prefería malhumorada.

De pronto, la misma idea se les ocurrió a los dos.

—¡Ay, Dios mío! —exclamó Cassy—. ¿Crees que habrá tenido la gripe?

—Mmm, habría que ver —dijo Pitt, consternado—. La verdad es que no es la misma de antes.

—Tenemos que hacer algo —declaró Cassy—. ¿Con quién podríamos hablar? ¿Se te ocurre algo?

—No... A no ser que volvamos a ver a la doctora Miller. Al menos se mostró receptiva. Me gustaría decirle que hay otras personas con cambios de personalidad. Yo sólo le mencioné a Beau.

—¿Te importa si voy contigo? —preguntó Cassy.

—No, para nada —repuso Pitt—. Es más, me parece mejor. Pero vayamos ya.

—De acuerdo.

Pitt buscó a Marjorie con la mirada para pedirle la cuenta. Suspiró con impaciencia al no verla por ningún lado. Era indignante que después de haberlos molestado durante toda la comida, no apareciera justo cuando la necesitaba.

—Está detrás de ti —dijo Cassy. Señaló por encima del

hombro de Pitt. —En la caja, conversando animadamente con Costa.

Pitt se volvió. Cuando lo hizo, tanto Marjorie como Costa giraron la cabeza en dirección a él y sus miradas se clavaron en la suya. Había una intensidad en esas miradas que le hizo sentir escalofríos.

Pitt se volvió hacia Cassy.

—Desaparezcamos de aquí —dijo—. Sé que otra vez parezco paranoico, pero tengo la certeza de que Marjorie y Costa estaban hablando de nosotros.

Beau nunca había estado en Santa Fe, pero tenía buenas referencias de la ciudad y había estado esperando el viaje ansiosamente. No se desilusionó, porque le gustó de inmediato.

Llegó a horario al modesto aeropuerto y lo habían pasado a buscar en un gigantesco jeep. Beau nunca había visto un vehículo así antes y al principio le resultó cómico, pero después de andar en él, tuvo que admitir que podía ser superior a una limusina normal debido a la altura que tenía. Desde luego, no podría decirse que hubiera tenido experiencia alguna con limusinas de cualquier tipo.

Lo atractiva que le había resultado la ciudad de Santa Fe, en general no fue nada comparado con la belleza del predio de Cipher Software. Después de que transpusieron el portón de entrada, a Beau le pareció que las instalaciones se parecían más a un elegante lugar turístico que a una empresa. Entre los edificios modernos, dispersos y bien proporcionados se extendían lujosos jardines verdes. El cuadro se veía completado por densos bosques de coníferas y estanques.

Dejaron a Beau en el edificio principal que, al igual que los demás, estaba construido de granito y vidrio en tonos dorados. Varias personas a las que Beau ya había conocido lo saludaron y le dijeron que el señor Randy Nite lo estaba esperando en su despacho.

Mientras subían en un ascensor de vidrio por un atrio lleno de plantas, los acompañantes de Beau le preguntaron si tenía hambre o sed. Beau respondió que estaba muy bien.

El despacho de Randy Nite era gigantesco y ocupaba casi toda el ala oeste del tercer piso, el más alto del edificio. Tendría unos veinte metros cuadrados y tres de los cuatro lados tenían paredes de vidrio. El escritorio de Randy estaba en el centro de ese amplio espacio. Estaba hecho de una placa de mármol negro y dorado de diez centímetros de espesor.

Randy estaba hablando por teléfono cuando hicieron pasar a Beau, pero se puso de pie de inmediato y le indicó con señas que se sentara en un moderno sillón de cuero negro. También por medio de señas, le hizo saber que tardaría unos instantes más. Los acompañantes, cumplida su misión, se retiraron.

Beau había visto a Randy en innumerables fotografías y también por televisión. En persona tenía el mismo aspecto de chiquillo, con una mata de pelo rojizo, pecas desparramadas sobre una cara ancha y de aspecto saludable. Sus ojos entre grises y verdes tenían una chispa de humor. Era de la misma altura de Beau, pero menos musculoso, aunque parecía estar en buen estado físico.

—Los nuevos programas se enviarán el mes que viene —estaba diciendo Randy— y la bomba publicitaria está dispuesta para ser lanzada la semana que viene. La campaña es pura dinamita. El panorama no podría ser más alentador. ¡Créame, pondrá al mundo patas para arriba!

Randy colgó y esbozó una sonrisa ancha. Tenía puesto un blazer azul, jeans lavados con ácido y zapatillas de tenis. No por casualidad Beau se había vestido de modo similar.

—Bienvenido —dijo Randy. Extendió la mano y Beau se la estrechó. —Debo decir que mi equipo nunca me recomendó a alguien de la forma en que te han recomendado a ti. Durante las últimas cuarenta y ocho horas no he oído más que ponderaciones. Me siento intrigado. ¿Cómo es que un estudiante universitario en su último año logra tener tan buenas relaciones públicas?

—Supongo que es una combinación de suerte, interés y trabajo duro —respondió Beau.

Randy sonrió.

—Bien dicho —asintió—. También he oído que te gustaría empezar a trabajar, pero no en la sala de correspondencia sino como mi asistente personal.

—Todo el mundo tiene que empezar por alguna parte —dijo Beau.

Randy lanzó una carcajada.

—¡Me gusta eso! —declaró—. Seguridad y sentido del

humor. Me haces pensar en cómo era yo cuando empecé. Ven, haremos una recorrida por los alrededores.

—La Sala de Emergencias parece estar repleta —comentó Cassy.

—Nunca la vi así antes —concordó Pitt.

Estaban caminando por el estacionamiento hacia la entrada a la Sala de Emergencias. Había varias ambulancias estacionadas con las luces encendidas. También había automóviles por todas partes y los empleados de seguridad del hospital estaban tratando de poner un poco de orden. La entrada misma estaba llena de gente que había rebasado la sala de espera.

Pitt y Cassy subieron la escalera y tuvieron que abrirse paso a empujones para llegar al mostrador de recepción. Pitt vio a Cheryl Watkins y la llamó.

—¿Qué diablos pasa?

—Estamos inundados de casos de gripe —explicó Cheryl. Estornudó y sucumbió a un acceso de tos. —Lamentablemente algunos de los que trabajamos aquí nos hemos contagiado, también.

—¿Está la doctora Miller? —preguntó Pitt.

—Está trabajando con el resto del equipo —repuso Cheryl.

—Espera aquí —dijo Pitt a Cassy—. Veré si puedo encontrarla.

—Trata de apurarte —le pidió Cassy—. Siempre tuve aversión por los hospitales.

Pitt se consiguió un delantal blanco y abrochó su tarjeta de identificación en el bolsillo superior. Después empezó a mirar en todos los compartimientos. Encontró a la doctora Miller con una anciana que quería internarse en el hospital. La mujer estaba en silla de ruedas, lista para irse a su casa.

—Lo lamento —dijo la doctora Miller. Terminó de escribir en la hoja de Emergencias y guardó la tablilla en un bolsillo de la parte trasera de la silla de ruedas. —Sus síntomas de gripe no justifican una internación. Lo que necesita es reposo, analgésicos y mucho líquido. Su marido vendrá en unos minutos para llevarla a su casa.

—¡Pero no quiero ir a casa! —se quejó la mujer—. Quiero quedarme en el hospital. Mi marido me asusta. No es el mismo de siempre. Se ha convertido en otra persona.

El marido apareció en ese momento. Uno de los empleados lo había traído para que recuperara a su esposa. Si bien era anciano como ella, se lo veía mucho más juvenil y mentalmente activo.

—No, no, por favor —gimió la mujer cundo lo vio. Trató de aferrarse a la manga de la doctora Miller cuando su marido la empujó fuera del compartimiento, hacia la salida.

—Cálmate, tesoro —le decía el hombre en tono tranquilizador—. No tienes que molestar así a los doctores.

La doctora Miller comenzó a sacarse los guantes de látex y de pronto, vio a Pitt.

—Bueno, debo decir que tenía razón en cuanto a que la gripe iba en aumento. ¿Y escuchó lo que dijo la señora hace unos instantes?

Pitt asintió:

—Parecería que hubo un cambio de personalidad en el marido.

—Lo mismo pensé yo —concordó Sheila al tiempo que arrojaba los guantes—. Pero claro, a veces la gente mayor se desorienta.

—Sé que está ocupada —dijo Pitt—, ¿pero tendría un minuto? Una amiga mía y yo querríamos hablar con usted. No sabemos a quién más recurrir.

Sheila accedió de inmediato, a pesar del caos reinante. Las opiniones de Pitt del día anterior parecían estar volviéndose proféticas. Ahora estaba convencida de que esta gripe era diferente; en primer lugar, nadie había podido aislar un virus de influenza.

Guió a Pitt y a Cassy a su oficina. Cerraron la puerta y fue como estar en una isla de tranquilidad en medio de una tormenta. Sheila se sentó. Estaba exhausta.

Cassy le contó toda la historia de la transformación de Beau después de la enfermedad. Aunque algunos detalles le daban vergüenza, no omitió nada. Hasta relató lo que había sucedido la noche anterior, con la extraña bola de luz, la reunión clandestina y el hecho de que a todos les brillaban los ojos.

Cuando Cassy terminó Sheila no dijo nada por un rato. Había estado garabateando distraídamente con un lápiz. Finalmente levantó la vista.

118

—En circunstancias normales, con una historia así, te mandaría a Psiquiatría para que se encargaran de ti. Pero éstas no son circunstancias normales. No sé qué pensar de todo esto, pero deberíamos dejar bien sentado con qué hechos contamos. Bien: dices que Beau cayó enfermo hace tres días.

Cassy y Pitt asintieron simultáneamente.

—Tendría que verlo —dijo Sheila—. ¿Crees que estaría dispuesto a venir y dejarse revisar?

—Me prometió que lo haría —explicó Cassy—. Le hablé específicamente de ver a un profesional.

—¿Podrías hacerlo venir hoy? —preguntó Sheila.

Cassy negó con la cabeza.

—Está en Santa Fe.

—¿Cuándo vuelve?

Cassy sintió una oleada de emociones.

—No lo sé —logró responder—. No quiso decírmelo.

—Este es uno de mis lugares preferidos del complejo o de la "Zona", como la llamamos aquí —dijo Randy. Detuvo el carrito de golf eléctrico y descendió. Beau bajó de su lado y siguió al magnate de los programas de computación por una colina cubierta de césped. Arriba, la vista era espectacular.

Delante de ellos había un lago cristalino poblado de patos silvestres. El telón de fondo eran los bosques vírgenes recortados contra las Montañas Rocallosas.

—¿Qué te parece? —preguntó Randy con orgullo.

—Es asombroso —dijo Beau—. Demuestra lo que se puede lograr cuidando el medio ambiente y es un rayo de esperanza. Es una tragedia increíble que una especie tan inteligente como la de los seres humanos haya dañado el planeta tal como lo ha hecho, increíble: contaminación, luchas políticas, división racial, superpoblación, mal manejo de la combinación de genes...

Randy había estado asintiendo con la cabeza, pero al oír la última declaración dirigió una rápida mirada a Beau, que estaba mirando las montañas distantes con expresión soñadora. Se preguntó a qué se referiría Beau con el "mal manejo de la combinación de genes". Pero antes de que pudiera preguntárselo, Beau continuó:

—Es preciso controlar estas fuerzas negativas, y se puede hacer. Creo firmemente que hay recursos adecuados para revertir el daño. Solamente se necesitará que un gran visionario lleve la antorcha, alguien que conozca los problemas, tenga el poder, y que no le dé miedo asumir el liderazgo.

Una sonrisa de reconocimiento se dibujó involuntariamente en el rostro de Randy. Beau la vio por el rabillo del ojo. La sonrisa le hizo saber que tenía a Randy justo donde lo quería.

—Estas ideas son ciertamente visionarias para un estudiante de último año de la universidad —comentó Randy—. ¿Pero realmente crees que es posible controlar hasta tal punto a la naturaleza humana como para que todo eso suceda?

—Me he dado cuenta de que la naturaleza humana es un obstáculo —admitió Beau—. Pero con los recursos financieros y las conexiones a nivel mundial que usted ha hecho a través de Cipher Software, creo que los obstáculos pueden superarse.

—Es bueno tener una visión del futuro —dijo Randy. Si bien Beau le parecía demasiado idealista, le causaba buena impresión. Pero no tanta como para hacerlo empezar como su asistente personal. Se abriría camino desde la sala de correspondencia, como todos sus asistentes.

—¿Qué es aquello allí junto a esa grava? —preguntó Beau.

—¿Dónde? —dijo Randy.

Beau caminó hasta la grava y se inclinó. Fingió recoger del suelo uno de los discos negros que, en realidad, había sacado de su bolsillo. Sosteniéndolo en la palma, volvió hacia donde estaba Randy y se lo extendió.

—No sé qué es —dijo éste—. Pero he visto a algunos de mis asistentes con ellos en los últimos días. ¿De qué está hecho?

—No lo sé —dijo Beau—. Pero es pesado, así que tal vez sea plomo. Tómelo. Tal vez usted pueda definirlo.

Randy tomó el objeto y lo sopesó.

—Es macizo, eso sí —comentó—. Y qué superficie tan lisa. Mira estas elevaciones simétricamente alineadas alrededor de la periferia... ¡Ayyyy! —exclamó Randy y dejó caer el disco para sujetarse el dedo, en el que se le había formado una gota de sangre.

—¡La maldita cosa me pinchó!

—Qué extraño —dijo Beau—. Permítame ver.

—Hay otras personas que han mostrado cambios en la personalidad —le comentó Cassy a Sheila—. Por ejemplo, el director de la escuela donde estoy haciendo las prácticas se ha estado comportado de un modo completamente distinto al que tenía antes de la gripe. También oí de algunos otros, pero no los he visto.

—Francamente, lo que más me preocupa es este cambio de estado mental —admitió Sheila.

Cassy, Pitt y Sheila iban camino de la oficina del doctor Halprin. Al tener nueva información, Sheila estaba segura de que el presidente del centro médico reaccionaría de modo distinto al del día anterior. Pero cuando llegaron, sufrieron una desilusión.

—Lo siento, pero el doctor Halprin llamó esta mañana para decir que iba a tomarse el día libre —dijo la señora Kapland.

—Nunca faltó un día entero —objetó Sheila—. ¿Dio alguna razón?

—Dijo que él y su esposa necesitaban pasar más tiempo juntos. Pero va a llamar. ¿Quiere dejar algún mensaje?

—Volveremos en otro momento —dijo Sheila.

Dio media vuelta y se alejó; Cassy y Pitt corrieron detrás de ella. La alcanzaron al llegar al ascensor.

—¿Y ahora qué? —exclamó Pitt.

—Es hora de que alguien llame por teléfono a la gente que debería estar encargándose de este problema —declaró la doctora Miller—. Que Halprin se tome un día libre por razones personales es demasiado extraño.

—Odio los suicidios —dijo Vince mientras giraba a la derecha por la calle principal. Adelante había un enredo de patrulleros y ambulancias. Las vallas de escena del crimen mantenían a raya a los curiosos. Caía la tarde y comenzaba a oscurecer.

—¿Más que los homicidios? —preguntó Jesse.

—Sí —repuso Vince—. En los homicidios la víctima no tiene opción. Los suicidios son justo lo contrario. No puedo imaginar lo que ha de ser matarse. Me da escalofríos.

—Eres de lo más raro.

Para él era justo al revés. La inocencia de la víctima de homicidio lo ponía mal y no podía sentir la misma compasión por un suicida. Para él, si alguien quería matarse, era problema de él. Lo que había que hacer era asegurarse de que realmente se tratara de un suicidio y no de un homicidio encubierto.

Vince estacionó lo más cerca de la escena que pudo. En la acera, una lona amarilla cubría los restos del muerto. Era desagradable contemplar el rastro de sangre que corría hasta la calle. Los detectives bajaron del automóvil y miraron hacia arriba. Sobre una cornisa, seis pisos más arriba, vieron a varios policías realizando diversas tareas en relación con el crimen.

Vince estornudó violentamente dos veces seguidas.

—Salud —dijo Jesse en forma automática.

Jesse se acercó a un oficial uniformado que estaba junto a las vallas de contención.

—¿Quién está a cargo aquí? —preguntó.

—El capitán, a decir verdad —respondió el oficial.

—¿El capitán Hernández está aquí? —preguntó Jesse, sorprendido.

—Sí, arriba —repuso el hombre.

Jesse y Vince intercambiaron miradas confundidas mientras se dirigían a la entrada. El capitán casi nunca se apersonaba en la escena del crimen.

El edificio pertenecía a Farmacéutica Serotec. Alojaba las secciones administrativas y de investigación. La planta fabril quedaba en las afueras de la ciudad.

En el ascensor, Vince empezó a toser. Jesse se alejó lo más que pudo de él.

—Por Dios —se quejó—. ¿Qué te pasa?

—No sé —dijo Vince—. Tal vez sea una reacción alérgica a algo.

—Bueno, tápate la boca cuando tosas —sugirió Jesse.

Llegaron al sexto piso. El frente del edificio estaba ocupado por un laboratorio de investigación. Había varios policías de uniforme esperando junto a una ventana abierta. Jesse preguntó dónde estaba el capitán y los policías señalaron una oficina hacia un costado.

—No creo que vayamos a necesitarlos —dijo el capitán

Hernández cuando vio entrar a Jesse y Vince—. Está todo registrado en un vídeo.

El capitán Hernández presentó a Jesse y a Vince a la media docena de empleados de Serotec que estaban en la habitación y también al investigador policial que había encontrado la cinta. Su nombre era Tom Stockman.

—Pásalo de nuevo, Tom —le indicó el capitán Hernández.

Era una filmación de seguridad en blanco y negro, tomada con un gran angular. El sonido era algo hueco. Mostraba a un hombre bajo con guardapolvo blanco de frente a la cámara. Había retrocedido hasta la ventana y se lo veía inquieto. Delante de él había varias personas de Serotec, todas con guardapolvos blancos. Se las veía de espaldas, puesto que estaban mirando al hombre. Jesse supuso que eran las mismas personas que estaban ahora en la oficina.

—Se llamaba Sergei Kalinov —dijo Hernández. Súbitamente, empezó a gritar a todos que lo dejaran en paz. Eso se vio antes en la cinta. Como pueden ver, nadie lo está tocando ni tan siquiera amenazando.

—Se volvió loco —comentó uno de los empleados de Serotec—. No sabíamos qué hacer.

Sergei empezó a sollozar, diciendo que sabía que estaba infectado y que no podía soportarlo. Uno de los empleados de Serotec empezó a avanzar hacia él.

—Es el jefe de técnicos, Mario Palumbo —explicó el capitán—. Está tratando de calmarlo. Habla tan bajo que es muy difícil oírle la voz.

—Solamente le decía que queríamos ayudarlo —declaró Mario, a la defensiva.

De pronto Sergei se volvió y corrió hacia la ventana. Trató de abrirla; su apuro frenético sugería que temía una interferencia. Pero ninguno de los presentes trató de sujetarlo, ni siquiera Mario.

Cuando tuvo la ventana abierta, Sergei salió a la cornisa. Con una última mirada a la cámara, se lanzó al vacío.

—¡Ay, por Dios! —exclamó Vince y apartó la mirada.

Hasta Jesse sintió una desagradable sensación en las entrañas después de ver matarse al aterrado hombrecito. En la filmación que continuaba, Jesse observó cómo varios de los empleados de Serotec, entre los que estaba Mario, iban hasta la ventana y miraban hacia abajo. Pero no parecían horrorizados, sino más bien curiosos.

Luego, para gran sorpresa de Jesse, cerraron la ventana y volvieron a trabajar.

Tom detuvo la cinta. Jesse miró a los empleados. Cualquiera diría que hubieran reaccionado de algún modo al ver la horrenda escena nuevamente. Pero no. Estaban extrañamente desconectados del asunto.

Tom sacó el vídeo y cuando se disponía a introducirlo en una bolsa plástica para pruebas, con el talón de custodia correspondiente, el capitán Hernández se lo quitó de las manos.

—Yo me encargaré de esto.

—Pero no es....

—Yo me encargaré —repitió el capitán en tono autoritario.

—Muy bien —dijo Tom de buen grado, aunque sabía que no era el procedimiento aceptado.

Jesse observó al capitán salir de la habitación con el casete en la mano. Miró a Tom.

—Qué quieres, es el capitán —se defendió Tom.

Vince tosió explosivamente justo detrás de Jesse. Jesse se volvió y le dirigió una mirada furibunda.

—Por Dios —dijo—. Nos vas a enfermar a todos si no te tapas la boca.

—Lo siento —se disculpó Vince—. Me siento pésimamente mal. ¿Hace frío aquí?

—No —respondió Jesse.

—Mierda, debo de tener fiebre —se diagnosticó Vince.

—Tal vez deberíamos ir a comprar comida mexicana, simplemente —dijo Pitt.

—No, quiero cocinar —insistió Cassy—. Siempre me calma los nervios.

Iban caminando debajo de las bombillas de luz colgadas de cables sobre el mercado al aire libre de estilo europeo. La mercadería principal consistía en productos frescos y frutas traídos directamente de las granjas cercanas. Pero también había otros puestos que vendían de todo, desde pescados hasta antigüedades y objetos de arte. Era un ambiente colorido, festivo y popular. A esa hora temprana de la noche estaba lleno de compradores.

—Bueno ¿qué quieres preparar? —preguntó Pitt.

—Pastas. Pasta a la primavera.

Pitt sostuvo la bolsa mientras Cassy hacía su selección. Se mostró especialmente quisquillosa con los tomates.

—No sé qué voy a hacer cuando él vuelva. Así como estoy ahora, no quiero ni verlo. Al menos hasta que sepa que ha vuelto a la normalidad. Todo este episodio me asusta cada vez más.

—Tengo acceso a un departamento —anunció Pitt.

—¿En serio?

—Está cerca del restaurante Costa's. El dueño es mi primo segundo. Enseña en el Departamento de Química, pero está pasando un semestre sabático en Francia. Yo voy a darles de comer a los peces y a regarle las plantas. Me invitó a que me quede allí, pero en ese momento me dio pereza mudarme.

—¿Crees que no le molestaría que me alojara allí? —preguntó Cassy.

—No —dijo Pitt—. Es amplio. Tiene tres dormitorios. Yo también podría quedarme, si quieres.

—¿Te parece que soy una exagerada?

—No, en absoluto —declaró Pitt—. Después de la demostración que dio en el partido de basquetbol, hasta a mí me pone nervioso estar con él.

—¡Por Dios! No puedo creer que estemos hablando así de Beau —se lamentó Cassy con un temblor de emoción en la voz.

En forma instintiva, Pitt la rodeó con los brazos. Y en forma instintiva también, ella hizo lo mismo. Se aferraron el uno al otro, olvidando momentáneamente a los transeúntes que pasaban junto a ellos. Después de unos instantes, Cassy levantó la vista hacia los ojos oscuros de Pitt. Los dos experimentaron por un segundo la sensación de lo que podría haber sido. Luego, repentinamente incómodos, se soltaron y volvieron a concentrarse en la elección de los tomates.

Con las provisiones en la bolsa, y también una botella de vino italiano seco, volvieron al automóvil. El camino los llevaba por el sector del mercado de las pulgas. Pitt se detuvo súbitamente delante de uno de los puestos.

—¡La gran flauta!

—¿Qué pasa? —dijo Cassy, lista para huir. Tensa como estaba, imaginaba lo peor.

—¡Mira! —exclamó Pitt, señalando uno de los puestos.

Cassy paseó la mirada por una desconcertante colección de cachivaches que un letrero anunciaba como antigüedades. La mayoría eran objetos pequeños, como ceniceros y animalitos de cerámica, pero había algunas cosas más grandes como estatuas de yeso para el jardín y veladores. También había cajas de vidrio con bijouterie vieja y barata.

—¿Qué se supone que tengo que ver? —preguntó Cassy con impaciencia.

—Mira el estante superior —señaló Pitt—. Entre la jarra de cerveza y los sujetadores de libros.

Avanzaron hacia el puesto. Cassy vio ahora lo que había llamado la atención de Pitt.

—Qué interesante —comentó. Alineados con prolijidad había seis discos negros iguales al que había encontrado Beau en el estacionamiento de Costa.

Cassy extendió la mano para tomar uno, pero Pitt le sujetó el brazo.

—¡No lo toques! —exclamó.

—No iba a dañarlo —se defendió Cassy—. Sólo quería ver cuánto pesaba.

—¡No, tenía miedo de que te dañara a ti! No viceversa. A Beau lo picó. O al menos eso creyó Beau. Qué coincidencia ver estas cosas aquí. Me había olvidado de la de Beau. Se inclinó y examinó uno de los discos más de cerca. Recordó que ni él ni Beau habían podido descifrar de qué estaba hecho.

—Anoche vi el de Beau —recordó Cassy—. Estaba delante de su computadora cuando la máquina estaba bajando información de Internet.

Pitt trató de captar la atención del dueño para preguntarle por los discos, pero el hombre estaba ocupado con otro cliente.

Mientras seguían contemplando los discos y esperando a que el dueño se liberara, una pareja corpulenta se les adelantó.

—Aquí hay más de esas piedras negras de las que Gertrude hablaba anoche —dijo la mujer.

El hombre emitió un gruñido.

—Gertrude dijo que encontró cuatro en su jardín —siguió diciendo la mujer. Luego rió y agregó: —Creyó que eran valiosas hasta que descubrió que todo el mundo las estaba encontrando por todas partes.

La mujer tomó uno de los discos.

—¡Uy, cómo pesa! —dijo. Cerró los dedos alrededor del disco. —Está frío.

Cuando estaba por pasárselo a su amigo, lanzó un chillido y lo dejó caer con fastidio de nuevo sobre el estante. Lamentablemente, el disco se deslizó y cayó unos veinte centímetros dentro de un cenicero, que se hizo añicos.

El ruido de la porcelana rota hizo acercarse al dueño, que al ver lo que había sucedido, exigió que se le pagara por el cenicero roto.

—No pienso pagar nada —se quejó la mujer, indignada—. Esa cosa negra me cortó el dedo.

Con aire desafiante, mostró su dedo medio lastimado. El gesto indignó al dueño, que lo tomó por una obscenidad.

Mientras la mujer y el propietario discutían, Pitt y Cassy se miraron para confirmar lo que les había parecido ver en la luz tenue del anochecer. ¡En el dedo extendido de la mujer había habido una leve iridiscencia azul!

—¿Qué puede haberlo causado? —susurró Cassy.

—¿A mí me lo preguntas? —exclamó Pitt—. Ni siquiera estoy seguro de haberla visto. Fue solamente un segundo.

—Pero los dos la vimos.

La mujer y el dueño tardaron veinte minutos en llegar a un acuerdo. Una vez que ella y su acompañante se hubieron ido, Pitt preguntó al dueño por los discos negros.

—¿Qué quieres saber? —dijo el hombre en tono sombrío. Solamente había obtenido la mitad del valor del cenicero.

—¿Sabe qué son? —preguntó Cassy.

—No tengo la menor idea.

—¿A cuánto los vende?

—Al principio me daban hasta diez dólares —dijo el hombre—. Pero eso era hace un par de días. Ahora están por todos lados y el mercado está inundado. Pero les digo algo: estos son de calidad excepcional. Les vendo los seis por diez dólares.

—¿Alguno de los discos lastimó a alguien más? —quiso saber Pitt.

—Bueno, uno me picó a mí también —admitió el hombre y se encogió de hombros—. Pero no fue nada, solamente un pinchacito. La cosa es que no sé cómo sucedió. —Tomó uno de los discos. —Porque son lisos y suaves como el trasero de un bebé.

Pitt tomó a Cassy del brazo y comenzó a alejarla de allí. El hombre gritó tras de ellos:

—¡Eh, qué les parece ocho dólares!

Pitt no le prestó atención. Le contó a Cassy el episodio de la niñita de la sala de emergencias a la que la madre había regañado por decir que una piedra negra la había picado.

—¿Crees que fue uno de esos discos?

—Es lo que me pregunto. Porque estaba con esa gripe. Por eso había ido al centro médico.

—¿Dices que el disco tuvo algo que ver con que se pescara la gripe?

—Sé que parece un disparate —admitió Pitt—. Pero con Beau, la secuencia fue igual. Lo picó el disco y unas horas después tuvo esa gripe.

09:15

—¿Cuándo fue que oíste acerca de esta conferencia de prensa de Randy Nite? —preguntó Cassy a Pitt.

—Esta mañana, mientras miraba el programa *Hoy*. El periodista dijo que la NBC la iba a transmitir en vivo.

—¿Y nombraron a Beau?

—Eso fue lo asombroso —dijo Pitt—. Fue allá para una entrevista y ahora es parte de una conferencia de prensa. Es rarísimo.

Cassy y Pitt estaban en la sala de médicos del sector de Emergencias, mirando la pantalla de un televisor de trece pulgadas. Sheila Miller había llamado a Pitt temprano y le había pedido que viniera y trajera a Cassy. La habitación recibía el nombre de Sala de Médicos, pero era utilizada por todo el personal del sector para momentos de descanso y para el almuerzo de los que traían viandas.

—¿Para qué vinimos? —preguntó Cassy—. No me gusta faltar a clase.

—No me dijo nada —respondió Pitt—, pero calculo que de algún modo pasó por encima del doctor Halprin y quiere que hablemos con la persona con la que se puso en contacto.

—¿Vamos a contar lo de anoche? —preguntó Cassy.

Pitt levantó una mano para hacerla callar. El presentador televisivo estaba anunciando que Randy Nite había entrado en el salón. Instantes después el conocido rostro juvenil de Randy ocupó la pantalla.

Antes de empezar a hablar, se volvió hacia un costado y

129

tosió. Al acercarse nuevamente al micrófono se disculpó de antemano por su voz y dijo:

—Estoy saliendo de una gripe, así que ténganme paciencia.

—¡Uy! —comentó Pitt—. Él también la tuvo.

—Bien —comenzó a decir Randy—. Buenos días a todos. Para los que no me conocen, me llamo Randy Nite y soy vendedor de programas de computación.

Se oyeron risas discretas del público que estaba detrás de las cámaras. En la pausa de Randy, el presentador lo felicitó por su modestia: era uno de los hombres más ricos del mundo y existían pocas personas en los países industrializados que no hubieran oído hablar de Randy Nite.

—Llamé a una conferencia de prensa hoy para anunciar que me lanzo a un nuevo emprendimiento... En realidad, la aventura más emocionante e importante de mi vida.

Un murmullo de entusiasmo brotó de la audiencia. Habían esperado recibir noticias importantes y, al parecer, no los iba a desilusionar.

—Este nuevo proyecto —continuó Randy— se llamará el Instituto para un Nuevo Comienzo y estará respaldado por todos los recursos combinados de Cipher Software. Para describir este audaz emprendimiento, me gustaría presentarles a un joven de increíble visión. Damas y caballeros, por favor den la bienvenida a mi nuevo asistente personal, el señor Beau Stark.

Cassy y Pitt, boquiabiertos, intercambiaron miradas.

—No lo puedo creer —dijo Cassy.

Beau subió de un salto a la plataforma y fue recibido con aplausos. Tenía puesto un traje de marca y llevaba el pelo peinado hacia atrás, con la frente despejada. Exudaba la seguridad de un político.

—Gracias a todos por venir —dijo Beau con una sonrisa llena de encanto. Sus ojos azules resplandecían como zafiros en medio de su cara bronceada. —El Instituto para un Nuevo Comienzo tiene un nombre muy adecuado. Buscaremos a los mejores y los más capacitados en los campos de la ciencia, la medicina, la ingeniería y la arquitectura. Nuestra meta será revertir las tendencias negativas que ha estado experimentando nuestro planeta. ¡Podemos poner fin a la contaminación! ¡Y terminar con los problemas sociales y políticos! ¡Podemos crear un mundo apropiado para una nueva humanidad! ¡Podemos hacerlo y lo vamos a hacer!

Los periodistas presentes en la conferencia soltaron una ráfaga de preguntas. Beau levantó las manos para hacerlos callar.

—Hoy no vamos a responder preguntas. El objetivo de esta reunión era solamente hacer el anuncio. Dentro de una semana, daremos otra conferencia de prensa en la que explicaremos en detalle lo que haremos. Gracias a todos por venir.

A pesar de las preguntas que gritaban los periodistas, Beau bajó de la plataforma, abrazó a Randy Nite y luego ambos desaparecieron, tomados del brazo.

El anunciador trató entonces de llenar el hueco causado por el inesperado fin de la conferencia. Comenzó a especular sobre qué objetivos específicos tendría el nuevo instituto y a qué se habría referido Randy Nite al decir que el emprendimiento sería respaldado por todos los recursos combinados de Cipher Software. Señaló que esos recursos eran sustanciales, mayores que el Producto Bruto Interno de varios países.

—¡Por Dios, Pitt! —exclamó Cassy—. ¿Qué está pasando con Beau?

—Bueno, al parecer, en la entrevista le fue bien —repuso Pitt, tratando de bromear.

—Esto no es para tomarlo en broma —lo reprendió Cassy—. Cada vez me asusta más. ¿Qué vamos a decirle a la doctora Miller?

—Creo que por ahora, ya le hemos dicho bastante.

—¡Nada de eso! —se quejó Cassy—. Tenemos que contarle lo que vimos anoche y el asunto de los disquitos negros. Tenemos que...

—Cassy, espera —la frenó Pitt, sujetándola por los hombros—. Piensa por un segundo lo que le va a parecer todo eso. Ella es nuestra única oportunidad de que alguien importante se dé cuenta de lo que está pasando. Me parece que no hay que excederse.

—Pero lo único que sabe hasta ahora es que hay una gripe extraña —objetó Cassy.

—A eso me refiero, justamente. Logramos llamarle la atención con respecto a la gripe y el hecho de que parece causar alteraciones de la personalidad. Tengo miedo de que si empezamos a hablar de cosas raras como que la gripe la causan extraños discos negros, o peor aún, que vimos una luz azul en el dedo de alguien después de que un disco negro lo picó, no nos crea más. Ya amenazó con mandarnos a ver a un psiquiatra.

—¡Pero los dos vimos la luz! —argumentó Cassy.

—Creímos verla. Mira, primero tenemos que lograr que la gente se meta en el tema. Una vez que hayan investigado esta gripe y vean que pasa algo raro, les contaremos lo demás.

Se abrió la puerta y Sheila asomó la cabeza.

—Acaba de llegar el hombre con quien quiero que hablen —anunció—, pero tenía hambre así que lo mandé abajo a la cafetería. Vayamos a mi oficina así estamos listos para cuando vuelva.

Cassy y Pitt se pusieron de pie y la siguieron.

—Muy bien, chicos —dijo Nancy Sellers a Jonathan y Candee—. Quiero que esperen aquí en la camioneta mientras entro a hablar con la mamá de Candee. ¿Les parece bien?

Jonathan y Candee asintieron.

—Realmente se lo agradezco, señora Sellers —dijo Candee.

—No me tienes que agradecer nada —replicó Nancy—. El solo hecho de que tus padres hayan estado demasiado ocupados para hablar por teléfono anoche cuando llamé y no me hayan devuelto la llamada me dice que algo no está bien. ¡Ni siquiera sabían que te habías quedado a pasar la noche en casa!

Nancy descendió del automóvil, saludó a los chicos con la mano y echó a andar hacia la entrada principal de Farmacéutica Serotec. Todavía se veía la mancha en la acera donde el pobre señor Kalinov se había estrellado contra el cemento. No lo había conocido demasiado, puesto que era un empleado relativamente nuevo y estaba en el Departamento de Bioquímica, pero la noticia la había entristecido. Sabía que era casado y tenía dos hijas adolescentes.

Al entrar en el edificio, Nancy se preguntó qué debía esperar. Después de la muerte del día anterior, no sabía cómo estaría funcionando el establecimiento. Se había programado un servicio recordatorio para la tarde. Pero de inmediato intuyó que todo había vuelto a la normalidad.

El Departamento de Contabilidad estaba en el cuarto piso y mientras subía en el ascensor atestado de gente, oyó conversaciones normales y cotidianas. Hasta risas. Al principio sintió alivio al ver que la gente no había tomado el episodio con dramatismo. Pero cuando todo el ascensor lanzó una carcajada ante un comentario que Nancy no oyó lo suficientemente bien como para entender, comenzó a sentirse incómoda. La jovialidad le pareció irrespetuosa.

Le resultó muy fácil encontrar a Joy Taylor. Como empleada de cierta jerarquía, tenía su propia oficina. La puerta estaba abierta y cuando ella entró, Joy estaba ocupada con la computadora. Como recordaba Nancy, era una mujer arratonada, de su misma estatura, pero mucho más delgada. Nancy supuso que Candee se parecía al padre.

—Permiso —dijo Nancy.

Joy levantó la vista. Sus facciones fruncidas registraron un fastidio momentáneo ante la interrupción. Luego su expresión se suavizó y la mujer sonrió.

—Hola —dijo—. ¿Cómo está?

—Muy bien. No sabía si me iba a reconocer. Soy Nancy Sellers. Mi hijo Jonathan y su hija Candee son compañeros de clase.

—Por supuesto que la conozco.

—Qué tragedia la de ayer —comentó Nancy mientras trataba de encontrar la forma de sacar el tema del que quería hablar.

—Sí y no —respondió Joy—. Para la familia sí, por supuesto, pero me he enterado de que el señor Kalinov tenía graves problemas renales.

—¿Sí? —preguntó Nancy, desconcertada por el comentario.

—Así es. Hacía años que se hacía diálisis semanalmente. Hasta se hablaba de un trasplante. Genes defectuosos. Su hermano tenía el mismo problema.

—No estaba enterada de sus problemas médicos.

—¿Puedo ayudarla en algo? —preguntó Joy.

—Sí —dijo Nancy, al tiempo que se sentaba—. En realidad, quería hablar con usted. Estoy segura de que no es nada serio, pero me pareció que debía mencionárselo, por lo menos. Yo habría querido que usted hiciera lo mismo si Jonathan hubiera ido a hablarle.

—¿Candee fue a hablar con usted? —preguntó Joy—. ¿De qué?

—Está preocupada. Y yo también, a decir verdad.

Notó un leve endurecimiento de las facciones de Joy.

—¿Por qué razón mi hija está preocupada?

—Siente que las cosas han cambiado en su casa —explicó Nancy—. En primer lugar, dijo que, súbitamente, usted y su marido han comenzado a recibir a mucha gente. Eso la hace sentirse insegura. Al parecer, algunas personas hasta entraron en su dormitorio.

—Sí, hemos estado recibiendo —concordó Joy—. Mi marido y yo últimamente estamos participando mucho en causas ambientales. Requiere trabajo y sacrificio, pero estamos dispuestos a hacer ambas cosas. ¿Le gustaría venir a nuestra reunión de esta noche?

—Gracias, tal vez en otra oportunidad.

—Avíseme cuando quiera venir. Ahora tengo que seguir trabajando.

—Unos minutos más —pidió Nancy. La conversación no iba nada bien. Joy no se mostraba receptiva a pesar de sus esfuerzos diplomáticos. Era hora de ir al grano. —A mi hijo y a su hija también les dio la impresión de que ustedes los estaban alentando para que durmieran juntos. Quiero que sepa que no apruebo la idea; es más, me opongo totalmente.

—Pero son sanos y sus genes combinan bien.

Nancy luchó para mantener la calma. Nunca había oído nada tan absurdo. No podía entender la actitud displicente de Joy respecto de un tema tan importante, sobre todo teniendo en cuenta el problema creciente de los embarazos en adolescentes. Y también la indignaba la ecuanimidad de la mujer ante su evidente preocupación.

—Jonathan y Candee forman una linda pareja, sí —se obligó a decir—. Pero tienen solamente diecisiete años y no están preparados para las responsabilidades de la vida adulta.

—Si eso es lo que siente, con gusto lo respetaré —aceptó Joy—, pero mi marido y yo pensamos que hay temas mucho más preocupantes, como la destrucción de las selvas tropicales.

Para Nancy ya había sido suficiente. Era evidente que

no iba a poder mantener una conversación racional con Joy Taylor, así que se puso de pie.

—Gracias por su tiempo —dijo con rigidez—. Mi única recomendación es que le preste un poco más de atención a su hija; ella no está bien.

Cuando Nancy se volvió para irse, Joy la detuvo.

—Espere un segundo.

Nancy vaciló.

—Se la ve sumamente ansiosa. Creo que puedo ayudarla. —Joy abrió el cajón superior del escritorio y sacó con cuidado un disco negro. Se lo colocó sobre la palma de la mano y lo extendió hacia Nancy. —Aquí tiene un regalito.

Nancy ya estaba convencida de que Joy Taylor era un poco más que excéntrica y ese inesperado ofrecimiento de un talismán no hizo más que reafirmar su sensación. Se inclinó para examinarlo más de cerca. No se le ocurría qué podía ser ese objeto extraño.

—Lléveselo —la alentó Joy.

Por pura curiosidad, Nancy extendió la mano hacia el objeto. Pero luego cambió de idea y retiró la mano.

—Gracias. Pero creo que debería irme.

—Lléveselo —insistió Joy—. Le cambiará la vida.

—Me gusta la vida que tengo —repuso Nancy. Dio media vuelta y salió de la oficina.

Mientras descendía en el ascensor se maravilló ante la conversación que acababa de mantener. Estaba totalmente fuera de lo que había esperado. Y ahora tenía que pensar con cuidado en qué iba a decirle a Candee. Jonathan, por supuesto, era otra historia. Le ordenaría que se mantuviera bien lejos de la casa de los Taylor.

La puerta de la oficina de la doctora Miller se abrió; Pitt y Cassy se pusieron de pie. Un hombre de calva incipiente, pero relativamente joven entró en la habitación delante de la doctora Miller. Llevaba un traje gris arrugado y lentes sin marco apoyado sobre una nariz ancha.

—El es el doctor Clyde Horn —dijo Sheila a Cassy y Pitt—. Es un funcionario de investigación epidemiológica del Centro de Control de Enfermedades de Atlanta. Trabaja específicamente en la rama de la influenza.

Pitt y Cassy se presentaron.

—Ustedes son los residentes más jóvenes que he visto en mi vida —comentó Clyde.

—No soy residente —lo corrigió Pitt—. Voy a empezar la carrera de Medicina en el otoño.

—Y yo estoy estudiando para maestra —dijo Cassy.

—Ah, ya veo —dijo Clyde, pero era evidente que se sentía confundido.

—Pitt y Cassy han venido para darle al problema una perspectiva personal —explicó Sheila mientras le indicaba a Clyde que tomara asiento.

Todos se sentaron.

Sheila después hizo una exposición de los casos de gripe que habían estado viendo en la Sala de Emergencias. Tenía unos cuadros y gráficos y se los mostró a Clyde. El más impresionante era el que mostraba el rápido incremento de casos en los últimos tres días. El segundo, más dramático, mostraba las cifras de muerte de personas con síntomas asociados a enfermedades crónicas como diabetes, cáncer, insuficiencia renal, artritis reumatoidea e insuficiencia hepática.

—¿Han podido determinar la cepa? —preguntó Clyde—. Cuando usted me habló por teléfono, todavía no lo habían hecho.

—Y la situación sigue igual —admitió Sheila—. Todavía no hemos podido aislar el virus.

—Qué curioso —comentó Clyde.

—Lo único que hemos visto en todos los casos es una marcada elevación de los linfocitos en la sangre —dijo Sheila y le entregó otro cuadro a Clyde.

—Cielos, qué cifras tan altas —se extrañó Clyde—. Y me dice que los síntomas son típicos de la gripe o influenza.

—Así es —asintió Sheila—. Solamente más intensos de lo habitual y, por lo general, localizados en las vías respiratorias superiores. No hemos visto neumonía.

—Ciertamente ha estimulado los sistemas inmunológicos —comentó Clyde, que seguía estudiando el cuadro de los linfocitos.

—La enfermedad es muy corta —explicó Sheila—. A diferencia de la gripe normal, alcanza su pico en solamente horas, unas cinco o seis. Al cabo de doce horas, los pacientes vuelven a sentirse bien.

—Mejor que antes —acotó Pitt.

Clyde frunció el entrecejo.

—¿Mejor?

Sheila asintió:

—Es cierto. Una vez que se recuperan, los pacientes manifiestan una especie de euforia con niveles más altos de energía. El aspecto perturbador es que muchos también se comportan como si hubieran sufrido un cambio de personalidad. Y es por eso que han venido Pitt y Cassy. Tienen un amigo mutuo que, a juicio de ellos, se ha vuelto una persona totalmente diferente desde que se recuperó. Su caso puede ser particularmente importante, porque tal vez haya sido la primera persona que tuvo esta extraña enfermedad.

—¿Se han hecho pruebas neurológicas? —preguntó Clyde.

—Por supuesto —respondió Sheila—. En algunos pacientes. Pero todo estaba normal, incluido el líquido cerebroespinal.

—Y qué hay del amigo éste... ¿cómo se llama? —preguntó Clyde.

—Se llama Beau.

—No, no se lo examinó neurológicamente —dijo Sheila—. Estaba en los planes, pero ahora no está disponible.

—¿En qué sentido muestra una personalidad diferente?

—En todo —repuso Cassy—. Antes de la gripe, jamás había faltado a clases. Después que se recuperó, ya no fue más. Y se ha estado despertando de noche para salir a reunirse con desconocidos. Cuando le pregunté de qué hablaba con esas personas me dijo que del medio ambiente.

—¿Está orientado en lo que respecta a tiempo, lugar y persona? —preguntó.

—Totalmente —dijo Pitt—. Su mente parece agudizada. Y también se muestra significativamente más fuerte.

—¿Físicamente? —quiso saber Clyde.

Pitt asintió.

—Los cambios de personalidad después de una gripe no son algo común —dijo Clyde, rascándose distraídamente la calvicie—. Esta gripe también es distinta en otros sentidos. Nunca oí hablar de una duración tan corta. ¡Qué extraño! ¿Saben si otros hospitales de la zona han estado viendo casos similares?

—No, no lo sabemos —admitió Sheila—, pero eso lo puede averiguar el CCE con toda facilidad.

Unos fuertes golpes en la puerta hicieron que Sheila se levantara de la silla. Como había dejado órdenes expresas de que no se los molestara, pensó que había ocurrido una emergencia médica. Pero se trataba del doctor Halprin. Detrás de él estaba Richard Wainwright, el técnico de laboratorio principal que la había ayudado a hacer los gráficos que ella había presentado. Se lo veía ruborizado y nervioso, pues pasaba el peso constantemente de un pie a otro.

—Hola, doctora Miller —saludó el doctor Halprin alegremente. Se había recuperado por completo de la enfermedad y era ahora la imagen misma de la salud. —Richard acaba de informarme que tenemos una visita oficial.

El doctor Halprin entró y se presentó a Clyde como el presidente del hospital. Richard se mantuvo junto a la puerta, incómodo.

—Me temo que lo han hecho venir bajo pretextos poco claros —dijo el doctor Halprin a Clyde. Sonrió y añadió: —Como presidente, soy el encargado de autorizar los pedidos de asistencia al CCE. Es lo que dice el reglamento. Siempre y cuando no se trate de una enfermedad de la que hay obligación de informar. No es el caso de la gripe o influenza.

—Lo siento muchísimo —dijo Clyde, poniéndose de pie—. Tenía la impresión de que habíamos recibido un pedido legítimo y que todo estaba en orden. No fue mi intención entrometerme.

—No hay ningún problema —lo tranquilizó el doctor Halprin—. Fue solamente un malentendido. La realidad es que no necesitamos los servicios del CCE. Pero venga a mi despacho y aclararemos todo el asunto. Pasó el brazo alrededor de los hombros de Clyde y lo empujó suavemente hacia la puerta.

Exasperada, Sheila puso los ojos en blanco. Cassy, en su desesperación, intuyó que estaban a punto de perder una significativa oportunidad y se plantó en la puerta para impedirles la salida.

—Por favor, doctor Horn —dijo—. Tiene que escucharnos. Algo está pasando en esta ciudad. La gente está cambiando con la enfermedad y ésta se está esparciendo rápidamente.

—¡Cassy! —exclamó la doctora Miller con aspereza.

—Es cierto —insistió Cassy—. ¡No le haga caso al doctor Halprin! Él también tuvo la gripe. ¡Es uno de ellos!

—¡Cassy, basta! —ordenó Sheila. Tomó a Cassy del brazo y la apartó.

—Lamento todo esto, Clyde —dijo el doctor Halprin en tono tranquilizador—. ¿Puedo llamarlo Clyde?

—Por supuesto —repuso Clyde, mirando nerviosamente por encima del hombro, como si temiera que lo atacaran.

—Como verá, este problemita ha causado perturbaciones emocionales —continuó el doctor Halprin mientras indicaba a Clyde con un ademán que lo precediera hacia el corredor—. Lamentablemente, ha enturbiado la objetividad. Pero lo hablaremos en mi despacho y arreglaré todo para que lo lleven de nuevo al aeropuerto. Tengo algo que quiero que lleve de regreso a Atlanta. Algo que creo que interesará al CCE.

Sheila cerró la puerta detrás de los dos hombres y se apoyó contra ella.

—Cassy, eso no fue nada prudente.

—Lo siento —se disculpó Cassy—. No me pude controlar.

—-Es por lo de Beau —explicó Pitt a Sheila—. Cassy y él están comprometidos.

—No tienes que disculparte —le aseguró Sheila—. Yo también me sentí completamente impotente. El problema es que estamos de nuevo en cero.

La propiedad era magnífica, y aunque con el paso de los años se había reducido a menos de dos hectáreas, la casa principal seguía en pie y en buenas condiciones. Había sido construida a comienzos de este siglo en el estilo de los castillos franceses, con piedra granítica local.

—Me gusta —dijo Beau. Giró en medio del amplio salón de baile con los brazos extendidos. Rey estaba sentado junto a la puerta, como si temiera que lo fueran a dejar solo en la casa. Randy y una agente inmobiliaria llamada Helen Bryer estaban a un costado.

—Son algo más de dos hectáreas —dijo la señora Bryer a Randy—. No es mucha tierra para el tamaño de la casa, pero está pegado a la propiedad de Cipher, así que la extensión se agrandaría bastante.

Beau fue hasta los grandes ventanales y dejó que la luz del sol lo bañara. La vista era estupenda. El estanque le recordaba el paisaje desde la colina de la propiedad de Cipher.

—Escuché su anuncio esta mañana —comentó la señora Bryer—. Tengo que decirle, señor Nite, que pienso que su Instituto para un Nuevo Comienzo suena maravilloso. La humanidad se lo agradecerá.

—La nueva humanidad —dijo Randy.

—Sí, así es —repuso la señora Bryer—. Una nueva humanidad consciente de las necesidades del ambiente. Creo que es algo que se ha estado gestando desde hace mucho tiempo.

—No se imagina cuánto —dijo Beau desde donde estaba, junto a las ventanas. Luego se acercó a Randy y a la señora Bryer. —La casa es ideal para el instituto. ¡La compramos!

—¿Cómo dice? —preguntó la señora Bryer, aunque había oído muy bien a Beau. Carraspeó y miró a Randy en busca de confirmación. Randy asintió. Beau sonrió y salió del salón, seguido por Rey.

—¡Bueno, qué maravilla! —exclamó la señora Bryer con entusiasmo cuando hubo recuperado el habla—. Es una propiedad fabulosa. ¿Pero no quiere saber cuánto pide el vendedor?

—Llame a mis abogados —dijo Randy y le entregó una tarjeta—. Que ellos arreglen todo.

Randy abandonó luego el salón, en busca de Beau.

—Por supuesto, señor Nite —dijo la señora Bryer. Parpadeó. Su voz retumbó en el salón de baile vacío. Sonrió para sus adentros. Había sido la venta más extraña de su vida... ¡Pero qué comisión!

La lluvia sonaba como granos de arena golpeando contra la ventana a la derecha del escritorio de Jesse. El rugido de los truenos añadía emoción. A Jesse le gustaban las tormentas eléctricas. Le recordaba los veranos de su infancia allá en Detroit.

Caía la tarde y en circunstancias normales, Jesse se hubiera estado preparando para irse a su casa. Por desgracia, Vince Garbon había dado parte de enfermo esa mañana y Jesse había tenido que trabajar por los dos. Le faltaba otra hora de papelerío. Jesse tomó su jarrito de café vacío y empujó la silla hacia atrás. Sabía, por sus años de experiencia, que una taza más no le daría insomnio por la noche, pero lo ayudaría a terminar el día.

Mientras se dirigía a la cafetera comunitaria, a Jesse le llamó la atención cuántos oficiales compañeros suyos estaban tosiendo, estornudando o sonándose la nariz. Más todos los ausentes enfermos, como Vince. Había algo dando vueltas y Jesse se consideraba afortunado por no habérselo pescado.

Camino de regreso al escritorio, Jesse dirigió la vista al vidrio divisor de la oficina del capitán. Sorprendido, lo vio de pie, mirando hacia el salón, con las manos detrás de la espalda y una sonrisa satisfecha en la cara. Al ver que Jesse lo miraba, ensanchó su sonrisa y saludó con la mano.

Jesse le devolvió el saludo, pero se sentó preguntándose qué le pasaba al capitán. En primer lugar, casi nunca se quedaba hasta esa hora a menos que hubiera algún operativo especial y, en segundo lugar, siempre estaba de mal humor a la tarde. Jesse jamás lo había visto sonreír después de las doce.

Una vez que se hubo instalado cómodamente otra vez y estaba con la lapicera en la mano y los interminables formularios delante de él, Jesse dirigió otra mirada hacia la oficina del capitán. Seguía allí, en el mismo lugar, con la misma sonrisa. Como un mirón, Jesse se quedó observándolo por unos instantes y trató de adivinar por qué estaría sonriendo. No era una sonrisa de felicidad ni de humor, sino más bien de satisfacción.

Jesse sacudió la cabeza, perplejo, y volvió a concentrarse en la pila de formularios. Detestaba el papelerío, pero había que hacerlo.

Media hora más tarde, con muchos formularios ya terminados, Jesse volvió a levantarse. Esta vez era un llamado de la naturaleza. Como siempre, el café lo había atravesado de arriba abajo.

Caminó hasta el baño de hombres que estaba al final del pasillo y al pasar por la oficina del capitán volvió a mirar. Notó, con alivio, que estaba vacía. Jesse no perdió el tiempo. Hizo lo que tenía que hacer y salió a toda prisa del baño, pues adentro había media docena de tipos tosiendo, estornudando y sonándose la nariz.

Al volver hacia el escritorio, pasó junto al bebedero para tomar un trago de agua. Eso lo hizo pasar junto al escritorio de registro de propiedad, y el sargento Alfred Kinsella lo vio a través de la pared de alambrado de su jaula.

—¡Eh, Jesse! —saludó—. ¿Qué hay de nuevo?

—No mucho —replicó Jesse—. ¿Cómo anda tu problema de sangre?

—Sin cambios —dijo Alfred y carraspeó—. Cada tanto tengo que ir a hacerme una transfusión.

Jesse asintió. Había donado sangre para Alfred, como casi todos los muchachos del escuadrón. Jesse sentía compasión por Alfred. No podía pensar en lo que debía de ser tener una enfermedad grave que los médicos ni siquiera podían diagnosticar.

—¿Quieres ver algo raro? —preguntó Alfred. Carraspeó de nuevo y luego tosió varias veces, llevándose una mano al pecho.

—¿Estás bien? —preguntó Jesse.

—Sí, creo que sí. Aunque hace una hora que me siento medio raro.

—Igual que todos los demás —dijo Jesse—. ¿Qué es lo raro?

—Estas cositas —repuso Alfred.

Jesse fue hasta el mostrador del compartimiento. Vio que Alfred tenía una hilera de discos negros delante de él, de unos tres centímetros de diámetro.

—¿Qué son? —preguntó Jesse.

—No tengo la menor idea. En realidad, esperaba que tú pudieras decírmelo.

—¿De dónde salieron?

—¿Viste esa turba de primerizos que trajeron las dos últimas noches, a los que arrestaron por cosas absurdas como comportamiento libidinoso o reuniones masivas en lugares públicos sin permiso?

Jesse asintió. Todos habían estado hablando de eso y el propio Jesse había visto cosas raras últimamente.

—Todos tenían uno de estos *frisbees* en miniatura.

Jesse acercó la cara al alambrado para obtener una mejor visión. Los discos parecían tapas de jarras. Había cerca de veinte.

—¿De qué están hechos? —preguntó.

—Ni idea, pero son pesados para el tamaño —dijo Alfred. Estornudó y se sonó la nariz.

—Déjame ver uno —pidió Jesse. Metió la mano por la abertura del alambrado con intención de tomar uno. Alfred le sujetó el brazo.

—¡Ten cuidado! —dijo—. Parecen lisitos, pero pinchan. Es raro, porque no les pude encontrar un borde puntiagudo, pero ya me pinché varias veces. Es como si te picara una abeja.

Jesse siguió el consejo de Alfred y sacó un bolígrafo del bolsillo y lo usó para empujar uno de los discos. Sorprendido, vio que no era nada fácil. Eran realmente pesados. Lo más difícil era volcarlos. Jesse se dio por vencido.

—Bueno, no te puedo ayudar —dijo—. No tengo idea de qué material pueden ser.

—Gracias por echarles un vistazo —dijo Alfred entre estornudos.

—Pareces haber empeorado en el ratito que estuve aquí —comentó Jesse—. Te convendría irte a tu casa.

—No, me las aguantaré —dijo Alfred—. Comencé el turno a las cinco.

Jesse se encaminó hacia su escritorio, con intención de quedarse otra media hora, pero no llegó lejos. A sus espaldas, oyó un acceso de tos y luego el ruido de una caída.

Al volverse, vio que Alfred había desaparecido de la vista. Corrió de nuevo hacia el mostrador; oía ruidos sordos, como si alguien estuviera dando puntapiés a los armarios. Jesse se trepó al mostrador y miró para abajo. En el suelo estaba Alfred, con la espalda doblada y el cuerpo tembloroso, presa de una convulsión.

—¡Eh, vengan todos! —gritó Jesse—. ¡Tenemos un enfermo en registro de propiedad!

Jesse se lanzó de cabeza desde el mostrador, arrojando al suelo casi todo lo que había encima, incluidos los veinte discos negros. Concentrado como estaba en el cuerpo contorsionado de Alfred, no se dio cuenta de que los discos cayeron ligeramente y ninguno se dio vuelta.

Lo primero que hizo fue tomar las llaves de Alfred y ponerlas en el mostrador para que los demás pudieran abrir la puerta de la jaula. Luego puso un anotador entre las mandíbulas apretadas de su compañero. Cuando se disponía a desabotonarle la camisa, vio algo que lo hizo sobresaltarse. ¡De los ojos de Alfred estaba saliendo espuma!

Espantado por el espectáculo, Jesse se incorporó. Jamás había visto algo igual. Era como un baño de burbujas. Segundos después, llegaron otros oficiales. Todos quedaron anonadados.

—¿Qué mierda es esa espuma? —preguntó uno.

—A quién le importa —replicó Jesse, saliendo del trance—. ¡Consigamos una ambulancia ya mismo!

Se oyó un rugido de truenos justo en el momento en que la camilla entraba golpeando las puertas del Centro Médico, empujada por dos enfermeros corpulentos. Unos pasos detrás venía Jesse Kemper. Sobre la camilla, Alfred Kinsella seguía teniendo convulsiones. Su rostro estaba azulado y de los ojos le seguía saliendo espuma como si fueran dos botellas de champán agitado.

Sheila, Pitt y Cassy salieron de la oficina de la médica, donde habían pasado casi todo el día cotejando todos los casos de gripe vistos hasta el momento. Sheila había oído el alboroto y había respondido de inmediato. La jefa de enfermeras le había advertido de que un caso extraño estaba en camino y los enfermeros de la ambulancia habían llamado al salir del Destacamento de Policía.

Sheila interceptó la camilla y echó una mirada a Alfred. Al ver la espuma, indicó a los camilleros que lo llevaran al sector reservado para pacientes con casos infecciosos. Jamás había presenciado algo igual y no quería correr ningún riesgo. En cuanto los camilleros se alejaron con el paciente, Sheila habló con la jefa de enfermeras y le dijo que llamara a un neurólogo de inmediato.

Jesse tomó el brazo de Sheila.

—¿Se acuerda de mí? Soy el teniente detective Jesse Kemper. ¿Qué tiene el oficial Kinsella?

Sheila se apartó.

—Es lo que nos gustaría averiguar. Pitt, ven conmigo. Esta será la prueba de fuego. Cassy, lleva al teniente a mi oficina. La sala de espera está repleta.

Cassy y Jesse se quedaron mirando cómo Sheila y Pitt corrían por el corredor detrás de la camilla.

—Me alegro de no ser médico —dijo Jesse.

—Yo también —concordó Cassy. Señaló luego en dirección a la oficina de Sheila. —Venga, le mostraré dónde puede esperar.

La espera no fue larga. Media hora más tarde, Sheila y Pitt aparecieron en la puerta, con expresiones lúgubres. No fue difícil adivinar el resultado.

—¿No tuvieron suerte? —preguntó Cassy.

Pitt sacudió la cabeza.

—Nunca volvió en sí —dijo Sheila.

—¿Era la misma gripe? —quiso saber Cassy.

—Es probable. Los linfocitos estaban muy altos —respondió Pitt.

—¿Qué diablos son los linfocitos? —preguntó Jesse—. ¿Eso fue lo que lo mató?

—Los linfocitos son parte de la defensa del cuerpo contra una invasión —explicó Sheila—. Son una reacción, no la causa de una enfermedad. Pero dígame ¿el señor Kinsella tenía alguna enfermedad crónica como diabetes, por ejemplo?

—No, diabetes no —respondió Jesse—, pero tenía serios problemas de sangre. Cada tanto tenía que hacerse transfusiones.

—Tengo una pregunta —dijo Cassy, de pronto—. ¿No sabe si el sargento Kinsella mencionó alguna vez algo acerca de un disco negro más o menos así? —Cassy hizo un círculo de unos cuatro centímetros de diámetro con los pulgares e índices.

—¡Cassy! —gimió Pitt.

—¡Cállate! —le ordenó ella—. A esta altura no hay mucho que perder, pero sí que ganar.

—¿Qué es eso acerca de un disco negro? —quiso saber Sheila.

Pitt puso los ojos en blanco.

—Sonamos —dijo sin dirigirse a nadie en particular.

—¿Te refieres a un disco negro que es chato abajo pero abovedado arriba, con protuberancias alrededor del extremo?

—Exactamente —corroboró Cassy.

—Sí, me mostró un puñado de discos justo antes de tener la convulsión.

Cassy dirigió una mirada triunfal a Pitt, cuya expresión de fastidio había cambiado por una de sumo interés en cuestión de segundos.

—¿No dijo si uno de esos discos lo había picado? —preguntó Pitt.

—Sí, varias veces —afirmó Jake—. Dijo que era extraño, pues no tenían partes puntiagudas. Y ahora que lo mencionan, recuerdo que al capitán Hernández también lo picó uno.

—Será mejor que alguien me cuente todo sobre estos discos negros —dijo Sheila.

—Encontramos uno hace cuatro días —explicó Cassy—. Bueno, en realidad, Beau lo encontró. Lo recogió del suelo en un estacionamiento.

—Yo estaba presente cuando lo encontró —dijo Pitt—. No sabíamos qué podía ser. Yo pensé que había caído de debajo de la camioneta de Beau.

—Después de unos segundos, Beau gritó que lo había picado —relató Cassy—. Y unas horas después, cayó con esa gripe.

—A decir verdad, nos habíamos olvidado del disco —admitió Pitt—, pero después, aquí en la sala de emergencias, le tomé los controles a una niñita con gripe que dijo que una piedra negra la había picado.

—Pero lo que realmente nos puso a pensar fue un episodio que sucedió anoche —contó Cassy y pasó a describir el incidente en el mercado. Hasta describió el brillo azulado que Pitt y ella habían creído ver.

Cuando terminó, se hizo un silencio.

Por fin, Sheila frunció los labios y dijo:

—Bueno, todo esto parece una locura y como dije antes, en circunstancias normales, los mandaría a hacer una consulta psiquiátrica. Pero a esta altura ya estoy dispuesta a explorar cualquier pista.

—Dime —preguntó Jesse—, ¿Beau reconoce que está actuando de modo distinto?

—Dice que no es así —respondió Cassy—. Pero a mí me resulta difícil de creer. Hace cosas que jamás había hecho antes.

—Estoy de acuerdo con ella —dijo Pitt—. Hace una semana se mostraba totalmente contrario a tener perros en la ciudad. Y de pronto va y se consigue uno.

—Sí y sin conversarlo conmigo —acotó Cassy—. Y eso que vivimos juntos. ¿Pero por qué lo pregunta?

—Sería un punto importante si las personas afectadas estuvieran cambiando adrede —dijo Sheila—. Tendremos que manejarnos con discreción. Pero consigamos uno de estos discos.

—Podríamos volver al mercado —sugirió Pitt.

—Tal vez pueda sacar uno del registro de propiedad —dijo Jesse.

—Intenten en ambas partes —propuso Sheila. Sacó un par de tarjetas con su nombre y escribió detrás el número de su casa. Dio una a Jesse y otra a Cassy y Pitt. —El primero que consiga uno de esos discos, me llama. Pero, como dije, manéjense con prudencia. Esta es la clásica cosa que podría desatar una ola de pánico si es que hay algo de cierto.

Justo antes de separarse, Pitt dio a Sheila y a Jesse el número del departamento de su primo y les dijo que él y Cassy se alojarían allí. Cassy le dirigió una mirada interrogante, pero no lo contradijo.

—¿Por dónde estaba el puesto que vendía los discos? —preguntó Pitt. Habían entrado en el mercado al aire libre aproximadamente a la misma hora que el día anterior. Era una zona extensa, de alrededor de dos cuadras de largo y con todos los puestos parecía un laberinto.

—Recuerdo que llegamos al sector de productos frescos —dijo Cassy—. ¿Por qué no vamos allí y lo buscamos?

—Buena idea —dijo Pitt.

Encontraron el puesto donde habían comprado los tomates con bastante facilidad.

—¿Qué hicimos después de eso? —preguntó Pitt.

—Compramos fruta —respondió Cassy—. Era por allí.

Señaló por encima del hombro de Pitt.

Después de encontrar el puesto de frutas, recordaron el camino hacia el sector de objetos. Minutos más tarde estaban ante el puesto que buscaban. Lamentablemente, estaba vacío.

—Disculpe —dijo Cassy al propietario del puesto contiguo—. ¿Me puede decir dónde está el hombre que atiende este puesto?

—Está enfermo —fue la respuesta—. Esta mañana hablé con él. Está con gripe, como casi todo el mundo.

—Gracias —dijo Cassy—. ¿Qué hacemos ahora? —susurró a Pitt.

—Rogar para que el teniente Kemper tenga más suerte.

Jesse había vuelto en automóvil al destacamento policial directamente desde el hospital, pero había vacilado antes de entrar. Sin duda habrían llegado las noticias de Kinsella y todo el mundo estaría mal. No parecía el mejor momento para ponerse a husmear en la jaula de Kinsella, sobre todo si estaba el capitán dando vueltas. Después de haber escuchado a Cassy y Pitt, se había puesto a pensar en lo raro que había estado el capitán últimamente.

De manera que se fue a su casa. Vivía a dos kilómetros del destacamento en una casita cuyo tamaño era justo para una persona. Había estado viviendo solo desde que su mujer había muerto de cáncer de mama ocho años atrás. Tenía dos hijos, pero ambos preferían la vida activa de Detroit.

Jesse se preparó una cena sencilla. Unas horas más tarde, comenzó a sopesar la idea de volver al destacamento, pero se daba cuenta de que despertaría sospechas, puesto que no era común que estuviera allí a menos que sucediera algo grave. Mientras trataba de pensar en alguna excusa para volver, se preguntó si Cassy y Pitt habrían conseguido un disco. Si era así, no tenía sentido hacer el esfuerzo.

Revisó los trozos de papel que tenía en los bolsillos y encontró el número del muchacho. Llamó y respondió Pitt.

—Fracasamos. El tipo que tenía los discos está enfermo. Preguntamos en otros puestos y nos dijeron que ya no los tenían, pues se había inundado el mercado y no se podían vender.

—Caray —dijo Jesse.

—¿Usted tampoco lo consiguió? —preguntó Pitt.

—Todavía no lo intenté —admitió Jesse. De pronto se le ocurrió una idea. —¿Oigan, podrían venir conmigo a la comisaría? Tal vez les suene extraño, pero si voy solo, todos se preguntarán qué hago allí, en cambio si finjo estar investigando algo, no habrá ningún problema.

—Yo puedo ir —dijo Pitt—. Aguarde, le preguntaré a Cassy.

Jesse jugueteó con el cable del teléfono. Pitt volvió en seguida.

—Está dispuesta a hacer cualquier cosa que pueda servir —le informó—. ¿Adónde nos encontramos?

—Los pasaré a buscar. Pero será después de medianoche. Quiero que los muchachos del turno de la tarde se hayan ido a sus casas. Será más fácil en el último turno. Hay mucho menos personal.

Cuanto más pensaba Jesse en la idea, más le gustaba.

* * *

Era la una y cuarto de la mañana cuando Jesse estacionó en el lugar reservado para el personal. Apagó el motor.

—Muy bien, muchachos —dijo—. Haremos así: entraremos por la puerta principal. Tendrán que pasar por el detector de metales. Después iremos directamente a mi escritorio. Si alguien les pregunta qué están haciendo, dirán que están conmigo. ¿De acuerdo?

—¿No me pasará nada, allí? —preguntó Cassy. Nunca imaginó que tendría temor de entrar en una comisaría.

—Nada en absoluto —le aseguró Jesse.

Descendieron del automóvil y entraron en el edificio. Mientras Pitt y Cassy pasaban por el detector de metales, oyeron decir al policía uniformado de la mesa de entradas:

—Sí, señora. Iremos en cuanto podamos. Sí, los mapaches pueden ser un motivo de inquietud, la comprendo, pero en este momento tenemos poco personal, lamentablemente, con esa gripe que anda dando vueltas...

Instantes después estaban sentados alrededor del escritorio de Jesse. El salón estaba desierto.

—Esto va mejor de lo que pensaba —dijo Jesse—. No hay casi nadie.

—Este sería el momento para asaltar el Banco —bromeó Pitt.

—No es nada gracioso —lo reprendió Cassy.

—Bueno, vayamos al registro de propiedad —dijo Jesse—. Aquí está mi lapicera Cross. En el peor de los casos, fingiremos que les pertenece y la estamos registrando.

Pitt tomó la lapicera y los tres se pusieron de pie.

La puerta de la jaula estaba cerrada con llave. La luz del pasillo entraba por el tejido de alambre e iluminaba el interior.

—Muy bien, esperen aquí —dijo Jesse y usó su llave para abrir. Una rápida mirada al suelo le informó que alguien había recogido los discos y las otras cosas que él había arrojado al suelo al tratar de ayudar a Alfred.

—¡Diablos! —exclamó.

—¿Algún problema? —preguntó Pitt.

—Alguien anduvo por aquí —dijo Jesse—. Deben de haber puesto los discos en sobres y hay una pila enorme de sobres.

—¿Qué va a hacer?

—Abrirlos —repuso Jesse—. No hay atajo posible.

Jesse puso manos a la obra. Le llevó más tiempo de lo que había pensado. Había que torcer el broche, abrir el sobre y mirar adentro.

—¿Quiere que lo ayudemos? —preguntó Pitt.

—Buena idea —dijo Jesse—. Nos pasaremos la noche aquí adentro.

Cassy y Pitt entraron en la jaula y comenzaron a abrir sobres como lo hacía Jesse.

—Tienen que estar en alguna parte —murmuró Jesse con fastidio.

Trabajaron en silencio. Después de unos cinco minutos, Jesse extendió el brazo y exclamó:

—¡Suspendan todo!

Lentamente se incorporó para poder ver por encima del mostrador. Le había parecido oír pasos. Lo que vio hizo que el corazón le diera un vuelco. Tuvo que parpadear para cerciorarse de que no estaba viendo visiones. No. Era el capitán y venía hacia ellos.

Jesse volvió a agazaparse.

—¡Por Dios! —exclamó—. Viene el capitán. Métanse debajo del mostrador y no se muevan.

En cuanto los muchachos estuvieron en posición, Jesse se puso de pie. Como todavía había tiempo, salió de la jaula y caminando con paso rápido, interceptó al capitán en el corredor.

—El oficial de guardia me dijo que usted estaba aquí, Kemper —lo increpó el capitán—. ¿Qué diablos está haciendo? Son casi las dos de la mañana.

Jesse sintió la tentación de dar vuelta la pregunta, pues era mucho más extraño que él estuviera allí. Pero se contuvo y dijo solamente:

—Estaba ocupándome de un problema relacionado con unos muchachos.

—¿En la jaula de registro de propiedad? —preguntó el capitán, mirando por encima del hombro de Jesse.

—Sí, estoy buscando unas pruebas —dijo Jesse y para cambiar de tema, agregó—: Qué tragedia lo de Kinsella.

—En realidad, no —repuso el capitán—. Tenía una enfermedad crónica de la sangre. Oiga, Kemper ¿cómo se siente?

—¿Yo? —preguntó Jesse, anonadado por la respuesta del capitán a su comentario sobre Kinsella.

—Sí, claro, usted —dijo el capitán—. ¿Con quién otro estoy hablando?

—Yo estoy bien —respondió Jesse—. Gracias a Dios.

—Pero qué extraño —dijo el capitán—. Mire, pase por mi oficina antes de irse. Tengo algo para usted.

—Muy bien, capitán —respondió Jesse.

El capitán echó otra mirada por encima del hombro de Jesse y se dirigió a su oficina. Jesse se quedó mirándolo, desconcertado por los pensamientos que pasaban por su cabeza.

Cuando el capitán hubo desaparecido de su vista, Jesse corrió a la jaula de registro de propiedad.

—Busquemos uno de esos discos y desaparezcamos de aquí —dijo.

Cassy y Pitt salieron de su escondite debajo del mostrador. Los tres volvieron a la tarea de abrir los sobres.

—¡Ajá! —exclamó Jesse al mirar dentro de uno particularmente pesado—. ¡Por fin! —Introdujo la mano para sacarlo.

—¡No lo toque! —exclamó Cassy.

—Lo iba a hacer con mucho cuidado —dijo Jesse.

—Sucede muy rápido —lo previno Pitt.

—De acuerdo, no lo tocaré —dijo Jesse—. Lo voy a dejar en el sobre. Firmo este talón de custodia y nos vamos.

Instantes después estaban de nuevo alrededor del escritorio de Jesse en el salón casi desierto. Jesse echó una mirada en dirección a la oficina del capitán, pero éste no estaba por ninguna parte.

—Veamos cómo es esto —dijo. Abrió el sobre y dejó que el disco se deslizara y cayera sobre el secante.

—Tiene aspecto inofensivo —comentó. Del mismo modo en que lo había hecho antes, utilizó la lapicera para empujarlo y hacerlo rotar. —Tampoco tiene ninguna abertura. ¿Cómo puede ser que pinche a alguien?

—Las dos veces que lo vi, la persona tenía los dedos o la palma cerrados alrededor de la periferia —dijo Pitt.

—Pero si no hay ninguna abertura, no puede suceder nada —objetó Jesse—. Tal vez no sean todos iguales. A lo mejor algunos pinchan y otros no. —Sacó sus lentes, a los que detestaba por razones de vanidad, se los puso y luego se inclinó para obtener una visión más cercana. —Parece ónix, aunque no es tan brilloso. —Con la punta del dedo tocó la punta de la bóveda.

—No me parece buena idea hacer eso —dijo Pitt.

—Está frío —siguió diciendo Jesse, sin prestar atención a Pitt—. Y es muy suave. —Con cuidado, deslizó el dedo desde la bóveda hasta la periferia, con la intención de palpar las pequeñas protuberancias que se alineaban contra el extremo. El ruido de la puerta de un armario del escritorio del oficial de guardia lo hizo apartar la mano bruscamente.

—¡Epa!, estoy un poquito tenso —explicó.

—Como para no estarlo —repuso Pitt.

Listo para retirar la mano ante la menor provocación, Jesse tocó una de las protuberancias. No pasó nada. Con sumo cuidado, comenzó a deslizar la punta del dedo alrededor de la periferia del disco. Había recorrido un cuarto de la distancia cuando sucedió algo extraordinario. Una ranurita de un milímetro se formó en la superficie lisa del borde del disco.

Jesse apartó la mano a tiempo para ver salir una agujita color cromo por la ranura y extenderse varios milímetros. Desde la punta cayó una gota de líquido amarillento. Un instante después, la aguja se retiró y la ranura desapareció. La secuencia había durado un segundo.

Tres pares de miradas azoradas se elevaron para cruzarse.

—¿Vieron eso? —exclamó Jesse—. ¿O estoy loco?

—Yo lo vi —declaró Cassy—. Y hay pruebas. Hay un punto mojado en el secante.

Jesse, nervioso, se inclinó hacia adelante y examinó con las lupas, como llamaba a los lentes, la zona donde se había formado la ranura.

—Aquí no hay nada —dijo—. Ni siquiera una unión.

—Cuidado —lo previno Pitt—. No se acerque demasiado. Ese líquido ha de ser infeccioso.

Como buen hipocondríaco que era, Jesse no necesitó más persuasión. Se levantó de la silla y retrocedió varios pasos.

—¿Qué deberíamos hacer?

—Necesitamos tijeras y un recipiente, preferentemente de vidrio —dijo Pitt—. Y lavandina.

—¿Qué tal un frasquito de crema para café? —sugirió Jesse—. No sé si hay lavandina, pero me voy a fijar en el armario de limpieza. Las tijeras están en el primer cajón.

—El jarrito me servirá —aseguró Pitt—. ¿Habrá guantes de látex?

—Sí, tenemos —repuso Jesse—. En seguida vuelvo.

Jesse logró encontrar todo lo que Pitt necesitaba. Pitt usó las tijeras para cortar un círculo de secante que contenía el punto mojado y depositarlo en el frasco. La parte de abajo del secante no parecía húmeda, pero de todos modos desinfectó esa parte del escritorio con lavandina. Los guantes y las tijeras fueron a parar a una bolsa de plástico.

—Creo que deberíamos llamar a la doctora Miller —declaró Pitt cuando hubo terminado.

—¿Ahora? —preguntó Jesse—. Son más de las dos de la mañana.

—Va a querer enterarse de esto en seguida —insistió Pitt—. Calculo que va a querer empezar ya mismo a analizar lo que sea que haya en esta muestra.

—Está bien, llamen ustedes —dijo Jesse—. Tengo que ir a ver al capitán. Cuando vuelva, podrán decirme si tengo que llevarlos al Centro Médico o a su casa.

La mente de Jesse era un tumulto de pensamientos desconectados mientras se dirigía a la oficina del capitán. Tantas cosas increíbles habían sucedido en tan poco tiempo, que se sentía aturdido. ¡Y esa ranura en el disco! También estaba agotado, pues nunca se quedaba despierto hasta tan tarde. Nada le parecía real. Ni siquiera el hecho de estar yendo a ver al capitán a las dos de la mañana pasadas.

La puerta del despacho estaba entreabierta. Jesse se detuvo en el vano. El capitán estaba en su escritorio, escribiendo activamente como si fuera de día. Jesse tuvo que admitir que tenía un aspecto estupendo, a pesar de la hora.

—Disculpe, capitán —dijo—. ¿Quería verme?

—Pase —dijo el capitán y le indicó con la mano que se acercara al escritorio. Sonrió. —Gracias por venir. Cuénteme ¿cómo se siente?

—Agotado, señor —admitió Jesse.

—¿Pero no engripado?

—Por suerte no.

—¿Ya resolvió el problema ese de los dos jóvenes?

—Estoy en eso —dijo Jesse.

—Bueno, quería recompensarlo por el buen trabajo que hace —dijo el capitán. Abrió el cajón del medio del escritorio, introdujo la mano y sacó ...¡un disco negro!

Los ojos de Jesse se abrieron como platos.

—Le quiero dar este símbolo de un nuevo comienzo —dijo el capitán. Lo sostenía en la palma de la mano y se lo extendió a Jesse.

A Jesse lo inundó el pánico.

—Gracias, señor, pero no puedo aceptarlo.

—Pero claro que puede —dijo el capitán—. No parece valioso, pero le cambiará la vida. Créame.

—Sí, le creo, señor —declaró Pitt—. Pero simplemente no me lo merezco.

—Qué disparate —dijo el capitán—. Acéptelo, hombre.

—No, gracias —volvió a decir Jesse—. Tengo que irme. Estoy realmente cansado.

—Le ordeno que lo acepte —insistió el capitán, con una nota de dureza en la voz.

—Sí, señor —claudicó Jesse. Extendió una mano temblorosa. En el ojo de la mente veía la brillosa agujita de cromo. Fue entonces cuando recordó que para estimular el mecanismo había tocado el borde. También notó que el capitán tampoco lo tocaba, sino que mantenía el disco en la palma de la mano.

—Tómelo, mi amigo —lo instó el capitán.

Jesse aplanó la palma de la mano y la colocó pegada a la del capitán. El capitán lo miró a los ojos. Jesse le devolvió la mirada y vio que tenía las pupilas dilatadas.

Por unos instantes, la escena pareció congelarse. Finalmente, el capitán colocó el pulgar debajo del disco y con el índice en la bóveda, lo levantó. Era evidente que no quería tocar el borde. Luego lo depositó en la palma de Jesse.

—Gracias, jefe —dijo Jesse. Sin mirar el disco, se batió en rápida retirada.

—Ya me lo va a agradecer —dijo el capitán.

Jesse corrió a su escritorio, aterrado por la idea de recibir un pinchazo en cualquier momento. Pero no pasó nada y pudo deslizar el disco fuera de la mano sin inconvenientes. Cayó contra el otro disco con el ruido de dos bolas de billar que chocan entre sí.

—¿Pero qué diablos...? —inquirió Pitt.

—¡No me pregunten nada! —exclamó Jesse—. Pero les digo una cosa: el capitán no está de nuestro lado.

* * *

Sosteniendo el frasquito de crema en alto, contra la luz, Sheila miró el trozo de secante encerrado en él.

—Esto podría ser el eslabón que buscábamos —dijo—. Pero cuéntenme otra vez cómo sucedió exactamente.

Cassy, Jesse y Pitt se lanzaron a hablar al mismo tiempo.

—¡Despacio! —exclamó Sheila—. De a uno a la vez.

Cassy y Pitt dejaron que hablara Jesse. El policía relató el episodio y ellos añadieron detalles. Cuando Jesse llegó a la parte de la ranura, abrió los ojos bien grandes y retiró la mano abruptamente, imitando los movimientos que había hecho en aquel momento.

Sheila dejó el frasquito sobre el escritorio y miró por un microscopio; sobre la bandeja estaba uno de los discos.

—Esto se torna cada vez más extraño —comentó—. Qué quieren que les diga, la superficie parece totalmente lisa. Juraría que es un trozo sólido de lo que fuere.

—Sí, es lo que parece, pero no es así —dijo Cassy—. Es decididamente mecánico. Los tres vimos la ranura.

—Y la aguja —acotó Pitt.

—¿Pero quién haría una cosa así? —preguntó Jesse.

—¿Quién podría hacerlo? —interpuso Cassy.

Los cuatro se miraron. Por unos instantes, nadie habló. La pregunta retórica de Cassy era perturbadora.

—Bueno, no podremos responder preguntas hasta que averigüemos qué hay en el líquido que cayó sobre el secante —dijo Sheila—. El problema es que voy a tener que hacerlo yo. Richard, el técnico principal del laboratorio del hospital ya le estuvo contando al presidente de la visita del CCE. No puedo confiar en la gente del laboratorio.

—Es necesario que consigamos más gente —dijo Cassy.

—Sí, un virólogo, por ejemplo —acotó Pitt.

—Teniendo en cuenta lo que pasó con el hombre del CCE, no creo que vaya a ser fácil —reflexionó Sheila—. Es difícil saber quién tuvo la gripe y quién no.

—Salvo cuando se trata de gente conocida —aclaró Jesse—. Yo me daba cuenta de que el capitán estaba raro, pero no sabía por qué era.

—Pero no podemos usar la excusa de que no sabemos quién la tuvo y quién no para quedarnos sentados sin hacer nada —declaró Cassy—. Tenemos que prevenir a la gente que no ha sido infectada. Conozco a una pareja que podría ser de gran ayuda. Ella es viróloga y él es físico.

—Ideales... si es que no recibieron el pinchazo —dijo Sheila.

—Creo que lo puedo averiguar —aseveró Cassy—. El hijo está en una de las clases a las que voy a hacer prácticas. Sospecha que algo está pasando porque los padres de la novia aparentemente están infectados.

—Eso podría ser una causa de preocupación —dijo Sheila—. Por lo que Jesse nos contó del capitán, tengo la incómoda pero clara sensación de que las personas infectadas se sienten evengélicos en cuanto a su situación.

—Concuerdo totalmente —afirmó Jesse—. Al capitán no había forma de decirle que no. Me iba a dar ese disco negro aunque yo lo rechazara de plano. Quería que me enfermara, está bien claro.

—Me moveré con cuidado —dijo Cassy—, y como usted dijo antes, con discreción.

—De acuerdo, inténtalo —le recomendó Sheila—. Mientras tanto, haré algunos análisis al líquido.

—¿Qué vamos a hacer con los discos? —preguntó Jesse.

—La pregunta es, más bien, qué van a hacer los discos con nosotros —lo corrigió Pitt, que estaba mirando el que se encontraba debajo del microscopio.

12

Era una gloriosa mañana de cielo azul despejado y cristalino. Las montañas violáceas de puntas recortadas como con sierra, parecían cristales de amatista bañados en luz dorada.

Una muchedumbre expectante se había formado junto al portón del edificio. Había gente de todas las edades y de todos los estratos sociales: mecánicos, científicos espaciales, amas de casa, presidentes de corporaciones, estudiantes de secundaria, profesores universitarios. A todos se los veía entusiasmados, contentos y relucientes de salud. La atmósfera era festiva.

Beau salió de la casa con Rey a su lado, descendió los escalones, caminó unos quince metros y luego se volvió. Lo que vio lo complació. Durante la noche habían hecho una gran bandera que ocupaba todo el ancho del frente del edificio. Decía: Instituto para un Nuevo Comienzo... ¡Bienvenidos!

Beau paseó la mirada alrededor de la extensión del predio. Había hecho un avance extraordinario en veinticuatro horas. Lo alegraba el hecho de no tener necesidad de dormir sino de a breves ratos. De otro modo no hubiese sido posible.

A la sombra de los árboles o por las praderas moteadas de sol, se veían docenas de perros de diversas razas. Casi todos eran de gran tamaño y ninguno llevaba correa. Beau vio que estaban alertas como centinelas y se alegró.

Con pasos ligeros volvió al porche a reunirse con Randy.

157

—Bueno, listo —anunció Beau—. Ya podemos comenzar.

—Qué día para la Tierra —dijo Randy.

—Que pase el primer grupo —dijo Beau—. Los haremos empezar por el salón de baile.

Randy sacó su teléfono celular, marcó y ordenó a uno de sus empleados que abriera la puerta. Instantes después, Randy y Beau oyeron vivas lanzados al aire cristalino de la mañana. Desde donde estaban no era posible ver el portón, pero se oían los gritos de la gente al entrar.

Con desmedido entusiasmo, la gente avanzó hacia la casa y formó un semicírculo espontáneo alrededor del porche.

Beau extendió la mano como un general romano y de inmediato la multitud hizo silencio.

—¡Bienvenidos! —gritó Beau—. ¡Este es el Nuevo Comienzo! Todos ustedes son testigos de que compartimos los mismos pensamientos y la misma visión. Todos sabemos lo que tenemos que hacer. ¡Hagámoslo, entonces!

Se oyeron vivas y aplausos. Beau se volvió hacia Randy, que sonreía. Él también estaba aplaudiendo. Con un gesto, Beau invitó a Randy a entrar y luego lo siguió.

—Qué momento eléctrico —comentó Randy mientras se dirigían al salón de baile.

—Es como ser la esencia de un gran organismo —asintió Beau.

Los dos hombres entraron en el amplio y soleado salón y se quedaron parados a un costado. La gente los siguió y comenzó a llenar el lugar. Luego, respondiendo a una señal, no vista ni oída, comenzaron a desmantelarlo.

Cassy dejó escapar un suspiro silencioso de alivio cuando se encontró delante de Jonathan al abrir éste la puerta principal de su casa. Temiendo lo peor, había esperado encontrarse con Nancy Sellers de entrada.

—¡Señorita Winthrope! —exclamó Jonathan con una mezcla de sorpresa y alegría.

—Me reconoces fuera de la escuela —dijo Cassy—. No lo puedo creer.

—Claro que la reconozco —exclamó Jonathan, controlándose para que su mirada no bajara del cuello de Cassy—. Pase.

—¿Están tus padres? —preguntó Cassy.

—Mi madre solamente.

Cassy observó el rostro del muchacho. Con el pelo muy rubio caído sobre la frente y los ojos tímidos y nerviosos, estaba igual que siempre. Su vestimenta también era lógica. Tenía puesto un buzo enorme y un par de bermudas.

—¿Cómo está Candee? —preguntó Cassy.

—No la he visto desde ayer.

—¿Qué hay de sus padres?

Jonathan soltó una risa sarcástica.

—Están relocos. Mi madre habló con la mamá de Candee, pero fue como si nada.

—¿Y tu mamá? —inquirió Cassy—. Trataba de mirar a Jonathan a los ojos, pero era como seguir una pelota de ping-pong durante un partido.

—Mi mamá está bien. ¿Por qué?

—Mucha gente se está comportando extrañamente, en los últimos días. Como los padres de Candee y el señor Partridge, digo.

—Sí, ya sé —asintió Jonathan—. Pero mi mamá no.

—¿Y tu papá?

—También está bien.

—Qué suerte —dijo Cassy—. Bueno, voy a aceptar tu invitación para entrar. Vine a hablar con tu madre.

Jonathan cerró la puerta y luego gritó a voz en cuello que había visitas. El grito retumbó por la casa y Cassy dio un respingo. A pesar de su fingida calma, estaba tensa como la cuerda de una guitarra.

—¿Quiere agua o algo para tomar? —le ofreció Jonathan.

Antes de que Cassy pudiera responder, apareció Nancy Sellers junto a la baranda del segundo piso. Tenía puestos jeans claros y una blusa suelta.

—¿Quién es, Jonathan? —preguntó. Veía a Cassy, pero por efecto de la luz del sol sobre el pozo de la escalera, la cara de Cassy quedaba en sombras.

Jonathan gritó quién era e hizo un gesto a Cassy para que lo siguiera a la cocina. Nancy apareció no bien ella se había sentado.

—Qué sorpresa —dijo Nancy—. ¿Puedo ofrecerle café?

—Gracias —dijo Cassy. Observó a Nancy mientras ésta buscaba la cafetera. Al parecer, su aspecto y comportamiento eran los mismos que cuando la había conocido.

Cassy comenzaba a relajarse cuando Nancy extendió el

brazo para servirle café. En el dedo índice tenía una bandita autoadhesiva y Cassy sintió que se le aceleraba el pulso. Si había algo que no quería ver eran heridas de ningún tipo en las manos.

—¿A qué debemos esta visita? —preguntó Nancy, mientras se servía media taza de café.

Cassy se atragantó con las palabras.

—¿Qué le pasó en el dedo?

Nancy miró la bandita autoadhesiva como si acabara de aparecer.

—Un cortecito.

—¿Con algún utensilio de cocina? —inquirió Cassy.

—¿Tiene alguna importancia, acaso? —repuso Nancy, mirándola de lleno.

—Bueno... —vaciló Cassy—. Sí, la tiene. Tiene mucha importancia.

—Ma, la señorita Winthrope está preocupada por la gente que está cambiando —le dijo Jonathan, saliendo nuevamente en ayuda de Cassy—. Como la madre de Candee, entiendes. Ya le conté que hablaste con ella y que te pareció que estaba totalmente desquiciada.

—¡Jonathan! —exclamó la madre con aspereza—. Tu padre y yo dijimos que no íbamos a hablar de los Taylor fuera de casa. Al menos hasta que...

—No creo que pueda esperar —interrumpió Cassy. El arrebato de Nancy la había alentado a creer que ella no estaba infectada. —La gente está cambiando por toda la ciudad. No son solamente los Taylor. Tal vez hasta pueda estar sucediendo en otras ciudades, no sabemos. Empieza con una enfermedad que parece gripe y, por lo que sabemos, es transmitida por unos pequeños discos negros que tienen la capacidad de pinchar las manos de las personas.

Nancy se quedó mirándola.

—¿Está hablando de un disco negro con una especie de joroba en el medio, de unos cuatro centímetros de diámetro?

—Exactamente —corroboró Cassy—. ¿Ha visto alguno? Mucha gente los tiene.

—La madre de Candee trató de darme uno —respondió Nancy—. ¿Por eso me preguntó por la bandita autoadhesiva?

—Cassy asintió.

—Fue con un cuchillo —la tranquilizó Nancy—. Quise cortar un trozo de pan algo recalcitrante.

—Lamento mostrarme tan suspicaz —se disculpó Nancy.

—Es comprensible, supongo —replicó Nancy—. ¿Pero para qué vino?

—A pedirle ayuda —explicó Cassy—. Somos un grupo, un grupito que hemos estado tratando de dilucidar qué pasa. Pero necesitamos ayuda. Obtuvimos líquido de uno de los discos, y como usted es viróloga, ha de saber qué hacer con él. Tenemos miedo de utilizar el laboratorio del hospital, porque creemos que muchos empleados se han infectado.

—¿Creen que es un virus? —la interrogó Nancy.

Cassy se encogió de hombros.

—No soy médica, pero la enfermedad se parece a la gripe. Tampoco sabemos nada de los discos negros. Por eso pensamos que su marido podría ayudar. No sabemos cómo funcionan ni de qué están hechos.

—Tendré que hablarlo con mi marido —dijo Nancy—. ¿Cómo puedo comunicarme con ustedes?

Cassy le dio el teléfono del departamento del primo de Pitt, donde había dormido la noche anterior. También le dio el número directo de la doctora Sheila Miller.

—Muy bien —dijo Nancy—. Llamaré en algún momento del día de hoy.

Cassy se puso de pie.

—Gracias, y como ya le dije, los necesitamos. Este problema se está esparciendo como una plaga.

La calle estaba oscura, la única iluminación provenía de los faroles muy separados entre sí. Desde la distancia se acercaban dos hombres, paseando a dos grandes perros ovejeros alemanes. Tanto los hombres como los perros se comportaban como si estuvieran patrullando la calle. Sus cabezas se movían constantemente de lado a lado, como para buscar y escuchar.

Apareció un automóvil negro y se detuvo. La ventanilla se abrió y apareció el rostro pálido de una mujer. Los dos hombres la miraron, pero nadie habló. Era como si estuvieran sosteniendo una conversación sin necesidad de palabras. Minutos después, la ventanilla se cerró silenciosamente y el automóvil se alejó.

Los dos hombres reanudaron la caminata y cuando los ojos de uno de ellos pasaron por la línea de visión de

Jonathan, a éste le pareció ver un brillo, como si los ojos estuvieran reflejando una fuente de luz que no estaba a la vista.

Jonathan se apartó pensativamente de la ventana y dejó que la cortina volviera a su lugar. No sabía si el hombre de la calle lo había visto o no.

Un instante después, Jonathan abrió cuidadosamente con un dedo las cortinas por la unión del centro y espió por una diminuta ranura. Como estaba en una habitación a oscuras, no temía ser visto.

Los hombres y los perros seguían caminando igual que antes. Jonathan dejó escapar un suspiro de alivio. No lo habían visto.

Soltó la cortina, salió del baño y fue a la sala a reunirse con los demás. Sus padres y él habían ido al departamento donde se estaban alojando Cassy y su amigo Pitt. Era amplio, tenía tres dormitorios y pertenecía a un complejo de edificios con jardines. En la sala había llamativas peceras y plantas tropicales.

Jonathan pensó en contarles a todos lo que acababa de ver, pero estaban demasiado concentrados. Todos menos su padre. Él estaba de pie, apartado del grupo, con el codo apoyado sobre la repisa de la chimenea. Jonathan reconoció su expresión. Era una de condescendencia, como la que ponía cuando Jonathan le pedía ayuda con matemática.

Jonathan había saludado a todos los demás. Al policía negro lo había visto antes y le había causado buena impresión. Había ido a la escuela el otoño anterior para el día de las profesiones. A la doctora Sheila Miller no la conocía, pero le inspiraba temor. Con excepción del pelo rubio, le recordaba a la bruja de la película de Blancanieves que sus padres le habían hecho ver cuando era niño. No había nada femenino en ella, a diferencia de Cassy. Las uñas largas tampoco lograban el efecto deseado, sobre todo porque estaban pintadas de un color más bien oscuro.

Pitt, el amigo de Cassy, era un buen tipo, aunque le inspiraba un poco de celos por su relación con Cassy. Jonathan no sabía si estaban saliendo, exactamente, pero al parecer, vivían allí en ese departamento. Jonathan deseó tener un físico como Pitt y tal vez hasta pelo oscuro, si eso era lo que le gustaba a Cassy.

Sheila carraspeó.

—Bien, resumamos, entonces —dijo—. Lo que tenemos entre manos es un agente infeccioso que infectó rápidamente a conejillos de Indias, pero los animales no produjeron microorganismos detectables, específicamente, ningún virus. La enfermedad no se transmite por aire, porque en ese caso estaríamos todos infectados. Al menos yo lo estaría seguro, puesto que prácticamente he vivido dentro de la Sala de Emergencias, que hace días que está llena de gente infectada que no hace otra cosa que toser y estornudar.

—¿Inoculó algunos cultivos de tejidos? —preguntó Nancy.

—No —respondió Sheila—. No me considero lo suficientemente experimentada como para ese tipo de trabajo.

—¿De manera que usted piensa que la enfermedad solamente se transmite parenteralmente? —dijo Nancy.

—Así es —repuso Sheila—. A través de uno de estos discos negros.

Los dos discos estaban adentro de un recipiente plástico sin tapa, sobre la mesa ratona. Nancy tomó un tenedor y comenzó a empujarlos para examinarlos. Luego trató de voltear uno, pero como era imposible, se rindió.

—No imagino cómo una de estas cosas puede pinchar a alguien. Su superficie es tan uniforme.

—Pero pinchan, decididamente —le aseguró Cassy—. Lo vimos.

—Se abre una ranura en el borde —explicó Jesse, tomando el tenedor para señalar—, y sale una aguja como de cromo.

—Pero no veo dónde podría haber una ranura —objetó Nancy.

Jesse se encogió de hombros.

—A nosotros también nos tiene desconcertados.

—La enfermedad no tiene antecedentes —prosiguió Sheila, dando rumbo nuevamente a la conversación—. En los síntomas se parece a la gripe, pero el período de incubación es de solamente unas horas después de la inoculación. El curso también es breve y autolimitado, nuevamente, a unas pocas horas, excepto para personas con males crónicos como diabetes. Lamentablemente, esos pacientes mueren casi en forma instantánea.

—Y para los que padecen enfermedades de la sangre —añadió Jesse en memoria de Alfred Kinsella.

163

—Es cierto —concordó Sheila.

—Y tampoco, hasta ahora, se ha podido aislar ningún virus de influenza en alguno de los infectados —acotó Pitt.

—Sí, es cierto, también —corroboró Sheila—. Y lo más extraordinario y perturbador de la enfermedad es que después de la recuperación, la personalidad de la persona cambia. Hasta alegan sentirse mejor que antes de estar enfermos. Y comienzan a hablar de problemas ecológicos. ¿No es así, Cassy?

Cassy asintió.

—Descubrí a mi novio afuera, en la mitad de la noche, conversando con desconocidos. Cuando le pregunté de qué habían hablado, me respondió: "Del medio ambiente". Al principio pensé que estaba bromeando, pero no era así.

—Joy Taylor me dijo que con su marido estaban asistiendo a reuniones sobre medio ambiente todas las noches —dijo Nancy—. Y me sacó el tema de la destrucción de las selvas.

—¡Paren un momento! —dijo Eugene—. Como científico, debo decir que no oigo más que anécdotas y cosas que se han dicho u oído. Me parece que se están saliendo de cauce.

—No es cierto —se defendió Cassy—. Vimos abrirse el disco y vimos la aguja. Hasta vimos cómo se pinchaban algunas personas.

—Eso no es lo importante —dijo Eugene—. No tienen pruebas científicas de que los pinchazos hayan causado la enfermedad.

—No tenemos demasiadas pruebas, pero los conejillos de Indias se enfermaron —dijo Sheila—. De eso no queda ninguna duda.

—Hay que establecer la causalidad en circunstancias controladas —dijo Eugene—. Eso es el método científico. De otro modo no se puede hablar de nada salvo en términos vagamente generales. Se necesitan pruebas que se puedan reproducir.

—Tenemos los discos negros —dijo Pitt—. No son trozos de nuestra imaginación.

Eugene se apartó de la repisa y se inclinó para observar los dos discos.

—Déjenme que comprenda: ustedes alegan que en esta cosita sólida se formó una ranura donde no hay uniones ni pruebas microscópicas de aberturas.

—Sé que parece una locura —dijo Jesse—. Yo tampoco lo hubiera creído si no lo hubiésemos visto todos juntos. Fue como si se abriera un cierre relámpago y luego se soldara a sí mismo.

—Se me acaba de ocurrir otra cosa —dijo Sheila—. En el hospital tuvimos un caso extraño. Un hombre de mantenimiento murió con un inexplicable agujero circular en la mano. La habitación donde lo encontraron estaba toda retorcida y deformada. Lo recuerda, Jesse. Usted estuvo allí.

—Por supuesto que lo recuerdo —dijo Jesse—. Se habló de radiactividad, pero nunca encontramos nada.

—Esa fue la habitación donde estuvo mi novio —interpuso Cassy.

—Si ese episodio está relacionado con esta gripe y los discos negros, el problema es mayor de lo que pensábamos.

Todos menos Eugene, que había vuelto a apoyarse en la repisa, contemplaron los discos negros, sintiéndose escépticos respecto de lo que sus mentes les decían. Finalmente, Cassy habló.

—Intuyo que todos estamos pensando lo mismo, pero no nos atrevemos a decirlo. Así que lo voy a decir yo. Tal vez estos discos no sean de por aquí. Ni de este planeta, quiero decir.

Se oyó un suspiro impaciente de Eugene, pero los demás recibieron el comentario en absoluto silencio. Los únicos sonidos que se percibían en la sala era el de la respiración y el de un reloj de pared. Afuera, un automóvil distante hizo sonar la bocina.

—Ahora que lo pienso —dijo Pitt por fin—, la noche antes de que Beau encontrara uno de estos discos, mi televisor estalló. Es más, muchos de nosotros perdimos televisores, radios, computadoras, todo tipo de equipos electrónicos, si es que estaban encendidos en ese momento.

—¿A qué hora fue eso? —preguntó Sheila.

—A las diez y cuarto de la noche —le informó Pitt.

—¡Fue cuando se me quemó la videograbadora! —exclamo Sheila.

—Y a mí, la radio —acotó Jonathan.

—¿Qué radio? —dijo Nancy. Era la primera vez que lo oía.

—La radio de Tim, quiero decir —se corrigió Jonathan.

—¿Piensa que todos esos episodios podrían estar relacionados con los discos negros? —preguntó Pitt.

—Es una idea —respondió Nancy—. Eugene, ¿encontraron explicación para esa repentina sobrecarga de ondas?

—No —admitió Eugene—. Pero no utilizaría ese hecho para apoyar teorías alocadas.

—No sé —caviló Nancy—. Diría que lo vuelve algo sospechoso.

—¡Guau! —exclamó Jonathan—. Eso significaría que estamos hablando de un virus extraterrestre. ¡Genial!

—¡Genial, nada! —lo reprendió Nancy—. Sería aterrador.

—Calma, todo el mundo —los previno Sheila—. No dejemos volar la imaginación. Si empezamos a sacar conclusiones y a hablar de la cepa Andrómeda, nos va a costar mucho más conseguir ayuda.

—Es lo que estaba tratando de decirles —afirmó Eugene—. Empiezan a parecer un montón de locos delirantes.

—Venga de donde viniere esta enfermedad, ya sea de la Tierra o del espacio, ahora está aquí —se impacientó Jesse—. Pienso que no deberíamos estar discutiendo, sino tratando de averiguar qué es y qué se puede hacer al respecto. No me parece buena idea desperdiciar tiempo, porque si se está desparramando tan rápido como creemos, podría ser demasiado tarde, ya.

—Concuerdo totalmente con usted —declaró Sheila.

—Aislaré el virus si está en la muestra —dijo Nancy—. Puedo usar mi laboratorio. Nadie me pregunta qué hago. Una vez que tengamos el virus podremos presentar el caso y llegar hasta Washington y el inspector general de Sanidad.

—Si es que él no se contagia también antes de que le hagamos llegar la información —se preocupó Cassy.

—Eso sí que sería terrible —acotó Nancy.

—Bueno, no tenemos alternativa —declaró Sheila—. Eugene tiene razón en cuanto a que si empezamos a hacer llamadas ahora sin pruebas más concretas que chismes y conjeturas, nadie nos va a creer.

—Comenzaré a aislar el virus por la mañana —prometió Nancy.

—¿Podría ayudar en algo? —preguntó Pitt—. Tengo una

especialización en química, pero cursé microbiología y trabajé en el laboratorio del hospital.

—Sí, claro —respondió Nancy—. He visto mucha gente comportándose extrañamente en Serotec. No sabría en quién confiar.

—Me gustaría ofrecer ayuda para descubrir qué son los discos —dijo Jesse—, pero no sabría por dónde empezar.

—Los llevaré a mi laboratorio —dijo Eugene—, aunque más no sea para demostrarles a ustedes, alarmistas, que no provienen de Andrómeda.

—No vaya a tocar el borde —le recomendó Jesse.

—No se preocupe por eso —dijo Eugene—. Podemos manipularlos desde una distancia, como si fueran radiactivos.

Es una pena que no podamos hablar directamente con ninguno de los infectados —acotó Jonathan—. Si pudiéramos preguntarles qué está pasando. Ellos han de saberlo.

—Podría ser peligroso —dijo Sheila—. Tenemos motivos para creer que están reclutando gente activamente. Quieren que nos infectemos todos. Hasta pueden llegar a vernos como enemigos.

—Están reclutando y cómo —declaró Jesse—. Creo que el jefe de policía está buscando miembros del escuadrón que todavía no han tenido la gripe.

—Podría ser peligroso, pero también revelador —comentó Cassy. Se quedó mirando el vacío, mientras la mente le funcionaba a toda velocidad.

—¡Cassy! —exclamó Pitt—. ¿En qué estás pensando? No me gusta tu expresión.

13

06:30

—Estas personas están conmigo —dijo Nancy Sellers.
Nancy, Sheila y Pitt estaban delante del escritorio de seguridad nocturna de Serotec Farmacéutica. El guardia estaba revisando su tarjeta de identificación. Nancy ya se la había mostrado al guardia del portón antes de pasar a la playa de estacionamiento.

—¿Ustedes dos tienen algún documento de identidad con fotografía? —preguntó el hombre a Sheila y Pitt. Ambos sacaron su licencia de conducir, cosa que satisfizo al hombre. El trío se dirigió al ascensor.

—Los de seguridad están todavía sensibles después del asunto del suicidio —explicó Nancy.

Los había traído allí tan temprano para evitar a los demás empleados. Y había salido bien. Hasta ahora, no había llegado nadie. Todo el cuarto piso estaba vacío. Era el piso reservado enteramente para investigación biológica. Incluso había, en una esquina, un pequeño sector de animales para ser utilizados en los experimentos.

Nancy destrabó la puerta de su laboratorio privado y luego de que entraran todos, la cerró con llave. No quería interrupciones ni preguntas.

—Muy bien —dijo Nancy—. Vamos a ponernos trajes de protección y capuchas de nivel tres, que nadie se sacará mientras hagamos el trabajo. ¿Alguna pregunta?

Ni Sheila ni Pitt dijeron nada.

Nancy los llevó a una habitación lateral que tenía cubículos para cambiarse. Les dio la ropa adecuada y los tres se cambiaron.

Cuando se volvieron a reunir en el salón principal, Nancy dijo:

—Bien, veamos las muestras.

Sheila sacó el frasco de crema para café que contenía el trocito de secante. También presentó varias muestras de sangre de gente que había tenido la gripe. Las muestras habían sido extraídas en diversas etapas de la enfermedad.

—Listo —anunció Nancy frotándose las manos enguantadas—. Primero voy a mostrarles cómo inocular un cultivo de tejido.

—¿De dónde diablos sacó esto? —preguntó Carl Maben a su jefe, Eugene Sellers. Carl estaba preparando su doctorado y también trabajaba en el Departamento de Física.

Con las cejas arqueadas, Eugene echó una mirada a Jesse Kemper, a quien había invitado a observar el análisis de uno de los discos negros. Jesse les dijo que se lo habían quitado a un individuo al que habían arrestado por conducta indecente.

Tanto Eugene como Carl expresaron interés.

—No conozco los detalles —admitió Jesse.

Los dos hombres se mostraron decepcionados.

—Bueno, sé que lo habían arrestado por hacer el amor en el parque —dijo Jesse.

—¡Pero por Dios, los riesgos que corre la gente! —exclamó Carl—. Es peligroso caminar por el parque de noche, así que ni hablar de hacer el amor.

—Esto no fue de noche —explicó Jesse—. Fue a la hora del almuerzo.

—Han de haberse sentido avergonzadísimos —aventuró Eugene.

—Por el contrario —dijo Jesse—. Les molestó que los interrumpieran. Dijeron que la policía debía preocuparse más por los niveles crecientes de dióxido de carbono en el aire y el efecto invernadero resultante.

Eugene y Carl lanzaron una carcajada.

En cuanto Jesse contó la anécdota, le vino a la mente la conversación de la noche anterior sobre las preocupaciones de la gente infectada acerca de temas ambientales. No se le había ocurrido la posibilidad de que los amantes del mediodía fueran personas infectadas.

Volviendo su atención a la tarea que tenía entre manos, Carl dijo a Eugene:

—No creo que esto vaya a funcionar.

Detrás de una mampara de vidrio oscuro, estaban atacando uno de los discos negros con un rayo láser de alta potencia para desprender algunas moléculas. Un cromatógrafo de gas estaba listo para analizar el gas resultante. Lamentablemente, el láser no obtenía resultados.

—Muy bien, apáguenlo —dijo Eugene.

El brillante haz de luz coherente se extinguió de inmediato cuando cortaron la energía. Los dos científicos se quedaron mirando el disco.

—Qué superficie dura —comentó Carl—. ¿De qué cree que está compuesta?

—No lo sé —admitió Eugene—. Pero lo pienso averiguar. Si el que lo hizo no tiene patente, la voy a solicitar yo.

—¿Y ahora qué hacemos? —preguntó Carl.

—Utilicemos un taladro de diamante —propuso Eugene—. Después vaporizaremos los desprendimientos y dejaremos que el cromatógrafo de gas haga todo el resto.

Cassy se metió una pastilla antiácida en la boca al salir del edificio del aeropuerto y esperó el turno en la hilera de los taxis. Se había sentido ansiosa desde el momento en que había despertado esa mañana y cuanto más se acercaba a Santa Fe, peor se sentía. Y había empeorado las cosas tomando café en el avión. Ahora tenía el estómago hecho un nudo.

—¿Adónde va, señorita? —preguntó el conductor.

—¿Sabe algo de un Instituto para un Nuevo Comienzo? —preguntó Cassy.

—Pero claro —respondió el hombre—. Es nuevito nuevito, pero la mitad de mis pasajeros va allí. ¿La llevo, entonces?

—Sí, por favor.

Se apoyó contra el respaldo y miró pasar el paisaje. Pitt se había opuesto de plano a su idea de visitar a Beau, pero a Cassy se le había metido en la cabeza y no iba a ceder. Si bien admitía que podía haber algún peligro, como había predicho Sheila, no imaginaba que Beau pudiera querer hacerle daño de ninguna clase.

—Tengo que dejarla acá en el portón de entrada —explicó el conductor cuando llegaron a los límites de la propiedad del instituto—. No les gusta que haya contaminación de automóviles cerca de la casa. Pero no es lejos; unos doscientos metros, nada más.

Cassy pagó la tarifa y descendió. Era un sitio prístino. Había una cerca blanca, como si fuera un establecimiento de cría de caballos. También había una puerta delante del sendero de entrada, pero estaba entreabierta.

Dos hombres bien vestidos, aproximadamente de la edad de Cassy, estaban de pie a cada uno de los costados. Se los veía bronceados y de aspecto saludable. Los dos estaban sonriendo y cuando Cassy se acercó, la sonrisa no cambió. Era como si sus rostros estuvieran congelados en una expresión de alegría.

Aunque las sonrisas parecían falsas, los dos hombres se mostraron cordiales. Cuando Cassy dijo que tenía esperanzas de ver a Beau Stark, dijeron que comprendían perfectamente y le indicaron que caminara hasta la casa.

Algo turbada por este extraño intercambio, Cassy siguió el serpenteante camino de entrada bordeado de árboles. A ambos lados, bajo la sombra de las ramas, de tanto en tanto, veía perros de gran tamaño. Si bien todos los perros se volvieron a mirarla, ninguno la molestó.

Cuando las sombras de los pinos cedieron su lugar a los amplios jardines que rodeaban la mansión, Cassy quedó impresionada a pesar de sus ansiedades. Lo único que resultaba chocante en la bellísima escena era la enorme bandera que ocupaba todo el ancho de la entrada.

En cuanto Cassy comenzó a subir los escalones, apareció una mujer de aproximadamente su misma edad. Ostentaba la misma sonrisa que los hombres de la entrada. Desde adentro de la casa Cassy oyó ruidos de construcción.

—Vine a ver a Beau Stark —dijo Cassy.

—Sí, lo sé —respondió la mujer—. Sígueme, por favor.

La mujer bajó los escalones y dio la vuelta alrededor de la gigantesca mansión.

—Hermosa casa —comentó Cassy, para sacar tema de conversación.

—¿Sí, no es cierto? —repuso la mujer—. Y pensar que esto es solamente el comienzo. Estamos todos tan emocionados y entusiasmados.

La parte trasera de la casa estaba dominada por una gran terraza con pérgolas cubiertas de enredaderas. Más allá, una piscina. Al borde de la piscina había una gran sombrilla en una mesa para ocho. Beau estaba sentado en la cabecera. A unos seis metros estaba tendido Rey.

Mientras se acercaba, Cassy estudió a Beau. Había que admitir que se lo veía fantástico. Es más, mejor que nunca. El pelo grueso tenía un brillo excepcional y la piel de la cara le relucía como si acabara de darse un refrescante baño de mar. Estaba prolijamente vestido con una vaporosa camisa blanca. El resto de las personas llevaba traje y corbata, incluidas las dos mujeres.

Había varios atriles armados para sostener grandes resmas de papel. Las hojas expuestas contenían esquemas extraños y ecuaciones incomprensibles. Papeles similares estaban desparramados sobre la mesa. Media docena de computadoras portátiles zumbaban enérgicamente.

Cassy nunca se había sentido tan insegura en su vida. Cuanto más se acercaba a Beau, más crecía su ansiedad. No tenía idea de lo que le iba a decir. Lo que empeoraba las cosas era que, además, iba a interrumpir una reunión con personas de aspecto importante. Todos eran mayores que Beau y parecían abogados o médicos.

Pero antes de que Cassy llegara a la mesa, Beau se volvió hacia ella, esbozó una sonrisa enorme al reconocerla y se puso de pie de un salto. Sin decir una palabra a los demás, corrió hacia Cassy y le tomó las manos. Los ojos azules resplandecían. Por un segundo, Cassy sintió que se le aflojaban las piernas. Podría haberse zambullido dentro de esas enormes pupilas negras.

—Me alegro tanto de que hayas venido —dijo Beau—. Tenía tantas ganas de hablarte.

Las palabras de Beau sacaron a Cassy de su vahído momentáneo.

—¿Por qué no me llamaste? —era una pregunta que no se había atrevido a hacerse a sí misma hasta ese momento.

—Estuve ocupadísimo —explicó Beau—. Veinticuatro horas por día, sin parar. Créeme.

—Tengo suerte de poder verte, supongo —dijo Cassy. Echó una mirada al grupo de la mesa que esperaba pacientemente. Igual que Rey, que se había incorporado y estaba sentado. —Te has convertido en un hombre importante, por lo que puedo ver.

—Tengo responsabilidades, sí —admitió Beau. La guió unos pasos más lejos del grupo y luego señaló la casa. Su otra mano no había soltado la de Cassy.

—¿Qué te parece? —preguntó con orgullo.

—Estoy un poco abrumada —dijo Cassy—. No sé qué pensar.

—Lo que ves aquí es sólo el comienzo. Solamente la punta del témpano. ¡Es tan emocionante!

—¿El comienzo de qué? —preguntó Cassy—. ¿Qué están haciendo aquí?

—Vamos a arreglar todo —declaró Beau—. ¿Recuerdas que en los últimos seis meses te dije que iba a desempeñar un papel importante en el mundo si conseguía un empleo con Randy Nite? Bueno, está sucediendo ahora y de un modo que nunca hubiera imaginado. Beau Stark, el chico de Brookline, va a ayudar a llevar al mundo a un Nuevo Comienzo.

Cassy miró directamente dentro de las profundidades de los ojos de Beau. Sabía que él estaba allí adentro. Si sólo pudiera encontrarlo detrás de esa fachada megalómana. Bajó la voz y sin apartar los ojos de los de Beau, dijo:

—Sé que no eres tú el que habla, Beau. No eres el que está haciendo esto. Algo... algo te está controlando.

Beau echó la cabeza hacia atrás y lanzó una carcajada.

—¡Ay, Cassy! —exclamó—. Siempre tan escéptica. Créeme, nadie me está controlando. Soy solamente Beau Stark. El mismo tipo que te ama y al que amas tú.

—Beau, de verdad te amo —declaró Cassy con repentina vehemencia—. Y creo que tú me quieres a mí. Por todo ese amor, vuelve a casa conmigo. Ven al Centro Médico. Hay una doctora que quiere examinarte y averiguar qué te ha hecho cambiar. Ella cree que comenzó con esa gripe que tuviste. ¡Por favor, Beau, lucha contra esa cosa que tienes adentro!

A pesar de la decisión de Cassy de mantenerse serena, la emoción la embargó y las lágrimas le cayeron por las mejillas. No había querido llorar, pero fue imposible contener el llanto.

—Te quiero de verdad —balbuceó.

Beau le secó las lágrimas de la comisura de los ojos y la miró con verdadero amor. La atrajo hacia él y la abrazó, apretando su cara contra la de ella.

Al principio Cassy se resistió. Pero al sentir los brazos fuertes de Beau alrededor de su cuerpo, se aflojó. Lo abrazó ella también y cerró los ojos. No quería soltarlo, quería quedarse así para siempre.

—Yo también te amo —susurró Beau. Sus labios le rozaban la oreja. —Y quiero que te unas a nosotros, porque no podrás detenernos. ¡Nadie podrá hacerlo!

Cassy se puso rígida. Oír las palabras de Beau fue como sentir que le clavaban un puñal en el corazón. Abrió los ojos. Con la cara todavía apretada contra la de él, vio la forma borrosa de su oreja. Pero lo que hizo que se le helara la sangre fue un pequeño trozo de piel detrás de la oreja que tenía un color gris azulado. Levantó una mano y sus dedos tocaron la zona. Era áspera, casi escamada en su textura, y estaba fría. ¡Beau estaba sufriendo mutaciones!

Horrorizada y asqueada, Cassy trató de liberarse de su abrazo, pero él la mantuvo apretada contra su cuerpo. Tenía más fuerza de lo que ella recordaba.

—Pronto te nos unirás, Cassy —susurró Beau, sin notar sus esfuerzos por soltarse—. ¿Por qué no hacerlo ahora? Por favor, di que sí.

Con un cambio brusco de tácticas, Cassy dejó de tratar de apartarse de Beau. Se deslizó debajo de sus brazos y cayó al suelo. Pero se levantó de inmediato. El amor y la preocupación se habían convertido en terror. Dio varios pasos hacia atrás; lo único que frenó su huida fueron las lágrimas que se habían formado en los ojos de Beau.

—¡Por favor! —suplicó Beau—. ¡Únete a nosotros, mi amor!

Cassy se resistió al inesperado despliegue de emoción de Beau y corrió por debajo de la pérgola más cercana, en dirección al extremo de la casa.

La mujer que la había recibido en el porche, dio un paso adelante. Durante la conversación que habían sostenido Beau y Cassy, se había mantenido discretamente a un lado. Ahora sus ojos se toparon con los de Beau y ella hizo un gesto con la cabeza en dirección a la figura de Cassy, que se alejaba cada vez más.

Beau comprendió el significado del gesto. Estaba preguntando si sería necesario enviar a alguien detrás de Cassy. Vaciló, debatiéndose consigo mismo. Finalmente sacudió la cabeza y volvió a reunirse con los hombres y mujeres que lo estaban esperando.

Como ya había conseguido casi todas las cosas que estaban en la lista de compras, Jonathan se premió cargando varios envases de Coca-Cola y enfilando luego hacia las góndolas de papas fritas. Eligió las clases que más le gustaban y siguió hacia el sector de carnes, pero se topó súbitamente con el carrito de Candee.

—¡Por Dios, Candee! —exclamó—. ¿Dónde estabas? Te llamé veinte veces.

—Jonathan —exclamó Candee, feliz—. ¡Qué alegría verte! Te extrañé.

—¿En serio? —se maravilló Jonathan. No pudo dejar de notar lo fantástica que se la veía. Tenía puesta una minifalda y una ajustada remera sin mangas. Se podía apreciar cada una de las curvas de su tenso cuerpito.

—¡Uy, sí! —declaró Candee—. Estuve pensando en ti un montón.

—¿Por qué no fuiste a la escuela? —quiso saber Jonathan—. Te busqué.

—Yo también te estuve buscando —repuso Candee.

Jonathan logró dominar sus ojos para que subieran hasta la cara de duende de Candee. Fue entonces cuando notó su sonrisa. Había algo anormal en ella, aunque no podía decir bien de qué se trataba.

—Quería contarte que estaba equivocada respecto de ellos —declaró Candee—. Totalmente equivocada.

Antes de que Jonathan pudiera responder a esa explosiva declaración, aparecieron los padres de Candee por el pasillo y se ubicaron detrás de su hija. Su padre, Stan, apoyó las manos sobre los hombros de Candee y sonrió.

—Bueno, es realmente una belleza ¿no te parece? —exclamó, orgulloso—. Y como aliciente adicional, tiene genes saludables en los ovarios.

Candee miró a su padre con adoración.

Jonathan desvió la mirada. Sentía ganas de vomitar. Esa gente merecía estar en un zoológico.

—Te echamos de menos en casa —dijo Joy, la madre de Candee—. ¿Por qué no vienes esta noche? Nosotros, los adultos, vamos a tener una reunión, pero ustedes podrán pasar buenos momentos juntos.

—Sí, bueno, me parece una buena idea —dijo Jonathan. Sentía un ligero pánico, pues Joy se había puesto a su lado y lo tenía acorralado contra las estanterías. Candee y Stan le bloqueaban la huida hacia adelante.

—¿Podemos contar contigo? —preguntó Joy.

Jonathan dejó que sus ojos fueran más allá de la cara de Candee. Ella seguía con la misma sonrisa y Jonathan se dio cuenta de lo que le resultaba anormal. Era falsa. La clase de sonrisa que esboza la gente cuando se obliga a sonreír. No era el reflejo de un sentimiento interno.

—Esta noche tengo muchísima tarea que hacer —dijo y comenzó a retroceder con su carro.

Joy contempló su carga de provisiones.

—Vaya, has comprado con mucho entusiasmo. ¿Tú también vas a tener una reunión en tu casa? Tal vez deberíamos ir nosotros allí.

—No, no —dijo Jonathan, nervioso—. No viene nadie, en absoluto, nada de eso. Son para comer delante de la televisión.

Se preguntó si ellos estarían enterados de la existencia del grupo.

Otra mirada a esas sonrisas y Jonathan sintió un escalofrío de miedo. Retrocedió abruptamente, hizo girar el carro, se disculpó por tener que irse y enfiló rápidamente hacia las filas de las cajas. Sentía los ojos de la familia Taylor en la espalda.

—Esta es la calle —dijo Pitt.

Estaba mostrándole a Nancy el camino al departamento de su primo, donde habían quedado en reunirse nuevamente. Sheila estaba en el asiento trasero de la furgoneta, aferrando un fajo de papeles.

Ya había oscurecido y se habían encendido las luces de la calle. Cuando se acercaban al complejo de edificios y jardines, Nancy aminoró.

—Está lleno de gente afuera —comentó.

—Es cierto —dijo Pitt—. Parece mediodía en el centro de la ciudad, más que noche en los suburbios.

—Comprendo a los que tienen perros —dijo Sheila—, ¿pero qué están haciendo los otros? Caminan sin rumbo.

—Qué raro —acotó Pitt—. Nadie habla con nadie, pero todos sonríen.

—Es verdad —asintió Sheila.

—¿Qué hago? —preguntó Nancy. Ya casi habían llegado a destino.

176

—Dé la vuelta a la manzana —sugirió Sheila—. Veamos si nos prestan atención.

Nancy aceptó la sugerencia. Cuando llegaron al punto de comienzo, ninguno de los transeúntes se volvió para mirarlos.

—Entremos —dijo Sheila.

Nancy estacionó y todos descendieron rápidamente. Pitt dejó que las mujeres fueran adelante. Para cuando llegó a la puerta de entrada común, ellas ya estaban subiendo por la escalinata interna. Pitt se volvió para mirar hacia la calle. Había tenido la sensación de que lo estaban observando, pero cuando contempló la zona, no vio a nadie mirándolo.

Cassy abrió la puerta al oír los golpecitos de Pitt. A él se le iluminó la cara con alivio.

—¿Cómo te fue en el viaje? —preguntó.

—No muy bien —respondió Cassy.

—¿Viste a Beau?

—Sí, lo vi —dijo Cassy—. Pero ahora no quiero hablar de eso.

—Bueno —repuso Pitt, para apoyarla. Se sentía preocupado. Se daba cuenta de que Cassy estaba muy consternada. La siguió hacia la sala.

—Me alegro de que hayan llegado todos, finalmente —dijo Eugene. Tenía la camisa de algodón celeste abierta en el cuello y llevaba la corbata floja. Sus ojos oscuros saltaban de una persona a otra. Estaba tenso y atento: un cambio radical del condescendiente aburrimiento de la noche anterior.

Sentados alrededor de la mesa ratona estaban Jesse, Nancy y Sheila. Sobre la mesa, estaban diseminados el recipiente de plástico con los dos discos negros y varios platos de papas fritas provenientes de la excursión de compras de Jonathan. Jonathan estaba en la ventana, espiando hacia afuera intermitentemente. Pitt y Cassy se sentaron.

—¡Carajo, ahí afuera está lleno de gente caminando! —exclamó Jonathan.

—Jonathan, cuida la boca —lo reprendió Nancy.

—Sí, los vimos —dijo Sheila—. No nos prestaron atención.

—Bueno, si me dedican su atención, por favor —exhortó Eugene—. Tuve un día interesante, por decirlo así. Carl y yo arrojamos todo nuestro arsenal contra el disco negro. Es increíblemente duro.

—¿Quién es Carl? —quiso saber Sheila.

—Mi asistente; está preparando su tesis para el doctorado —respondió Eugene.

—¿No quedamos en que todo esto quedaría entre nosotros? —dijo Sheila—. Por lo menos hasta que sepamos lo que tenemos entre manos.

—Carl es de confianza —repuso Eugene—. Pero tiene razón. Tal vez debí ponerme a trabajar solo. Tengo que admitir que sentía cierto escepticismo respecto de todo esto, pero ahora todo cambió.

—¿Qué descubrió? —preguntó Sheila.

—El disco no está hecho de ningún material natural —explicó Eugene—. Es una especie de polímero. En realidad, más parecido a una cerámica, pero no una verdadera cerámica, porque tiene un componente metálico.

—Hasta contiene diamante —acotó Jesse.

Eugene asintió.

—Diamante, silicona y una clase de metal que todavía no hemos identificado.

—¿Adónde quieren llegar? —preguntó Cassy.

—Lo que estamos diciendo es que está hecho de una sustancia que en este momento nos es imposible duplicar.

—Bueno, díganlo en el idioma fácil de una buena vez —interpuso Jonathan—. Es algo extraterrestre, eso es lo que quieren decir.

La realidad de la confirmación dejó anonadados a los miembros del grupo, aunque todos, excepto Eugene, habían estado esperando esa confirmación.

—Bueno, hoy nosotros también hicimos algunos avances —dijo Sheila y miró a Nancy.

—Localizamos un virus, en principio —explicó Nancy.

—¿Un virus extraterrestre? —preguntó Eugene, que se había puesto pálido.

—Sí y no —dijo Sheila.

—¡Ay, basta! —se quejó Jonathan—. Dejen de andar con vueltas. ¿Qué están sugiriendo?

—Desde mis investigaciones iniciales —explicó Nancy—, y aquí es necesario que ponga el énfasis en la palabra "iniciales", hubo un virus involucrado, pero no vino dentro de estos discos negros. No vino ahora hace unos días, quiero decir. El virus ha estado aquí largo tiempo; desde hace muchos, muchos años, porque está en todos los organismos que revisé hoy. Lo que deduje es que está en todos los organismos terrestres que tienen un genoma lo suficientemente grande como para alojarlo.

—¿Entonces no vino en estas navecitas espaciales? —preguntó Jonathan, en tono desilusionado.

—Si no es un virus ¿qué es el líquido infeccioso, entonces? —quiso saber Eugene.

—Es una proteína —dijo Nancy—. Algo parecido a un prion. ¿Recuerdan lo que causa la enfermedad de la Vaca Loca? No es exactamente igual, porque esta proteína reacciona con el ADN viral. De hecho, fue así como encontré tan fácilmente el virus. Usé la proteína como estimulante.

—Lo que pensamos es que la proteína desenmascara el virus —dijo Sheila.

—Entonces el síndrome gripal es el cuerpo que reacciona contra esa proteína —dedujo Eugene.

—Eso creemos —respondió Nancy—. La proteína es antígena y causa una especie de agresión inmunológica. Por eso se producen tantos linfocitos; son ellos los responsables de los síntomas.

—¿Y una vez que queda desenmascarado el virus, qué hace? —quiso saber Eugene.

—Esa pregunta nos va a llevar algo de trabajo —admitió Nancy—. Pero tenemos la impresión de que, a diferencia de un virus normal, que solamente se apodera de una única célula, este virus es capaz de apoderarse de un organismo entero, sobre todo del cerebro. Así que no se puede llamarlo solamente virus. Pitt tuvo una buena idea: lo llamó un megavirus.

Pitt se sonrojó:

—Fue una ocurrencia —explicó.

—Este megavirus aparentemente ha estado aquí desde antes de la evolución de los humanos —explicó Sheila—. Nancy lo encontró en un segmento altamente conservado de ADN.

—Un segmento que ha sido ignorado por los investigadores —prosiguió Nancy—. Es uno de esos segmentos que no codifican, o al menos eso cree la gente. Y es grande. Mide cientos de miles de pares de base.

—O sea que este megavirus ha estado esperando, simplemente —acotó Cassy.

—Eso es lo que creemos —dijo Nancy—. Tal vez alguna raza viral extraterrestre o una raza extraterrestre capaz de empaquetarse en una forma viral para viajar por el espacio visitó la Tierra hace miles de años, cuando la vida comenzaba a evolucionar. Se insertaron en el ADN como centinelas, esperando para ver qué clase de vida podía desarrollarse. Supongo que podían ser despertados intermitentemente por medio de estas navecitas espaciales. Lo único que necesitan es la proteína para ponerse en funcionamiento.

—Y ahora finalmente hemos evolucionado hasta convertirnos en algo donde les interesa habitar —dijo Eugene—. Quizá esa sea la respuesta al estallido de ondas radiales de la otra noche. Puede ser que estos discos puedan comunicarse con el lugar desde donde vinieron.

—Esperen, esperen —exclamó Jonathan—. ¿Quieren decir que yo ya tengo el virus adentro y que está como hibernando?

—Sí, es lo que creemos —respondió Sheila—, si es que nuestras impresiones iniciales resultan acertadas. La capacidad de expresión del virus está en nuestros genomas; es más o menos como los oncogenes, que tienen la capacidad de expresarse como cáncer. Ya sabemos que pedazos de virus se alojan en nuestro ADN. Este es simplemente un trozo entero.

La habitación quedó en absoluto silencio. Pitt se llevó una papa frita a la boca y el ruido que hizo al masticarla se oyó extraordinariamente alto. Miró a los demás cuando se dio cuenta de que todos tenían la vista fija en él.

—Perdón —dijo.

—Tengo el presentimiento de que estos así llamados megavirus no se conforman con hacerse cargo —dijo Cassy de pronto—. Me temo que tienen el poder de causar mutaciones en los organismos.

Ahora todas las miradas se posaron sobre ella.

—¿Cómo puedes saberlo? —preguntó Sheila.

—Porque hoy fui a ver a mi novio, Beau Stark —confesó Cassy.

—¡Qué imprudencia! —exclamó Sheila, indignada.

—Tuve que hacerlo —se defendió Cassy—. Era necesario que tratara de hablarle y convencerlo de que volviera y se dejara examinar.

—¿Le contaste de nosotros? —quiso saber Sheila.

Cassy sacudió la cabeza: pensar en la visita le daba ganas de llorar.

Pitt se levantó del sillón, fue a sentarse sobre el apoyabrazos del sillón de Cassy y le pasó un brazo alrededor de los hombros.

—¿Pero qué te hizo pensar en una mutación? —preguntó Nancy—. ¿Te refieres a mutación somática, a un cambio en su cuerpo, por ejemplo?

—Sí —afirmó Cassy y se tomó de la mano de Pitt—. La piel detrás de su oreja ha cambiado. No es piel humana. Es ... es algo que nunca toqué en mi vida.

Esta revelación produjo otro período de silencio. Ahora la amenaza parecía aun mayor. Un monstruo acechaba dentro de todos.

—Hay que tratar de hacer algo —dijo Jesse—. ¡Ya mismo!

—Opino igual —dijo Sheila—. No tenemos mucha información, pero algo tenemos.

—Sí y tenemos la proteína —agregó Nancy—. Aunque no sepamos mucho todavía sobre ella, es algo.

—Y también tenemos los discos con el análisis de composición preliminar —interpuso Eugene.

—El único problema es que no sabemos quién está infectado y quién no —dijo Sheila.

—Vamos a tener que correr ese riesgo —declaró Cassy.

Nancy se mostró de acuerdo:

—No tenemos opción. Juntemos todo lo que tenemos en un informe formal. Quiero tener algo en la mano. Un buen lugar para hacerlo es mi oficina de Serotec. Nadie nos molestará y tendremos acceso a procesadores de texto, impresoras y fotocopiadoras. ¿Qué les parece?

—Que el tiempo pasa —declaró Jesse y se puso de pie.

Eugene guardó el envase plástico con los discos en una mochila que también contenía informes impresos de los varios análisis que les había hecho. Se la colgó por encima del hombro y siguió a los demás hacia afuera.

Se apretujaron todos en la camioneta de los Sellers. Nancy condujo. Cuando se alejaron de la acera, Jonathan miró hacia atrás. Algunos peatones los estaban mirando, pero la mayoría no les prestaba atención.

Una hora después, el grupo entero estaba trabajando. Se dividieron las tareas según las habilidades de cada uno. Cassy y Pitt escribían en las computadoras con la ayuda técnica de Jonathan. Nancy y Eugene hacían copias de los resultados de sus pruebas. Sheila cotejaba los cuadros hechos con los cientos de casos de gripe. Jesse hablaba por teléfono.

—Creo que usted debería ser la vocera —dijo Nancy a Sheila—. Por su condición de médica.

—Sí, sin ninguna duda —concordó Eugene—. Será mucho más convincente. La respaldaremos brindando todos los detalles necesarios.

—Es una gran responsabilidad —dijo Sheila.

Jesse cortó la comunicación.

—Hay un avión que sale para Atlanta dentro de una hora y diez minutos. Reservé tres lugares. Supuse que irían solamente Sheila, Nancy y Eugene.

Nancy miró a Jonathan.

—Creo que Eugene o yo deberíamos quedarnos —dijo.

—¡Pero mamá! —se quejó Jonathan—. Me las voy a arreglar muy bien.

—Para mí es importante que vengan los dos —declaró Sheila—. Son ustedes los que hicieron las pruebas.

—Jonathan puede quedarse con nosotros —propuso Cassy.

A Jonathan se le iluminó el rostro.

Varios automóviles estacionaron frente al edificio de Serotec. Los peatones dejaron de deambular y se acercaron. Ayudaron a abrir las puertas. Del primer automóvil salió el capitán Hernández. Su conductor descendió por el otro lado. Era Vince Garbon. Del automóvil de atrás emergieron oficiales de civil y Candee y sus padres.

Los peatones se agruparon delante del capitán y señalaron las luces en las ventanas del cuarto piso. Informaron luego al capitán que todos los "no cambiados" se encontraban allí. El capitán asintió e hizo un ademán para que lo siguieran. Entraron todos juntos en el edificio.

Cassy había terminado de escribir y estaba de pie junto a la impresora que escupía hojas. Jonathan se ubicó a su lado.

—No entiendo por qué van a Atlanta —comentó—. ¿Por

qué no hablan con los funcionarios de Salud de aquí?

—Porque no sabemos de qué lado están —dijo Cassy—. El problema surgió aquí en esta ciudad y no podemos correr el riesgo de contarle todo lo que sabemos a alguien que podría ser uno de ellos.

—¿Pero y qué seguridad tenemos de que no esté pasando lo mismo en Atlanta? —preguntó Jonathan.

—Ninguna —dijo Cassy—. A esta altura, lo único que tenemos son esperanzas.

—Además —acotó Pitt, que había escuchado el intercambio—, el CCE es lo más indicado para un problema como éste. Es una organización nacional. Si es necesario, podrían poner en cuarentena esta ciudad o aun todo el estado. Y lo más serio de todo, podrían esparcir el rumor. Todo esto sucedió tan rápido que los medios todavía ni siquiera se han dado cuenta.

—Sí, pero también puede ser que los que controlan los medios se hayan infectado —dijo Cassy.

Juntó sus hojas impresas y las sumó a las de Pitt. Cuando se disponía a abrocharlas, las luces titilaron.

—¿Qué diablos fue eso? —exclamó Jesse—. Estaba tenso, como todos los demás.

Nadie se movió por unos instantes. Después se apagaron las luces. La única iluminación que quedó fue la de las pantallas de computadora, que tenían fuentes de energía a batería.

—No se enloquezcan —dijo Nancy—. El edificio tiene sus propios generadores.

Jonathan fue a la ventana. La abrió y asomó la cabeza. Vio que en los pisos inferiores había luz y pasó esta inquietante información a los demás.

—Esto no me gusta nada —dijo Jesse.

El zumbido agudo del ascensor llegó hasta la habitación. Estaba subiendo.

—¡Vámonos! —gritó Jesse.

Desesperados, recogieron los papeles y los guardaron en un maletín de cuero antes de huir de la habitación. En el vestíbulo oscuro vieron que el indicador del ascensor iba llegando a ese piso.

Nancy los guió en silencio y corrieron hasta las escaleras. Comenzaron a descender, pero oyeron de inmediato el ruido de una puerta que se abría tres pisos más abajo, en la planta baja.

Jesse, que ahora iba primero, tomó una rápida decisión y se desvió hacia el corredor del tercer piso. Todos lo siguieron.

Corrieron a la escalera del extremo opuesto. Jesse esperó a Sheila, que venía última. Cuando iba a abrir la puerta, Jesse atisbó por el vidrio que alguien subía por las escaleras. Se agazapó e indicó a los demás que hicieran lo mismo. Todos oyeron los pasos de varias personas que subían hacia el cuarto piso.

En cuanto Jesse oyó que se cerraba la puerta, abrió la que tenía adelante y miró hacia arriba, para cerciorarse de que la escalera estuviera vacía. Luego indicó a los demás que lo siguieran hacia la planta baja.

Se reunieron delante de una puerta con un cartel que indicaba que debía ser utilizada en casos de emergencia.

—¿Estamos todos? —preguntó Jesse.

—Todos —respondió Eugene.

—Subamos a la camioneta y larguémonos a toda velocidad —dijo Jesse—. Conduciré yo. Denme las llaves.

Nancy se las entregó de buen grado.

—¡Bueno, corramos! —exclamó Jesse y se lanzó hacia afuera, poniendo en funcionamiento la alarma. Los otros lo siguieron. Corrieron doblados en dos. Segundos después estaban todos en el automóvil y Jesse hacía rugir el motor.

—¡Sujétense fuerte! —ordenó y con un chillido de neumáticos, salió del estacionamiento como un bólido, sin preocuparse por frenar ante el portón de seguridad. La camioneta embistió la barrera de madera blanca y negra y la arrancó de cuajo.

Jonathan se volvió y miró por la ventanilla trasera. En las ventanas oscuras del cuarto piso vio varios pares de ojos brillantes. Parecían los ojos de un gato cuando reflejan la luz de los faros de un automóvil.

Jesse conducía rápido, pero se mantenía dentro de los límites de velocidad permitidos. Había pasado varios patrulleros y no quería atraer su atención.

Al llegar a un semáforo, todos comenzaron a calmarse lo suficiente como para ponerse a deliberar quiénes podrían haber sido los que habían intentado acorralarlos en el edificio de Serotec. Nadie tenía idea. Tampoco conocían a alguien que hubiera podido delatarlos. Nancy se preguntó si el empleado nocturno de seguridad podría ser uno de "ellos".

En el semáforo siguiente, Pitt por casualidad dirigió una mirada al automóvil que se había detenido a la par de ellos. Cuando el conductor lo vio, su cara reflejó de inmediato el hecho de que lo había reconocido. Pitt lo vio extraer su teléfono celular.

—Esto les va a parecer una locura —masculló Pitt—, pero creo que el tipo del automóvil de al lado nos reconoció.

La reacción de Jesse fue arrancar a pesar de la luz roja. Se escurrió entre los automóviles y luego abandonó la calle principal, para adentrarse por una lateral.

—¿No estamos yendo en dirección opuesta al aeropuerto? —preguntó Sheila.

—No se preocupen —dijo Jesse—. Como dice el refrán, conozco esta ciudad como la palma de mi mano.

Hicieron algunos otros giros sorprendentes por calles oscuras y desconocidas y luego, para sorpresa de todos, entraron en la autopista por una calle de cuya existencia ninguno estaba enterado.

Anduvieron en silencio el resto del camino al aeropuerto. Todos ya habían comenzado a comprender el alcance de la conspiración y eran conscientes de que no podían bajar la guardia.

Jesse condujo hasta el sector de partidas del aeropuerto y se detuvo ante la terminal C. Todos descendieron de la camioneta.

—De aquí en más, podremos cuidarnos solos —dijo Sheila, mientras recogía el maletín con el informe rápidamente compilado—. ¿Por qué no vuelven a sus casas por algún camino seguro?

—Los vamos a acompañar hasta la puerta de embarque —declaró Jesse—. Quiero asegurarme de que no haya más problemas.

—¿Y la camioneta? —dijo Pitt—. ¿Quieren que me quede a cuidarla?

—No —repuso Jesse—. Todos iremos adentro.

El interior de la terminal, a esa hora, estaba casi desierto. Un equipo de empleados de limpieza estaba lustrando el piso. El mostrador de Delta era el único que estaba activo. Los monitores informaban que el vuelo a Atlanta saldría a horario.

—Vayan todos a la puerta de embarque —indicó Jesse—. Yo compraré los boletos. Asegúrense de tener los documentos a mano.

El grupo cruzó corriendo la terminal y llegó al sector de seguridad. Había algunos otros pasajeros esperando su turno para pasar por el detector de rayos X.

—¿Dónde están los discos negros? —susurró Cassy a Pitt.

—Los tiene Eugene en su mochila —respondió Pitt.

En ese momento Eugene dejaba caer su mochila sobre la cinta transportadora, que desapareció dentro de la máquina. Eugene pasó por el detector de metales.

—¿Y si hacen sonar la alarma? —susurró Cassy.

—Más me preocupa que el personal de seguridad sea de "ellos" y que reconozcan la imagen de los rayos X —repuso Pitt.

Tanto él como Cassy contuvieron el aliento mientras la mujer de seguridad detenía la máquina. Tenía los ojos fijos en la imagen de los rayos X. Pareció transcurrir un minuto entero hasta que la mujer volvió a poner en movimiento la cinta transportadora. Cassy dejó escapar un suspiro de alivio. Pitt y ella pasaron por el detector de metales y alcanzaron a los demás.

Todos evitaron cruzar miradas con otros pasajeros mientras caminaban hacia la puerta de embarque. Era desesperante no saber quién estaba infectado y quién no. Como si pudiera leer la mente de todos, Jonathan comentó:

—Creo que es posible reconocerlos por las sonrisas o los ojos.

—¿A qué te refieres? —dijo Nancy.

—Tienen sonrisas falsas o les brillan los ojos —respondió Jonathan—. Claro, el brillo de los ojos sólo puede verse en la oscuridad.

—Creo que tienes razón, Jonathan —asintió Cassy. Había sido testigo de ambas cosas.

Llegaron al portón. Casi todos los pasajeros ya estaban a bordo. Se hicieron a un lado para esperar a Jesse.

—¿Ven esa mujer que está allá? —dijo Jonathan—. Fíjense en su sonrisa estúpida. Apuesto cualquier cosa a que es una de ellos.

—¡Jonathan! —susurró Nancy con vehemencia—. No la mires con tanta alevosía.

Vince Garbon detuvo el automóvil policial sin identificación junto a la acera, directamente detrás de la camioneta de los Sellers.

—Es evidente que están aquí —declaró el capitán Hernández mientras descendía del automóvil. Un segundo vehículo estacionó detrás del primero y de él descendieron Candee, sus padres y los otros oficiales de civil.

Como polvo de hierro atraído a un imán, un grupo de empleados infectados del aeropuerto se reunió alrededor del capitán y su equipo.

—Portón 5, terminal C —dijo una de estas personas al capitán—. Vuelo 917 a Atlanta.

—Vamos —dijo el capitán Hernández. Entró por la puerta automática de la terminal e hizo señas a los demás para que lo siguieran.

—¿Adónde estará Jesse? —preguntó Sheila, mirando hacia el sector central—. No quiero perder el vuelo.

—Eugene —susurró Nancy a su marido—, con todo lo que está pasando, me estoy arrepintiendo de dejar solo a Jonathan. Tal vez fuera mejor que uno de los dos nos quedáramos con él.

—Yo lo cuido —anunció Jesse, que se había acercado desde atrás, justo para oír el comentario de Nancy—. Ustedes hagan su trabajo en Atlanta. Jonathan estará bien.

—¿Cómo llegó aquí? —preguntó Sheila.

Jesse señaló una puerta cerrada justo detrás de ellos.

—Estuve tantas veces en el aeropuerto, investigando delitos, que lo conozco mejor que a mi propio sótano.

Entregó los boletos a Nancy, Eugene y Sheila. Nancy dio un último abrazo a su hijo. Jonathan se mantuvo tieso, con los brazos a los costados.

—¡Ten cuidado!, ¿entendiste? —dijo Nancy, tratando de mirarlo a los ojos.

—¡Ay, ma, por favor! —se quejó Jonathan.

—Vamos —dijo Sheila—. Es el último llamado.

Con Sheila adelante y Nancy en la retaguardia, para poder saludar a su hijo por última vez, los tres se dirigieron al embarque, mostraron sus documentos y desaparecieron por la manga. Minutos después, ésta se apartó del avión y la máquina carreteó hasta perderse en la noche.

Jesse se alejó de la ventana y suspiró con alivio.

—Partieron, gracias a Dios —dijo—. Pero ahora tenemos que...

No pudo terminar la oración porque vio al capitán Hernández y a Vince Garbon al frente de un gran grupo de gente. Estaban cruzando el salón central y se dirigían hacia el portón 5.

Cassy vio el cambio de expresión de Jesse y comenzó a preguntar qué sucedía, pero Jesse no le dio la oportunidad. Rápidamente empujó al grupo hacia la puerta cerrada.

—¿Qué pasa? —quiso saber Pitt.

Jesse no le respondió y oprimió rápidamente la combinación en el teclado adyacente al picaporte. La puerta se abrió.

—¡Corran! —ordenó.

Cassy pasó primera; la siguió Jonathan, luego Pitt. Jesse pasó y cerró la puerta.

—¡Vamos! —susurró con aspereza y descendió a toda velocidad unas escaleras de metal, para correr luego por un corredor hasta llegar a una puerta que daba al exterior. De unas perchas junto a la puerta colgaban impermeables amarillos con capucha. Arrojó uno a cada uno de los demás y les dijo que se los pusieran, con capuchas y todo.

Todos obedecieron. Cassy preguntó a quién había visto.

—Al jefe de policía —repuso Jesse—. Y sé positivamente que es uno de ellos.

Oprimió otra vez la combinación en un tablero y abrió la puerta que daba afuera. El grupo salió a la pista. Estaban directamente debajo de la manga de embarque de la puerta 5.

—¿Ven ese tren de equipaje que está allí? —dijo Jesse, señalando. Era un vehículo similar a un tractor, enganchado a una hilera de cinco carros de equipaje. Estaba estacionado a unos quince metros. —Vamos a caminar hacia allí con aire displicente. El problema es que nos pueden ver desde las ventanas de arriba. Una vez que estemos allí, se subirán todos a uno de los carros de equipaje. Y luego, si Dios nos ayuda, nos dirigiremos a la terminal A, no la C.

—Pero nuestro automóvil está en la terminal C —objetó Pitt.

—Vamos a dejar el coche —anunció Jesse.

—¿Lo dice en serio? —dijo Jonathan, preocupado. Era el automóvil de sus padres.

—No sabes cuán en serio lo digo —repuso Jesse—. ¡Vamos!

Llegaron a los vagones de equipaje sin incidentes. Todos sentían la tentación de mirar hacia arriba, pero nadie lo hizo. Jesse encendió el motor mientras los demás trepaban a bordo. Se sentían agradecidos por la firme autoridad de Jesse. Cuando el tren de equipaje serpenteó y luego tomó hacia la terminal A, todos dejaron escapar un suspiro de alivio.

Pasaron junto a algunos empleados de aerolíneas, pero nadie presentó objeciones al desempeño de Jesse. Nuevamente, su conocimiento del aeropuerto y sus procedimientos les había sido de gran utilidad. Minutos después, estaban afuera, en el nivel de llegada, esperando el autobús del aeropuerto.

—Tomaremos el autobús al centro de la ciudad —dijo Jesse—. De allí podré ir en busca de mi automóvil.

—¿Y qué pasa con la camioneta de mis padres? —preguntó Jonathan.

—Me ocuparé de ella mañana —le aseguró Jesse.

Los motores de un avión sonaron atronadores encima de ellos y por unos instantes, nadie pudo hablar.

—Tiene que ser el de ellos —dijo Jonathan en cuanto pudo hacerse escuchar por encima del rugido.

—Ojalá encuentren gente receptiva en el CCE —dijo Pitt.

—Nuestra única oportunidad depende de que así sea —concordó Cassy.

Beau ocupaba el dormitorio principal del castillo. Las puertas ventanas se abrían a un balcón que daba a la terraza y la piscina. Estas estaban entreabiertas y una suave brisa nocturna agitaba los papeles sobre el escritorio. Randy Nite y algunos de sus empleados de más jerarquía estaban sentados allí, repasando el trabajo hecho durante el día.

—Estoy realmente complacido —declaró Randy.

—Yo también —dijo Beau—. Las cosas no podrían estar saliendo mejor.

Se pasó la mano por el pelo y sus dedos tocaron la zona de piel alterada detrás de la oreja derecha. Al rascarla, experimentó una sensación placentera.

Sonó el teléfono y respondió uno de los asistentes de Randy. Después de una rápida conversación, alcanzó el teléfono a Beau.

—Capitán Hernández —saludó Beau, cordialmente—. Qué suerte que llamó.

Randy trató de escuchar lo que decía el capitán, pero no pudo.

—Así que van camino a Atlanta —dijo Beau—. Le agradezco su llamada, pero le aseguro que no habrá problemas.

Beau cortó la comunicación, pero no colgó el receptor. Marcó un número con código de área 404. Cuando respondieron, dijo:

—Doctor Clyde Horn, habla Beau Stark. Ese grupo de personas del cual le hablé va camino a Atlanta en este momento. Imagino que se presentarán mañana en el CCE, así que manéjelos según lo acordado.

Beau colocó el receptor en su lugar.

—¿Crees que habrá problemas? —preguntó Randy.

Beau sonrió.

—Pero no, qué tontería.

—¿Estás realmente seguro de que fue prudente dejar ir a esa tal Cassy Winthrope? —insistió Randy.

—Pero, por favor, qué nervioso estás hoy —dijo Beau—. Sí, estoy seguro de que hice lo correcto. Ha sido una persona especial para mí y no quiero forzarla. Quiero que abrace la causa por propia voluntad.

—No entiendo por qué te importa.

—Yo tampoco lo entiendo del todo —admitió Beau—. Pero basta de charla. ¡Vamos afuera! Ya casi es hora.

Beau y Randy salieron al balcón. Después de dirigir la mirada al cielo nocturno, Beau asomó la cabeza nuevamente por la puerta de vidrio y solicitó a uno de los asistentes que bajara y apagara las luces subacuáticas de la piscina.

Instantes después, la piscina quedó a oscuras. El efecto fue teatral. Las estrellas brillaron con mucha más intensidad, sobre todo las del centro galáctico de la Vía Láctea.

—¿Cuánto falta? —preguntó Randy.

—Dos segundos —respondió Beau.

En cuanto pronunció las dos palabras, el cielo se iluminó con una profusión de estrellas fugaces. Miles de ellas cayeron como un despliegue gigantesco de fuegos artificiales.

—¿Hermoso, no es cierto? —dijo Beau.

—Maravilloso —concordó Randy.

—Es la ola final —afirmó Beau—. ¡La ola final!

14

8:15

—En mi vida vi algo igual —declaró Jesse—. ¿Cuánto pueden tardar tres personas jóvenes para estar listas para tomar el desayuno?

—Es culpa de Cassy —dijo Pitt—. Estuvo horas en el baño.

—¡Mentira! —se defendió Cassy, ofendida—. Mucho más tardó Jonathan. Además, tenía que lavarme el pelo.

—Yo no tardé nada —declaró Jonathan.

—¡No, claro que no! —ironizó Cassy.

—¡Bueno, bueno, basta! —gritó Jesse—. Luego, en tono más moderado, añadió: —Es que había olvidado lo que es tener chicos en casa.

Habían pasado la noche en el departamento del primo de Pitt, pues les había parecido el lugar más seguro. Había resultado adecuado, ya que Pitt y Jonathan habían compartido un dormitorio. El único problema menor había sido la lucha por el baño.

—¿Adónde les parece que desayunemos? —preguntó Jesse.

—Por lo general lo hacemos en lo de Costa —respondió Cassy—. Pero me parece que la camarera está infectada.

—Va a haber gente infectada por todas partes —dijo Jesse—. Vayamos a lo de Costa. No quiero ir a ninguna parte donde pueda toparme con mis antiguos compañeros de la policía.

Salieron a la luz intensa de una hermosa mañana. Jesse los hizo esperar junto a la puerta de entrada mientras iba a

191

ver si no había problemas con el automóvil. Al comprobar que todo parecía estar en orden, los llamó con un ademán y todos subieron.

—Tengo que comprar combustible —les informó Jesse mientras salía a la calle.

—Sigue habiendo un montón de gente dando vueltas —comentó Jonathan—. Igual que anoche. Y todos tienen esa sonrisa de boludos.

—Nada de palabrotas —lo reprendió Cassy.

—¡Ufa, pareces mi madre! —se quejó Jonathan.

Condujeron hasta una estación de servicio. Jesse descendió para cargar combustible y Pitt lo acompañó.

—¿Notaron lo mismo que yo? —preguntó Jesse cuando el tanque estuvo casi lleno. Había mucho movimiento en la estación de servicio a esa hora de la mañana.

—¿Se refiere al hecho de que todo el mundo parece estar engripado? —dijo Pitt.

—Precisamente —corroboró Jesse. Casi todas las personas que veía estaban tosiendo, estornudando o con mal aspecto.

A unas cuadras de la cafetería, Jesse se acercó a la acera junto a un puesto de periódicos y pidió a Pitt que comprara un diario. Pitt bajó y esperó a que lo atendieran. Había mucha gente, igual que en la estación de servicio. Cuando se acercó a las pilas de periódicos, Pitt notó que sobre cada una, a modo de pisapapeles ¡había un disco negro!

Pitt le preguntó al propietario qué eran.

—¿Bonitos, no? —dijo el hombre.

—¿Dónde los consiguió? —preguntó Pitt.

—Los encontré en mi jardín esta mañana —respondió el hombre—. Había muchísimos.

Pitt se zambulló dentro del automóvil con el periódico y les contó a los demás el asunto de los discos negros.

—¡Genial! —dijo Jesse con sarcasmo. Echó una mirada a los titulares. —"Brote leve de gripe". Cómo si no lo supiéramos —agregó.

Cassy se llevó el periódico al asiento trasero y leyó el artículo mientras Jesse conducía en dirección a Costa's.

—Dice que la enfermedad es molesta pero corta —informó—. Al menos para individuos saludables. A aquellos que padecen males crónicos, se les recomienda que busquen atención médica ante los primeros síntomas.

—Sí, claro, como si fuera a servirles de algo —comentó Pitt.

Una vez en la cafetería, se ubicaron cerca del frente. Pitt y Cassy buscaron a Marjorie con la mirada, pero no la vieron. Cuando se acercó un muchacho de la edad de Pitt a atenderlos, Cassy preguntó por Marjorie.

—Se fue a Santa Fe —dijo el chico—. Como muchos otros empleados nuestros. Por eso estoy trabajando yo. Soy Stephanos, hijo de Costa.

Una vez que el muchacho volvió a la cocina, Cassy contó a los demás lo que había visto en Santa Fe.

—Están todos trabajando en una especie de castillo —añadió.

—¿Qué hacen? —quiso saber Jesse.

Cassy se encogió de hombros.

—Se lo pregunté, pero Beau me contestó generalidades acerca de un nuevo comienzo que haría que todo estuviera bien y boludeces de ese tipo.

—¿No era que no se aceptaban palabrotas? —dijo Jonathan.

—Tienes razón. Perdón —se disculpó Cassy.

Pitt miró el reloj por enésima vez desde que se habían sentado.

—Ya deben de estar por llegar al CCE.

—Tal vez tengan que esperar a que abra —dijo Cassy—. Han de haber llegado a Atlanta hace varias horas. Con la diferencia horaria, es posible que sea demasiado temprano para el CCE.

Una familia de cuatro personas que estaba en el compartimiento contiguo comenzó a toser y estornudar en forma casi simultánea. Los síntomas gripales progresaban rápidamente. Pitt vio el aspecto pálido y afiebrado del padre.

—Ojalá pudiera prevenirlos —dijo.

—¿Y qué les dirías? —preguntó Cassy—. ¿Que se les activó un monstruo extraterrestre adentro y que mañana ya no serán ellos mismos?

—Tienes razón —admitió Pitt—. A esta altura no hay mucho que pueda decirse. La clave es la prevención.

—Por eso acudimos al CCE —dijo Cassy—. Ellos se especializan en prevención. Crucemos los dedos para que se tomen en serio la amenaza antes de que sea demasiado tarde.

* * *

El doctor Wilton Marchand se repantigó en el sillón de su escritorio y cruzó las manos sobre el voluminoso abdomen. Nunca había seguido las recomendaciones de su propia organización en cuanto a dietas y ejercicio físico. Se parecía más a un propietario de cervecería del siglo XIX que al director del Centro de Control de Enfermedades.

El doctor Marchand había reunido a varios jefes de departamento para una inesperada reunión. Estaban la doctora Isabel Sánchez, jefa de la rama de Influenza; el doctor Delbert Black, jefe de Patógenos Especiales; el doctor Patrick Delbanco, jefe de Virología y el doctor Hamar Eggins, jefe de Epidemiología. Al doctor Marchand le hubiera gustado incluir a otros, pero no estaban en la ciudad o se hallaban ocupados con otras cosas.

—Gracias —dijo el doctor Marchand a Sheila, que acababa de presentar objetivamente el problema. El médico dirigió una mirada a sus colegas, que estaban tratando de leer todos juntos la única copia del informe que Sheila les había entregado antes de la presentación.

Sheila miró a Eugene y Nancy, que estaban sentados a su derecha. La habitación estaba en silencio. Nancy asintió para transmitirle que le había parecido excelente la presentación. Eugene se encogió de hombros y arqueó las cejas en respuesta al silencio. Estaba preguntándose cómo esta colección de burócratas podía tomarse la información con tanta parsimonia.

—Disculpen —dijo Eugene un minuto después, sin poder soportar más silencio—. Como físico, es necesario que les enfatice el hecho de que estos discos negros están hechos de un material que no pudo fabricarse en la Tierra.

El doctor Marchand tomó el recipiente de plástico y estudió los dos objetos contenidos en su interior con ojos velados.

—Y no hay duda de que han sido fabricados —continuó diciendo Eugene—. No son naturales. En otras palabras, tiene que tratarse de una cultura avanzada... ¡una cultura extraterrestre!

Era la primera vez que el trío utilizaba la palabra "extraterrestre". La habían dado a entender, pero no se habían atrevido a mostrarse tan explícitos.

El doctor Marchand sonrió para indicar que comprendía el punto de vista de Eugene. Extendió el recipiente al doctor Black, que lo tomó y escudriñó el contenido.

—Bastante pesados —comentó, antes de pasárselo al doctor Delbanco.

—¿Y dice usted que hay muchos objetos como estos en su ciudad? —preguntó el doctor Marchand.

Sheila levantó los brazos con fastidio y se puso de pie. Ya no aguantaba más sentada.

—Podría haber miles —dijo—. Pero eso no tiene nada que ver. Lo importante que queremos transmitirles es que estamos a comienzos de una epidemia originada por un provirus de nuestros genomas. Es más, está presente en los genomas de todos los animales superiores a los que examinamos y tal vez haya estado allí durante miles de millones de años. Y lo más aterrador es que su origen parece ser extraterrestre.

—Cada elemento, cada átomo y cada partícula de nuestros cuerpos es "extraterrestre" en su origen —aseveró el doctor Black con severidad—. Todos nosotros hemos sido formados en la supernova de estrellas en extinción.

—Puede ser —concordó Eugene—. Pero estamos hablando de una forma de vida, no de meros átomos.

—Precisamente —dijo Sheila—. Un organismo similar a un virus que ha estado inactivo en los genomas de las criaturas terrestres entre las cuales se incluyen los seres humanos.

—¿Y ustedes dicen que fue traído a la Tierra por estas naves espaciales en miniatura que están en el recipiente plástico? —inquirió el doctor Marchand con cansancio.

Sheila se frotó la cara con las manos para no perder el control. Se daba cuenta de que estaba extenuada y agotada emocionalmente. Al igual que sus compañeros, no había pegado un ojo en toda la noche.

—Sé que no suena creíble —dijo lentamente y con deliberación—. Pero es lo que está sucediendo. Estos discos negros tienen la capacidad de inyectar un líquido dentro de los organismos vivos. Tuvimos la suerte de poder obtener una gota de ese líquido y de allí aislamos una proteína que creemos que funciona como un prion.

—Un prion transmite solamente una de las encefalopatías espongiformes —dijo el doctor Delbanco con una amplia sonrisa—. Dudo que esa proteína sea un prion.

—¡Dije que funcionaba como un prion! —exclamó Sheila, furiosa—. ¡No que fuera un prion!

—La proteína reacciona con el segmento específico del ADN que antes era considerado no codificador —explicó Nancy—. Tal vez sea mejor decir que funciona más como promotor.

—Creo que nos convendría tomarnos un breve descanso —sugirió Sheila—. Me vendría bien un poco de café.

—Pero por supuesto —declaró el doctor Marchand—. ¡Qué poco considerado de mi parte!

Beau rascó a Rey detrás de las orejas mientras contemplaba los jardines delante del instituto. Desde el balcón de hierro forjado de la biblioteca, Rey y él podían ver un largo trecho del camino de entrada, antes de que éste desapareciera entre los árboles. Estaba taponado de nuevos conversos que avanzaban pacientemente hacia el castillo. Algunos saludaron a Beau con la mano y él les devolvió el saludo.

Al pasear la mirada por el resto de la propiedad, Beau vio que sus amigos caninos estaban haciendo guardia y se sintió complacido. No quería interrupciones.

Volviéndose hacia la casa, descendió al primer piso y entró en el salón de baile, que estaba atestado de gente que trabajaba con mucha energía. Ahora que la habitación estaba completamente eviscerada, se la veía muy distinta de lo que había sido el día anterior.

La gente que trabajaba allí pertenecía a todos los estratos sociales y abarcaba un amplio espectro de edades. Pero trabajaban juntos como un equipo de natación sincronizado. Desde la perspectiva de Beau era un espectáculo digno de ser visto y la imagen misma de la eficiencia. Nadie tenía que dar órdenes. Como células individuales de un organismo multicelular, cada persona tenía en la mente el bosquejo del proyecto entero.

Beau vio a Randy Nite trabajando con entusiasmo ante una mesa en el centro de la habitación. El grupo de Randy era particularmente dispar, pues había un hombre de ochenta y una niñita de menos de diez años. Estaban trabajando con complicados aparatos electrónicos. Cada persona tenía en la cabeza una luz y una lupa similares a los que usan los oftalmólogos cirujanos.

Beau se les acercó.

—¡Hola, Beau! —saludó Randy alegremente al verlo—. ¡Un día fantástico, eh!

—Perfecto —respondió Beau con igual entusiasmo—. Lamento interrumpirte, pero voy a necesitarte esta tarde. Vendrán tus abogados con más papeles para que firmes. Estoy transfiriendo al instituto el resto de tus haberes.

—Ningún problema —dijo Randy. Se quitó polvo de yeso de la frente. —Pienso que deberíamos alejar el equipo electrónico de toda esta demolición.

—Hubiera sido una buena idea, sí —concordó Beau—. Pero ya casi terminaron de romper.

—El otro problema es que estos instrumentos no son lo suficientemente avanzados como los que vamos a necesitar.

—Bueno, usaremos lo que podamos de los que tienen ellos —dijo Beau—. Ya sabíamos que habría problemas con el nivel de precisión. Pero lo que no consigamos tendremos que hacerlo nosotros.

—Muy bien —dijo Randy, aunque no parecía convencido.

—Vamos, Randy, tranquilízate —dijo Beau—. Todo va a salir bien.

—Hay que admitir que están avanzando muchísimo con el lugar —admitió Randy, recorriendo la habitación con la mirada—. Se lo ve completamente diferente. La agente de bienes raíces me contó que había sido copiado del salón de baile de un famoso palacio francés.

—Servirá para algo mucho más importante que bailar, cuando hayamos terminado —declaró Beau, palmeando amistosamente la espalda de Randy—. Bueno, no te distraigo más. Te veré más tarde, cuando lleguen los abogados.

Stephanos recogió los platos sucios de Cassy, Pitt, Jonathan y Jesse. Este último pidió otra vuelta de café. Stephanos volvió detrás del mostrador en busca de la cafetera.

—¿Lo oyeron toser justo antes de llegar a nuestra mesa? —preguntó Cassy.

Pitt asintió.

—Está por engriparse, no hay duda. Pero no me sorprende. La última vez que vinimos, nos pareció que su padre estaba infectado.

—Al diablo con el café —dijo Jesse—. Este lugar comienza a darme escalofríos. Huyamos.

Se pusieron de pie. Jesse dejó una propina sobre la mesa.

—Invito yo —anunció mientras tomaba la cuenta y se dirigía a la caja que estaba junto a la puerta.

—¿Qué crees que estará haciendo Beau ahora? —preguntó Pitt a Cassy, mientras seguían a Jesse.

—No quiero ni pensarlo.

—No puedo creer que mi mejor amigo sea el jefe de todo esto.

—¡No es el jefe! —exclamó Cassy—. Ni siquiera es Beau, ya. Es alguien controlado por el virus.

—Tienes razón —se apresuró a decir Pitt, consciente de que había metido el dedo en la llaga.

—Una vez que hayamos obtenido la colaboración del CCE, ¿crees que encontrarán una cura, como una vacuna? —preguntó ella.

—Las vacunas son para prevenir una enfermedad, no para curarla.

Cassy se detuvo y con un dejo de desesperación en los ojos, miró a Pitt a la cara.

—¿No piensas que vayan a encontrar una cura?

—Bueno, existen drogas antivirales —dijo Pitt tratando de hablar con optimismo—. Es posible, quiero decir.

—¡Ay, Pitt, ojalá sea así! —murmuró Cassy, al borde de las lágrimas.

Pitt tragó saliva. Una parte perversa de su ser se alegraba de la desaparición de Beau de la escena, porque estaba realmente enamorado de Cassy, aunque se daba cuenta de lo mal que se sentía ella.

La abrazó y ella se aferró a él.

—Eh, muchachos, miren esto —dijo Jesse, golpeando el hombro de Pitt sin mirarlo, pues tenía la mirada fija en el televisor que estaba detrás de la caja registradora.

Pitt y Cassy se separaron. Jonathan se acercó desde atrás. El televisor estaba sintonizado en el CNN y estaban pasando noticias.

—Esto acaba de llegar a CNN —anunció el presentador—.

Anoche hubo una lluvia meteórica sin precedentes, que fue vista en medio mundo, desde la parte occidental de Europa hasta Hawaii. Los astrónomos creen que fue un fenómeno mundial, pero que no pudo ser visto en el resto del mundo a causa de la luz solar. Se desconocen las causas, puesto que el suceso tomó por sorpresa a los astrónomos. Les brindaremos más detalles en cuanto tengamos más información.

—¿Creen que pudo tener algo que ver con lo que ya saben? —preguntó Jonathan.

—¿Más discos negros, tal vez? —sugirió Jesse—. Debe de haber sido eso.

—¡Santo Dios! —exclamó Pitt—. Si es así, entonces ahora es un asunto mundial.

—No habrá cómo detenerlo —vaticinó Cassy, sacudiendo la cabeza.

—¿Algún problema, por aquí? —preguntó Costa, el dueño. Había llegado el turno de Jesse para pagar.

—No, en absoluto —dijo Pitt de inmediato—. Estuvo todo delicioso.

Jesse pagó y salieron.

—¿Le vieron la sonrisa? —preguntó Jonathan—. ¿Vieron lo falsa que era? Está infectado, apuesto cualquier cosa.

—Pues apuéstale a otro —le recomendó Pitt—. Nosotros lo sabíamos hace tiempo.

Después de un breve receso que Sheila y Nancy habían usado para ir al baño y lavarse la cara, el trío regresó a la oficina del doctor Marchand. Como Sheila seguía nerviosa, habló Nancy:

—Somos conscientes de que lo que estamos diciendo es anecdótico en gran parte y de que nuestro informe no contiene demasiados datos concretos. Pero el hecho es que somos tres profesionales de impecables antecedentes y que hemos venido aquí porque estamos preocupados. Esto está sucediendo de verdad...

—De ningún modo cuestionamos sus motivos —declaró el doctor Marchand—. Solamente las conclusiones a las que llegaron. Como ya enviamos un investigador epidemiológico al lugar de los hechos, es comprensible que alberguemos dudas. Aquí tenemos el informe del funcionario. —El doctor Marchand tomó una hoja. —Dice aquí que, en su opinión, ustedes están ante un brote de una forma leve de influenza. Afirma que tuvo largas consultas con el presidente del hospital, el doctor Halprin.

—La visita se produjo antes de que supiéramos lo que teníamos entre manos —objetó Sheila—. Además, el doctor Halprin ya había tenido la enfermedad. Tratamos de dejar eso bien en claro delante del funcionario visitante.

—El informe de ustedes es muy vago —dijo el doctor Eggans a Sheila, golpeándolo contra el escritorio del doctor Marchand, luego de haberlo leído de cabo a rabo—. Hay muchas suposiciones y poca sustancia. Sin embargo...

Sheila tuvo que contenerse para no levantarse e irse dando un portazo. No entendía cómo estos pasivos enanos intelectuales habían llegado a los puestos que ocupaban en la burocracia del CCE.

—Sin embargo —repitió el doctor Eggans, pasándose una mano por la barba tupida—, me resulta lo suficientemente llamativo como para hacerme pensar en ir a investigar allá...

Sheila se volvió hacia Nancy. No estaba segura de haber oído correctamente. Nancy levantó un pulgar en señal de optimismo.

—¿Han hecho circular esto ante algún otro ente gubernamental? —preguntó el doctor Marchand—. Tomó el informe y lo hojeó.

—No —respondió Sheila—. A todos nos pareció que el CCE era el lugar adecuado por donde empezar.

—¿No lo han enviado al Departamento de Estado ni al inspector general de Sanidad?

—No —le aseguró Nancy.

—¿Trataron de determinar la secuencia de aminoácidos de la proteína? —preguntó el doctor Delbanco.

—Todavía no —repuso Nancy—. Pero eso será muy fácil.

—¿Y han determinado si puede aislarse el virus en pacientes que se recuperaron de la enfermedad? —quiso saber el doctor Delbanco.

—¿Qué me dicen de la naturaleza de la reacción entre la proteína y el ADN? —preguntó la esbelta doctora Sánchez.

Nancy sonrió y levantó las manos, complacida ante el repentino interés.

—Bueno, bueno, despacio —dijo—. Responderé las preguntas de a una.

Las inquietudes llegaban como ráfagas de ametralladoras. Nancy hacía lo posible por contestarlas y Eugene la ayudaba cuando podía. Sheila, al principio, se sintió tan complacida como Nancy, pero después que pasaron diez minutos y las preguntas se volvieron cada vez más hipotéticas, intuyó que algo no andaba bien.

Respiró hondo. Tal vez estaba demasiado cansada. Era posible que estas preguntas fueran razonables en boca de profesionales de neto corte investigador. El problema es que ella esperaba reacción, no intelectualización. En ese momento estaban interrogando a Nancy acerca de cómo se le había ocurrido utilizar la proteína para sondear el ADN.

Sheila dejó que su mirada vagara por la habitación. Las paredes estaban adornadas con la habitual profusión de diplomas profesionales, licencias y premios académicos. Había fotografías del doctor Marchand con el presidente y otros políticos. De pronto los ojos de Sheila se detuvieron ante una puerta que estaba entreabierta. Del otro lado, pudo ver la cara del doctor Clyde Horn. Lo reconoció de inmediato, en parte gracias a su cabeza calva y reluciente.

Cuando la mirada de Sheila se topó con la del médico, éste esbozó una enorme sonrisa. Sheila parpadeó y cuando volvió a abrir los ojos, el doctor Horn había desaparecido. Sheila cerró los ojos otra vez. ¿Estaría teniendo alucinaciones por el cansancio y la tensión? No podía decirlo. Pero la cara del doctor Horn la había hecho recordar el momento en que el funcionario había abandonado la oficina de ella en compañía del doctor Halprin. Como si hubiese sido apenas una hora antes, Sheila recordó con claridad las palabras de Halprin: "Tengo algo que quiero que se lleve a Atlanta. Estoy seguro de que les resultará interesante en el CCE".

Sheila abrió los ojos. Con repentina clarividencia y total certeza, comprendió que el doctor Halprin se había estado refiriendo a los discos negros. Sheila miró a la gente del CCE que estaba en la habitación y con la misma seguridad absoluta supo que estaban todos infectados. En lugar de estar interesados en la epidemia para contenerla, estaban interrogando a Nancy y a Eugene para averiguar cómo se habían enterado de todo lo que sabían.

Sheila se puso de pie. Tomó a Nancy del brazo y tironeó.

—Nancy, vamos. Necesitamos tomarnos un descanso.

Nancy se liberó, sorprendida por la interrupción.

—Pero si por fin estamos adelantando un poco —susurró con vehemencia.

—Eugene, necesitamos dormir unas horas —dijo Sheila—. Tienes que comprenderme, por más que Nancy se oponga.

—¿Sucede algo, doctora Miller? —preguntó el doctor Marchand.

—No, en absoluto —le aseguró ella—. Acabo de tomar conciencia de lo extenuados que estamos y me di cuenta de que no deberíamos estar ocupando el tiempo de ustedes hasta que hayamos podido dormir. Nos será mucho más fácil explicarles todo con más lógica una vez que hayamos descansado. Hay un hotel Sheraton por aquí cerca. Creo que será mejor para todos.

Sheila se acercó al escritorio de Marchand y quiso tomar el informe que habían traído. El doctor Marchand lo cubrió con su mano.

—Si no le molesta, preferiría seguir estudiándolo mientras ustedes descansan.

—Perfecto —concordó Sheila de buen grado. Retrocedió y tomó a Nancy del brazo otra vez.

—Pero Sheila, yo creo que... —comenzó a decir Nancy, pero su mirada se topó con la de su compañera y vio la intensidad que había en ella. De pronto comprendió que Sheila sabía algo de lo que ella todavía no estaba enterada.

—¿Qué les parece si volvemos después del almuerzo? —propuso Sheila—. Entre la una y las dos de la tarde, si puede ser.

—Me parece muy bien —dijo el doctor Marchand. Miró a los otros médicos y todos asintieron.

Eugene cruzó las piernas. No había visto la comunicación muda entre su mujer y Sheila.

—Creo que me voy a quedar aquí —anunció.

—Tú vienes con nosotros —le ordenó Nancy, obligándolo a ponerse de pie. Luego sonrió a sus anfitriones y ellos le devolvieron la sonrisa.

Sheila salió de la oficina, y los Sellers la siguieron por la zona reservada para las secretarias y el corredor que llevaba a los ascensores.

Al llegar, Eugene comenzó a protestar, pero Nancy le dijo que se callara.

—Al menos hasta que lleguemos al automóvil alquilado —pidió Sheila.

Subieron al ascensor y sonrieron a los ocupantes. Todos les devolvieron la sonrisa e hicieron comentarios acerca de lo agradable que estaba el tiempo.

Para cuando llegaron al automóvil y se subieron, Eugene estaba indignado.

—¿Qué demonios les pasa? —exclamó, mientras hacía arrancar el vehículo—. Nos llevó una hora despertar el interés de todos esos médicos y de pronto ¡zas! hay que irse a descansar. ¡Es una locura!

—Están todos infectados —anunció Sheila—. Desde el primero al último.

—¿En serio? —exclamó Eugene, horrorizado.

—Por supuesto —declaró Sheila—. No me queda ninguna duda.

—Entonces no vamos a ir al Sheraton —dijo Nancy.

—¡Qué Sheraton ni qué Sheraton! —exclamó Sheila—. Huyamos al aeropuerto. Hemos vuelto a foja cero.

Los periodistas se habían reunido frente a la puerta del Instituto. Beau había imaginado que vendrían, aunque no los había invitado. Cuando los jóvenes que custodiaban la entrada le informaron que estaban allí, Beau les pidió que los entretuvieran durante unos quince minutos para darle tiempo de llegar hasta donde el camino de entrada se perdía entre los árboles, ya que no quería que vieran el salón de baile todavía.

Cuando tuvo adelante al grupo de periodistas, se sorprendió al ver la cantidad que había. Había creído que serían unas diez o quince personas, pero eran cerca de cincuenta, divididos entre periodistas de prensa escrita y de televisión. Había unas diez cámaras de televisión y todos tenían micrófonos.

—Bueno, aquí tienen el Instituto para un Nuevo Comienzo —anunció Beau, haciendo un ademán en dirección a la mansión.

—Tenemos entendido que está haciendo muchas renovaciones en el edificio —dijo un hombre.

—No diría tanto —lo corrigió Beau—, pero sí, estamos haciendo algunos cambios para adecuarlo a nuestras necesidades.

—¿Podemos ver el interior? —preguntó un periodista.

—Hoy es imposible —declaró Beau—. Interrumpiría el trabajo que se está realizando.

—Entonces vinimos hasta aquí de balde —se quejó un periodista.

—No creo que sea así —dijo Beau—, pueden ver que el instituto es una realidad y no solamente una idea.

—¿Es cierto que todos los haberes de Cipher Software están ahora controlados por el Instituto para un Nuevo Comienzo?

—La mayoría —respondió Beau vagamente—. Tal vez deberían hacerle esa pregunta al señor Randy Nite.

—Es lo que nos gustaría —dijo un periodista—, pero es imposible dar con él. He estado tratando incesantemente de obtener una cita para entrevistarlo.

—Sé que está ocupado —reconoció Beau—. Se ha dedicado por entero a las metas del instituto. Pero pienso que podría convencerlo de que hablara con ustedes a la brevedad.

—¿Qué es este "Nuevo Comienzo"? —quiso saber un periodista escéptico.

—Precisamente eso —respondió Beau—. Nace de la necesidad de tomarse en serio la conducción de este planeta. Hasta ahora los seres humanos han tenido un desempeño lamentable del cual son pruebas la contaminación, la destrucción de los ecosistemas, las continuas luchas y guerras. La situación necesita un cambio o mejor dicho, un nuevo comienzo y el instituto será el agente de ese cambio.

El periodista escéptico sonrió con ironía.

—Qué retórica tan elaborada —comentó—. Suena rimbombante, y tal vez hasta cierta, sobre todo la parte acerca del desastre que hemos hecho con el mundo. Pero la idea de que un instituto logre todo eso desde una mansión aislada es absurda. Todo el asunto me parece más un culto o una secta que otra cosa, sobre todo con todas estas personas a las que se les ha lavado el cerebro.

Beau clavó sus ojos sobre el periodista y sus pupilas se dilataron al máximo. Avanzó hacia el hombre, sin prestar atención a las personas que le bloqueaban el paso. Casi todas se hicieron a un lado, pero Beau apartó a algunas, no de un empujón, pero con bastante facilidad.

Llegó hasta donde estaba el periodista, que le devolvía la mirada con aire desafiante. Todo el grupo quedó en silencio, observando el enfrentamiento. Beau resistió la tentación de tomar al individuo del cuello y exigirle un poco más de respeto. Decidió, en cambio, llevarlo al instituto e infectarlo.

Pero después llegó a la conclusión de que lo más fácil sería infectarlos a todos. Simplemente les daría a cada uno un disco negro como regalo de despedida.

—¡Disculpa, Beau! —dijo una atractiva joven llamada Verónica Paterson que acababa de acercarse al grupo. Había venido corriendo desde la mansión y se había quedado sin aliento. Estaba vestida con un sugestivo enterizo elastizado que parecía haber sido pintado sobre su cuerpo esbelto y bien formado. Los hombres del grupo se sintieron intrigados.

La muchacha separó a Beau del grupo para decirle en privado que tenía una llamada importante en el instituto.

—¿Crees que puedes ocuparte de estos periodistas? —le preguntó Beau.

—Por supuesto —respondió ella.

—No deben entrar en la casa —le recordó Beau.

—Claro que no —concordó Verónica.

—Y quiero que se vayan de aquí con obsequios —dijo Beau—. Dales discos negros a todos. Diles que es nuestro emblema.

La muchacha sonrió.

—Buena idea —dijo.

—Les pido disculpas a todos —dijo Beau a la multitud de periodistas—. Surgió algo inesperado y tengo que irme, pero estoy seguro de que los volveré a ver. La señorita Paterson responderá a las preguntas que puedan tener. También les entregará obsequios de despedida para que se lleven como recuerdo de su día en el instituto.

El anuncio de Beau suscitó una catarata de preguntas, pero él simplemente sonrió y se alejó. Batió las palmas y Rey corrió a su lado. El perro se había mantenido a distancia mientras Beau había estado hablando con los periodistas.

Un silbido agudo de Beau hizo que varios otros perros vinieran corriendo desde diversos puntos de la propiedad. Beau chasqueó los dedos y señaló el grupo de periodistas. Los perros tomaron posiciones inmediatamente alrededor del grupo y se sentaron pacientemente sobre las nalgas.

Al llegar a la casa, Beau se dirigió directamente a la biblioteca y marcó el número directo del doctor Marchand, que respondió de inmediato.

—Se han ido —anunció el médico—. Pero fue una treta inesperada. Nos informaron que iban a descansar al hotel Sheraton, y no fue así.

—¿Tiene el informe que hicieron? —preguntó Beau.

—Por supuesto.

—Destrúyalo —ordenó Beau.

—¿Qué quiere que haga con ellos? —preguntó el doctor Marchand—. ¿Los detenemos?

—Claro que sí —dijo Beau—. No debería hacer preguntas cuya respuesta ya conoce.

Marchand rió.

—Tienes razón —concordó—. Es esta extraña costumbre humana de tratar de ser diplomático.

El tránsito de media mañana en Atlanta no era tan pesado como en las horas pico, pero Eugene no estaba acostumbrado a conducir entre tantos automóviles.

—Qué agresivos parecen ser todos —comentó.

—Estás conduciendo muy bien, querido —lo alentó Nancy, aunque en realidad, no le había gustado nada lo cerca que habían quedado de otro automóvil en la intersección anterior.

Sheila estaba mirando por la luneta trasera.

—¿Nos sigue alguien? —preguntó Eugene, mirándola por el espejo retrovisor.

—Creo que no —respondió Sheila—. Al parecer, se tragaron el cuento de que íbamos a descansar. ¡Pero lo que me preocupa ahora es que están enterados de todo lo que sabemos! O "está" enterado, debería decir.

—Hablas como si fuera un ente único —dijo Eugene.

—Todas las personas infectadas trabajan juntas de una manera especial —dijo Sheila—. Es extraño. Como si fueran virus ellos mismos, trabajando para el bien colectivo. O una colonia de hormigas, donde cada individuo sabe lo que hacen los demás y, en consecuencia, lo que deberán hacer ellos.

—Eso sugiere que hay como una red entre los infectados —comentó Eugene—. Tal vez la forma extraterrestre es un compuesto de una cantidad de organismos diferentes. Si fuera así, sería una dimensión organizativa distinta de las que conocemos. Oigan, quizá necesita un número determinado de organismos infectados para llegar a una masa crítica.

—El físico se está poniendo demasiado teórico para mí —dijo Sheila—. ¡Y concéntrese en el camino, por favor. Casi rozamos ese automóvil rojo que está al lado!

—Una cosa es segura —dijo Nancy—. Sea cual fuere el nivel de organización, tenemos que recordar que estamos tratando con una forma de vida. Eso significa que una de sus prioridades debe ser la autoconservación.

—Y conservarse a sí mismo significa que debe reconocer y destruir a sus enemigos —añadió Sheila—. ¡Y esos somos nosotros!

—Qué pensamiento tan reconfortante —ironizó Nancy y se estremeció.

—¿Qué haremos cuando lleguemos al aeropuerto? —preguntó Eugene.

—Acepto sugerencias —dijo Sheila—. Todavía nos falta encontrar a alguien o a alguna organización que pueda hacer algo.

Sheila dio un respingo al ver la cara del conductor del automóvil rojo que estaba a la par de ellos y ahora comenzaba a adelantárseles.

—¡Dios mío! —exclamó.

Nancy se volvió.

—¿Qué pasa? —preguntó.

—¡El conductor del automóvil rojo! —gritó Sheila—. Es el tipo de barba, el epidemiólogo del CCE... ¿cómo se llamaba?

—Hamar Eggans —dijo Nancy y se volvió para mirar—. Tienes razón. Es él. ¿Crees que nos habrá visto?

En ese momento, el automóvil se colocó directamente delante de ellos. Eugene lanzó un improperio. Los paragolpes casi se habían rozado.

—Hay un automóvil negro a la izquierda —exclamó Nancy—. Me parece que es Delbanco.

—¡Ay, no! Vienen también por la derecha —gritó Sheila—. Es el doctor Black, en un automóvil blanco. Nos tienen encerrados.

—¿Qué hago? —vociferó Eugene, presa del pánico—. ¿Hay alguien detrás?

—Automóviles, sí —dijo Sheila, girando en el asiento para poder ver—. Pero no reconozco a nadie.

En el momento en que terminó de hablar Eugene pisó el freno. El pequeño automóvil de cuatro cilindros se estremeció y derrapó de lado a lado, con un chirrido de neumáticos.

Los automóviles de atrás tuvieron que frenar de golpe, también.

Eugene no se detuvo del todo, pero recibió un leve impacto del automóvil de atrás. Sin embargo, había logrado su propósito. Todos los automóviles del CCE habían pasado hacia adelante y ahora estaban tratando de frenar. Eso dio a Eugene la oportunidad de irse a la izquierda por entre el tránsito. Nancy gritó al ver venir los automóviles de los carriles de la izquierda.

Eugene pisó el acelerador para evitar una colisión y se lanzó por una calle estrecha. Estaba llena de tachos de basura y había residuos por todas partes. Era muy angosta y el automóvil pasaba apenas, haciendo volar tachos y escombros.

Nancy y Sheila se sujetaron con todas sus fuerzas.

—¡Eugene, por Dios! —gritó Nancy cuando embistieron un barril que se elevó por el aire y rebotó sobre el techo del automóvil, destrozando la lona del techo rebatible.

Eugene luchó por controlar el volante y mantener el automóvil en su curso, pero no pudo evitar rozar las paredes de cemento con angustiantes chirridos que sonaban como uñas contra un pizarrón gigante.

Hacia el final de la calle, el camino se despejó y Eugene pudo echar un vistazo por el espejito retrovisor. Horrorizado, vio que el automóvil rojo acababa de entrar en el callejón.

—¡Eugene, cuidado! —gritó Nancy, señalando hacia adelante.

Eugene apartó la vista del espejo justo a tiempo para ver que se les venía encima una cerca de alambre. Como vio que no tenía opción, gritó a las mujeres que se sujetaran y pisó el acelerador al máximo.

El pequeño automóvil tomó más velocidad. Tanto Eugene como Nancy cayeron contra los cinturones de seguridad y Sheila rebotó en el asiento.

Arrastrando segmentos de cerca, el vehículo entró a la carrera dentro de un lote amplio, levantando nubes de polvo. Hizo varios virajes, pero Eugene logró controlarlo e impedir que volcara.

El terreno tendría unos cien metros de lado y no contenía ningún árbol. Delante de él, Eugene vio una elevación con algo de vegetación. Más allá se veía una parte transitada de la ciudad. Por sobre la colina, pudieron atisbar los techos de los vehículos que pasaban.

Con la boca seca y los brazos acalambrados, Eugene miró otra vez hacia atrás. El automóvil rojo estaba tratando de entrar por el agujero en la cerca de alambre. Detrás venía el automóvil blanco.

A Eugene se le había ocurrido lanzarse como bólido por encima de la colina y mezclarse en el tránsito. Pero el terreno tenía otras ideas. La tierra estaba muy blanda y cuando las ruedas delanteras del autito chocaron contra la base, se empantanaron. El vehículo viró a la izquierda y se clavó en medio de una nube de polvo. Los tres ocupantes recibieron un fuerte sacudón.

Eugene fue el primero en recuperarse. Extendió un brazo para tocar a su mujer. Ella parecía estar despertándose de una pesadilla. Eugene se volvió hacia Sheila, que estaba aturdida, pero ilesa.

Eugene se desabrochó el cinturón y bajó; sentía las piernas gomosas. En la cerca, el automóvil rojo se había quedado aparentemente trabado, el sonido de las ruedas girando libremente se oía desde la otra punta del terreno.

—¡Vamos! —gritó Eugene a las mujeres—. ¡Tenemos una oportunidad! Trepemos esta colina y mezclémonos con la gente de la ciudad.

Las dos mujeres descendieron del automóvil. Eugene, nervioso, vio que el hombre de barba también descendía del coche rojo.

—¡Vamos! —gritó. Como esperaba ver al hombre de barba lanzarse en persecución del grupo, Eugene se sorprendió al comprobar que buscaba algo dentro del automóvil. Cuando lo levantó, a Eugene le pareció que era el recipiente de plástico que ellos habían traído a Atlanta.

Confundido por ese gesto, Eugene siguió mirando mientras Nancy y Sheila se ayudaban mutuamente a trepar la barranca. Instantes después, Eugene se encontró contemplando uno de los discos negros. Grande fue su impacto al ver que revoloteaba en el aire directamente delante de su cara.

—¡Eugene, vamos! —gritó Nancy, casi desde la cima de la subida—. ¿Qué estás esperando?

—Es un disco negro —gritó Eugene.

Vio que el disco rotaba a gran velocidad. Las protuberancias individuales ahora parecían una hendidura.

El disco negro se le acercó más. Eugene sintió un cosquilleo en la piel.

—¡Eugene! —gritó Nancy.

El dio un paso atrás, pero mantuvo la mirada fija en el disco, que ahora se estaba tornando rojo e irradiaba calor. Eugene se quitó la chaqueta, la hizo un bollo y trató de golpear el disco y quitarlo del aire. Pero no sucedió nada. Lo que sí hizo el disco fue quemar un agujero en la chaqueta con tanta velocidad que Eugene no sintió ninguna resistencia. Había sido como meter un cuchillo en manteca a temperatura ambiente.

—¡Eugene! —volvió a gritar Nancy—. ¡Sube de una vez!

Eugene, como físico que era, se sintió intrigado, sobre todo cuando una corona comenzó a formarse alrededor del disco y el color empezó a pasar del rojo al blanco. El cosquilleo que sentía en la piel se intensificó.

La corona se expandió rápidamente hasta formar una bola resplandeciente de luz tan brillante que ya no fue posible ver el disco en el centro.

Nancy pudo ver ahora lo que ocupaba la atención de su marido. Cuando se disponía a gritarle otra vez, vio que la bola de luz se expandía de golpe y literalmente se tragaba a su marido. El grito de Eugene se ahogó de inmediato en un sonido de aire en movimiento, que se volvió atronador, pero solamente por un instante; después se cortó en forma tan repentina que Nancy y Sheila sintieron un golpe como de una explosión silenciosa.

Eugene había desaparecido. El automóvil alquilado se había convertido en un esqueleto retorcido, como si lo hubieran derretido y aspirado hacia el lugar donde había estado Eugene.

Nancy se lanzó barranca abajo, pero Sheila la detuvo.

—¡No! —gritó—. No podemos bajar. Otra bola de luz se estaba formando cerca del automóvil.

—¡Eugene! —Nancy lloraba con desesperación.

—Ya no está —dijo Sheila—. Tenemos que desaparecer de aquí.

La segunda bola de luz se estaba expandiendo para envolver el automóvil.

Sheila tomó a Nancy del brazo y la llevó hacia la transitada ciudad. Delante de ellas había tránsito pesado y miles de peatones. A sus espaldas, oyeron el extraño ruido de aire en movimiento y otra onda de explosión.

—¿Qué demonios fue eso? —preguntó Nancy, llorando.

—Creo que pensaron que estábamos en el automóvil —explicó Sheila—. Y si tuviera que adivinar, diría que acabamos de ver cómo se creaban dos agujeros negros en miniatura.

—¿Por qué no tenemos noticias de ellos? —dijo Jonathan. Su ansiedad crecía con el correr de las horas. Ahora que estaba oscuro, estaba realmente preocupado. —En Atlanta es todavía más tarde que acá.

Jonathan, Jesse, Cassy y Pitt iban en el automóvil de Jesse por la calle donde estaba la casa de Jonathan. Habían pasado frente a la casa varias veces. A Jesse no le gustaba la idea de ir allí, pero había tenido que acceder porque Jonathan insistía en que necesitaba más ropa y su computadora portátil. También quería cerciorarse de que sus padres no hubieran llamado y dejado algún mensaje en la computadora.

—Tus padres y la doctora Miller han de estar terriblemente ocupados —dijo Cassy, no muy convencida. Ella misma estaba preocupada.

—¿Usted qué opina, Jesse? —preguntó Pitt cuando pasaron delante de la casa por tercera vez—. ¿Le parece peligroso?

—No parece haber nadie —dijo Jesse—. Ni veo señales de una emboscada. Bueno, entremos, pero hagámoslo rápido.

Subieron por la entrada de automóviles y apagaron las luces. Ante el pedido de Jesse, esperaron unos minutos más para ver si había cambios en las casas de los alrededores o en los vehículos estacionados. Todo parecía estar en paz.

—Bueno —dijo Jesse—. Vamos.

Entraron por la puerta principal y Jonathan subió a su dormitorio. Jesse encendió el televisor de la cocina y encontró cervezas frías en la heladera. Le ofreció una a Cassy y a Pitt, que aceptó. La televisión estaba sintonizada en CNN.

—Esto acaba de llegar —anunció el presentador—. Hace unos minutos, la Casa Blanca canceló la cumbre multinacional sobre terrorismo, diciendo que el Presidente se ha engripado. El secretario presidencial, Arnold Lerstein, declaró que la reunión se habría llevado a cabo, según lo programado, sin la presencia del Presidente, de no haber sido por el hecho de que, casualmente, casi todos los demás líderes mundiales padecían la misma enfermedad. El médico personal del Presidente dijo que está convencido de que el primer mandatario padece la misma gripe breve que ha estado diezmando a la población de Washington en los últimos días y que, sin duda, reanudaría sus funciones por la mañana.

Pitt sacudió la cabeza, espantado.

—Se está apoderando de toda la civilización, igual que un virus del sistema nervioso central se apodera del huésped. Va directamente al cerebro.

—Necesitamos una vacuna —dijo Cassy.

—La hubiéramos necesitado ya ayer —masculló Pitt.

El teléfono sorprendió a todos. Cassy y Pitt miraron a Jesse para ver si era prudente responder. Antes de que Jesse pudiera reaccionar, Jonathan atendió desde arriba.

Jesse subió corriendo con Cassy y Pitt pisándole los talones. Los tres entraron en el dormitorio de Jonathan.

—Un momento —dijo Jonathan por el teléfono al ver a los demás. Les explicó que era la doctora Miller.

—Ponla en el parlante —sugirió Jesse.

Jonathan oprimió el botón.

—Estamos todos aquí —dijo Jesse—. Activamos el parlante del teléfono. ¿Cómo les fue?

—Como el diablo —admitió Sheila—. Nos hicieron perder tiempo. Pasaron varias horas hasta que me di cuenta de que estaban todos infectados. Lo único que les interesaba saber era cómo habíamos descubierto lo que estaba sucediendo.

—¡Caray! —exclamó Jesse—. ¿Les fue difícil escapar? ¿Trataron de detenerlos?

—Al principio, no —dijo Sheila—. Les hicimos creer que íbamos a un hotel a descansar. Han de habernos seguido, porque nos interceptaron camino del aeropuerto.

—¿Hubo problemas? —preguntó Jesse.

—Sí, hubo problemas —confesó Sheila—. Lamento tener que decir que perdimos a Eugene.

Todos intercambiaron miradas. Cada uno había interpretado en forma distinta el significado de la palabra "perdimos". Jesse era el único que había intuido la verdad.

—¿Lo buscaron? —preguntó Jonathan.

—Fue como en la habitación del hospital —dijo Sheila—. No sé si se acuerdan de lo que hablo.

—¿Cuál habitación? —preguntó Jonathan, asustado.

Cassy le pasó un brazo por encima de los hombros.

—¿Dónde están? —preguntó Jesse.

—En el aeropuerto de Atlanta —respondió Sheila—. Nancy no está bien, como se imaginarán, pero nos las arreglaremos. Hemos decidido volver, pero necesitamos que alguien llame y nos pague los boletos por anticipado. Tenemos miedo de usar las tarjetas de crédito.

—Lo haré en seguida —dijo Jesse—. Nos vemos en cuanto lleguen.

Jesse cortó y marcó el número de la oficina de ventas de la aerolínea. Mientras él hacía todos los arreglos necesarios, Jonathan le preguntó directamente a Cassy si a su padre le había sucedido algo malo.

Cassy asintió.

—Me temo que sí —dijo—. Pero no sé qué. Tendrás que esperar a que llegue tu madre para saber qué pasó.

Jesse colgó el teléfono y miró a Jonathan. Trató de pensar en algo amable para decir, pero antes de que pudiera abrir la boca, oyó el chirrido de neumáticos. Desde la ventana que daba al frente vieron un brillo intermitente de luces de colores. Jesse corrió a la ventana y espió por entre las cortinas. Afuera, detrás de su automóvil, había un patrullero con las luces encendidas. Los ocupantes uniformados descendían en ese momento, junto con Vince Garbon. Todos traían ovejeros alemanes atados con correas cortas.

Aparecieron más vehículos policiales, algunos con identificación, otros sin ella y hasta una furgoneta. Todos estacionaron delante de la casa de los Sellers y los ocupantes descendieron.

—¿Quién es? —preguntó Pitt.

—La policía —repuso Jesse—. Han de haber estado vigilando la casa. Hasta veo a mi antiguo compañero o lo que queda de él.

—¿Vienen aquí? —preguntó Cassy.

—Lamentablemente, creo que sí —declaró Jesse—. Apaguen todas las luces.

Corrieron desesperadamente por la casa, apagando las pocas luces que habían encendido. Terminaron en la cocina, a oscuras. Desde afuera entraban los haces de luz de las linternas, dándole un aspecto fantasmagórico a la escena.

—Deben saber que estamos aquí —dijo Cassy.

—¿Qué hacemos? —preguntó Pitt.

—No creo que haya mucho para hacer —respondió Jesse.

—La casa tiene una salida oculta —anunció Jonathan—. Es por el sótano. Yo la usaba para escaparme de noche.

—¿Qué esperamos, entonces? —dijo Jesse—. ¡Vamos!

Jonathan, con la computadora portátil en la mano, los guió. Avanzaron despacio y en silencio, esquivando la luz de las linternas que entraba por la ventana saliente de la cocina. Una vez que llegaron a la escalera que bajaba al sótano y cerraron la puerta, se sintieron un poco menos expuestos. Pero era difícil avanzar en la oscuridad total y no querían encender ninguna luz pues el sótano contaba con varias ventanitas.

Caminaban en fila india, aferrándose unos a otros para no perderse. Jonathan los llevó a la pared trasera del sótano. Allí abrió una pesada puerta cuyas bisagras crujieron. Todos sintieron aire fresco en los tobillos.

—Por si se preguntan qué es esto —dijo Jonathan—, se trata de un refugio antibombas construido en la década del cincuenta. Mis padres lo utilizan como bodega.

Entraron juntos y Jonathan pidió que el último cerrara la puerta. En seguida, Jonathan encendió una luz. Estaban en un pasadizo de cemento con estantes en las paredes. Había varios cajones de vino desparramados desordenadamente.

—Por aquí —indicó Jonathan.

Llegaron a otra puerta. Al trasponerla, se encontraron en una habitación de cuatro metros por cuatro con cuchetas y una pared entera cubierta de armarios. También había un baño diminuto.

En la segunda cámara había una cocina y, más allá, otra puerta sólida que llevaba a un último corredor que terminaba afuera, en el lecho seco de un río, detrás de la casa.

—¡Pero no lo puedo creer! —se maravilló Jesse—. Igual que los pasadizos de escape de los viejos castillos medievales. ¡Me encanta!

15

09:45

—Nancy —dijo Sheila con suavidad—. Llegamos.

Nancy abrió los ojos y se despertó sobresaltada.

—¿Qué hora es? —preguntó, orientándose en cuanto a persona y lugar.

Sheila le dijo la hora.

—Me siento como el diablo —se quejó Nancy.

—Yo también —concordó Sheila.

Habían pasado la noche a las corridas por el Aeropuerto Internacional De Hartsfield en Atlanta, con el temor constante de que las reconocieran. Abordar el vuelo en las primeras horas de la madrugada había sido casi un alivio. Hacía cuarenta horas que no pegaban los ojos. Una vez que estuvieron en el aire, cayeron en un sueño profundo.

—¿Qué le voy a decir a mi hijo? —preguntó Nancy, sin esperar realmente una respuesta. Cada vez que pensaba en la explosiva desaparición de su marido, los ojos se le llenaban de lágrimas.

Las mujeres juntaron sus cosas y descendieron del avión. Se sentían perseguidas por todos y creían ser el blanco de las miradas. Al salir al vestíbulo, Nancy vio a Jonathan y corrió hacia él. Se abrazaron en silencio durante varios minutos, mientras Sheila saludaba a Jesse, Pitt y Cassy.

—Bueno, vámonos ya —sugirió Jesse, tocándoles el hombro a Nancy y Jonathan, que seguían abrazados en su duelo silencioso.

Se dirigieron en grupo hacia la salida. La cabeza de Jesse giraba sin cesar mientras evaluaba a la gente que los rodeaba. Se alegró al ver que nadie les prestaba atención, en especial los empleados de seguridad del aeropuerto.

Quince minutos más tarde estaban en la camioneta personal de Jesse, dirigiéndose a la ciudad. Sheila y Nancy describieron en detalle su desastroso viaje. En voz temblorosa, Nancy logró explicar los últimos momentos de Eugene. Los demás escucharon las trágicas noticias en silencio.

—Tenemos que decidir adónde ir —dijo Jesse.

—Lo más cómodo sería nuestra casa —sugirió Nancy—. No es elegante, pero hay mucho lugar.

—No me parece prudente —objetó Jesse. Pasó luego a relatarles a Nancy y Sheila lo que había sucedido la noche anterior.

Nancy se indignó.

—Sé que es egoísta de mi parte alterarme tanto por una casa, con todo lo que está pasando —admitió— ¡pero es mi hogar!

—¿Adónde se alojaron anoche? —preguntó Sheila.

—En el departamento de mi primo —respondió Pitt—. El problema es que solamente hay tres dormitorios y un baño.

—En estas circunstancias, no podemos pretender darnos el lujo de tener el máximo confort.

—Esta mañana, en el programa *Hoy* un grupo de funcionarios del área de salud informó que la gripe que estaba circulando no era motivo de preocupación —comentó Cassy.

—Seguramente eran del CCE —dijo Sheila—. ¡Qué canallas!

—Lo que me preocupa es que los medios no han dicho una sola palabra acerca de los discos negros —se indignó Pitt—. ¿Por qué no se cuestionó la presencia de ellos, sobre todo después de la última aparición masiva?

—Son un objeto curioso e inofensivo —interpuso Jesse—. La gente los menciona, sí, pero nadie los considera material de noticia. Desgraciadamente, no hay motivos para establecer una conexión entre los discos y la gripe hasta que ya es demasiado tarde.

—Vamos a tener que encontrar la forma de comenzar a prevenir a la gente —dijo Cassy—. Ya no podemos seguir esperando. Es hora de hacer público todo esto como podamos: por televisión, radio, periódicos, todo. La gente tiene que enterarse.

—Al diablo con la gente —dijo Sheila—. A los que tenemos que involucrar es a los miembros de la comunidad médica y científica. Pronto ya no quedará nadie con la capacidad y la preparación necesaria para encontrar la forma de detener todo esto.

—Opino que los muchachos tienen razón —dijo Jesse—. Intentamos con el CCE y fracasamos. Tenemos que encontrar a algunos medios que no estén infectados y hagan rodar esto por todo el mundo. El problema es que no conozco a nadie de los medios de información, con excepción de algunos mugrientos cronistas de policiales.

—No, hay que hacerle caso a Sheila... —comenzó a decir Nancy.

Jonathan se desconectó. Se sentía aplastado por el destino de su padre. Como adolescente, para él el concepto de la muerte era irreal. No podía aceptar lo que le habían contado.

Su atención pasó de la discusión dentro del automóvil al panorama de la ciudad. Había mucha gente en la calle. Siempre parecía haber gente por todas partes, de día y de noche. Y todos ostentaban una estúpida sonrisa falsa.

Jonathan notó algo más mientras pasaban por el centro de la ciudad. La gente estaba ocupada interactuando y ayudándose mutuamente. Ya fuera un transeúnte que ayudaba a un obrero a descargar sus herramientas, o un niño ayudando a una persona mayor a llevar los paquetes. Jonathan tuvo la impresión de que la ciudad era una colmena.

Adentro del automóvil la discusión iba creciendo en intensidad. Sheila había elevado la voz para imponerse sobre Pitt.

—¡Cállense! —exclamó Jonathan.

Sorprendido, vio que todos obedecían. Se quedaron mirándolo con interés, incluso Jesse, que estaba conduciendo.

—Discutir así es una tontería —declaró Jonathan—. Tenemos que trabajar juntos. —Movió la cabeza en dirección a la calle. —Como lo están haciendo ellos.

Reprendidos por un adolescente, todos miraron hacia afuera y vieron a qué se refería y se calmaron.

—Me asusta —dijo Cassy—. Parecen autómatas.

Jesse dobló y tomó la calle del departamento del primo de Pitt. Cuando estaba por frenar, vio dos automóviles que le parecieron de la policía. No tenían identificación, pero tuvo la certeza de que estaban vigilando el departamento. Era como si tuvieran letreros pegados anunciando lo que hacían.

—El departamento es aquí —dijo Pitt al ver que Jesse iba a seguir de largo.

—No vamos a parar —anunció y señaló hacia la derecha—. ¿Ven esos dos automóviles Ford? Son oficiales de civil. Estoy seguro.

Cassy los miró.

—¡Disimula! —exclamó Jesse—. Lo que menos queremos es llamarles la atención.

Jesse siguió conduciendo.

—Podríamos ir a mi departamento —propuso Sheila—. Pero tiene un solo dormitorio y está en un edificio alto.

—Se me ocurre un lugar mejor —dijo Jesse—. Es más, es un lugar perfecto.

En un par de Mercedes Benz personales de Randy Nite, Beau y un grupo de colaboradores estrechos se dirigían, en caravana, desde el instituto hasta el Observatorio Donaldson, construido sobre el cerro Jackson. La vista desde allí era espectacular, sobre todo en un día tan claro.

El observatorio en sí era tan llamativo como el lugar. Constaba de una gigantesca cúpula hemisférica, instalada directamente sobre la cima rocosa de la montaña y pintada de un blanco que resultaba cegador a la luz del sol. La persiana de la cúpula estaba cerrada para proteger el enorme telescopio de reflexión.

En cuanto el primer automóvil se detuvo, Beau descendió, acompañado por Alexander Dalton. En su vida anterior, Dalton había sido abogado. Verónica Paterson se apeó por el lado del conductor. Seguía vestida con su enterizo elastizado. Beau se había puesto una camisa de mangas largas con dibujos oscuros. Tenía el cuello levantado y los puños abotonados en las muñecas.

—Espero que este equipo valga la pena —dijo Beau.

—Tengo entendido que es el último modelo —explicó Alexander. Era un hombre alto y delgado, con dedos particularmente largos y finos. En la actualidad se desempeñaba como uno de los colaboradores más estrechos de Beau.

El segundo Mercedes se detuvo y descendió un equipo de técnicos cargados con herramientas.

—Hola, Beau Stark —dijo una voz.

Todos se volvieron para ver a un anciano de cabello blanco, de unos ochenta años, de pie en el vano de la puerta en la base del observatorio. Tenía la cara surcada de arrugas por el sol de las altitudes. Parecía un trozo de fruta seca.

Beau se acercó al hombre y le estrechó la mano. Después presentó a Verónica y a Alexander al doctor Carlton Hoffman. Beau informó a sus asistentes que acababan de conocer al rey de la astronomía estadounidense.

—Me halagas —declaró Carlton—. Pasen, pueden comenzar.

Beau hizo señas con la mano a los técnicos para que entraran en el observatorio y ellos obedecieron en silencio.

—¿Necesitan algo? —preguntó Carlton.

—Creo que trajimos todos los instrumentos que nos hacen falta —respondió Beau.

Los técnicos se pusieron a trabajar de inmediato en el desmantelamiento del telescopio gigante.

—Estoy particularmente interesado en la cápsula de observación principal —dijo Beau a uno de los hombres que se había trepado al extremo intercambiable.

Beau se volvió hacia Carlton:

—Sabe, desde luego, que será bienvenido en el instituto en cualquier momento que usted lo desee.

—Muy amable —repuso Carlton—. Iré allí, sobre todo una vez que tengan todo listo.

—No va a llevar mucho tiempo —dijo Beau.

—¡Un momento! —gritó una voz que retumbó por el observatorio. El desmantelamiento cesó. —¿Qué está pasando aquí? ¿Quiénes son ustedes?

Todos los ojos se clavaron en la puerta, frente a la cual había un hombrecillo arratonado. Tosió violentamente, pero mantuvo la mirada torva clavada sobre los técnicos que habían desarmado parte del telescopio.

—Fenton, estamos aquí —dijo Carlton al hombre—. No pasa nada. Hay alguien a quien quiero que conozcas.

El individuo era Fenton Tyler y ocupaba el puesto de astrónomo asistente y, como tal, parecía ser el heredero de Carlton Hoffman. Fenton dirigió una mirada en dirección a Carlton, pero luego volvió fijar los ojos en los obreros, temiendo que sacaran un tornillo más.

—Por favor, Fenton —insistió Carlton—, ven aquí.

De mala gana, Fenton avanzó de costado, sin apartar la vista de su amado telescopio. Al acercarse a Beau y los demás, quedó en evidencia que estaba enfermo.

—Tiene gripe —susurró Carlton a Beau—. No esperaba que viniera.

Beau asintió:

—Comprendo.

Fenton llegó hasta donde estaba su jefe. Tenía aspecto pálido y afiebrado y estornudaba con violencia. Carlton le presentó a Beau y explicó que estaba tomando prestadas partes del telescopio.

—¿Tomando prestadas? —repitió Fenton. Se sentía totalmente confundido.

Carlton apoyó la mano sobre el hombro de Fenton.

—Por supuesto que no entiendes —dijo—. Pero pronto entenderás. Te prometo que lo entenderás antes de lo que imaginas.

—¡Listo! —gritó Beau, golpeando las palmas—. ¡A trabajar, todo el mundo! Terminemos de una vez.

A pesar de los comentarios de Carlton, Fenton estaba horrorizado por la destrucción de la que estaba siendo testigo y manifestó su perplejidad. Carlton se lo llevó a un lado para tratar de explicarle.

—Qué suerte que estaba aquí el doctor Hoffman —comentó Alexander.

Beau asintió, pero ya no estaba pensando en la interrupción. Estaba pensando en Cassy.

—Dime, Alexander —dijo—, ¿has podido ubicar a esa mujer de la que te hablé?

—Cassy Winthrope —repuso él, comprendiendo de inmediato a quién se refería Beau—. No ha sido localizada. Es evidente que todavía no es una de nosotros.

—Mmm —musitó Beau—. No debería haberla perdido de vista cuando se apareció el otro día, no sé qué me pasó. Supongo que fue algún vestigio de romanticismo humano. Me resulta bochornoso. Bueno, localícenla, de todos modos.

—Ya la encontraremos —dijo Alexander—. No tengo ninguna duda.

Los últimos dos kilómetros fueron ásperos, pero la camioneta de Jesse logró sobrevivir a los pozos del descuidado camino de tierra.

—La cabaña está justo después de la próxima curva —anunció Jesse.

—¡Gracias a Dios! —exclamó Sheila.

Finalmente se detuvieron. Delante de ellos había una

cabaña de troncos en medio de un bosque de pinos vírgenes gigantes. El sol se colaba por entre las agujas formando haces de luz resplandecientes.

—¿Adónde estamos? —preguntó Sheila—. ¿En el fin del mundo?

—No del todo —rió Jesse—. Hay electricidad, teléfono, televisión, agua corriente y baño completo.

—Ni que se tratara del hotel Four Seasons —comentó Sheila.

—A mí me parece hermosa —dijo Cassy.

—Vamos, les mostraré el interior y el lago que hay atrás.

Bajaron de la camioneta sintiendo rígidas las extremidades, sobre todo Sheila y Nancy. Cada uno tomó las escasas posesiones que tenía consigo. Jonathan bajó su computadora portátil.

El aire estaba limpio y fresco y olía a agujas de pino. La brisa fresca suspiraba al pasar por entre los altos árboles siempre verdes. Por todas partes se oía el canto de los pájaros.

—¿Cómo se le ocurrió comprar esta cabaña? —preguntó Pitt mientras subían al porche delantero. Los postes y la baranda estaban hechos con troncos. El piso era de tablas de pino.

—Lo compramos sobre todo por la pesca —explicó Jesse—. Annie era la fanática, no yo. Después de su muerte, no tuve la fuerza de venderla. Aunque no vengo muy seguido, sobre todo desde hace un par de años.

Jesse forcejeó con la puerta y cuando logró abrirla, entraron. La cabaña olía a moho. El interior estaba dominado por un gigantesco hogar de piedra que subía hasta el pico del techo a dos aguas. Había una cocinita a la derecha, con una bomba manual sobre una pileta de piedra. A la izquierda estaban los dos dormitorios. La puerta del baño estaba a la derecha del hogar.

—Me parece encantadora —declaró Nancy.

—Está bien lejos de todo, de eso no hay duda —acotó Sheila.

—No podríamos haber encontrado un mejor lugar —interpuso Cassy.

—Ventilémosla un poco —sugirió Jesse.

Durante la siguiente media hora hicieron todo lo necesario para dejar la cabaña lo más confortable posible. En el camino se habían detenido en un supermercado y habían traído una carga de provisiones. Los hombres las bajaron de la camioneta y las mujeres las acomodaron.

Jesse insistió en encender el fuego aunque no hiciera frío.

—Le quitará la humedad al ambiente —explicó—. Y cuando caiga la noche se alegrarán de que esté encendido. De noche se pone frío aquí, aun en esta época del año.

Cuando terminaron, se dejaron caer sobre los sofás tapizados con tela a cuadros y los sillones agrupados alrededor del hogar. Pitt estaba usando la computadora de Jonathan.

—Aquí deberíamos de estar a salvo —comentó Jonathan. Había abierto un paquete de papas fritas y estaba comiendo con entusiasmo.

—Sí, por un tiempo —dijo Jesse—. Ninguno de mis compañeros de trabajo está enterado de la existencia de este lugar, que yo sepa. Pero no estamos aquí de vacaciones. ¿Qué vamos a hacer respecto de lo que está sucediendo en el mundo?

—¿Con qué velocidad puede desparramarse esta gripe a todas partes? —preguntó Cassy.

—¿Con qué velocidad? —repitió Sheila—. Creo que ya tuvimos pruebas suficientes.

—Con un período de incubación de solamente unas horas —dijo Pitt—, sumado al hecho de que es una enfermedad corta y la gente infectada quiere infectar a otros, se esparce como el fuego. —Estaba escribiendo en la computadora mientras hablaba. —Podría hacer un cálculo razonable si tuviera idea de cuántos discos negros llegaron a la Tierra. Pero aun calculando con cautela, el panorama no es bueno.

Pitt giró el monitor de la computadora para que los otros pudieran ver. Había un gráfico torta con una cuña en rojo.

—Y esto es solamente después de pocos días —aclaró.

—Estamos hablando de millones y millones de personas —dijo Jesse.

—Si consideramos lo bien que las personas infectadas trabajan juntas y la actitud evangelista que tienen, dentro de poco van a ser miles de millones —vaticinó Pitt.

—¿Y los animales? —preguntó Jonathan.

Pitt suspiró.

—Nunca le di demasiada importancia a eso —admitió—. Pero es cierto. Sucede con todos los organismos que tienen el virus en su genoma.

—Sí —acotó Cassy pensativamente—, Beau ha de haber infectado a ese perro enorme que tenía. Su comportamiento me pareció extraño desde el principio.

—Entonces estos extraterrestres se apoderan de los cuerpos de otros organismos —dijo Jonathan.

—De la misma forma en que un virus normal se apodera de las células individuales —explicó Nancy—. Por eso Pitt lo llamó un megavirus.

Todos se alegraron al oír la voz de Nancy. Hacía horas que no decía una palabra.

—Los virus son parásitos —continuó Nancy—. Necesitan un organismo huésped. Solos, son incapaces de hacer nada.

—Y vaya si necesitan huéspedes —acotó Sheila—. Sobre todo esta raza extraterrestre. No hay forma de que un virus microscópico haya construido esas naves espaciales.

—¡Es cierto! —exclamó Cassy—. Este virus extraterrestre ha de haber infectado alguna otra especie del universo que tenía los conocimientos, el tamaño y la capacidad de construirles esos discos.

—No estaría tan segura –objetó Nancy—. Pueden haberlo hecho ellos. Recuerdan que yo sugerí que los extraterrestres tal vez podían empaquetarse a sí mismos o empaquetar su conocimiento en forma viral para soportar las travesías espaciales intergalácticas. Si fuera así, su forma normal podría no ser viral. Eugene, antes de desaparecer, estaba considerando la hipótesis de que tal vez la conciencia extraterrestre pudiera ser alcanzada por un número determinado de seres humanos infectados trabajando en consonancia.

—Eh, paren, se están yendo demasiado lejos para mí —se quejó Jesse.

—De todas formas —dijo Jonathan—, tal vez estos extraterrestres controlen millones de formas de vida en la galaxia.

—Y ahora ven a los humanos como un hogar confortable donde vivir y crecer —dijo Cassy—. ¿Pero por qué ahora? ¿Qué tiene de especial este momento?

—Debe de ser por azar —aventuró Pitt—. Es posible que hayan estado investigando cada tantos millones de años. Envían un solo disco negro a la Tierra para ver qué forma de vida se ha desarrollado.

—Y despiertan el virus dormido —dijo Nancy.

—Entonces el virus se apodera de ese huésped —continuó Sheila—. Y el huésped observa el panorama, por decirlo así, y envía informes al lugar de donde vino.

—Bueno, si eso es lo que sucedió —dijo Jesse—, el informe debe de haber sido excelente, porque ahora estamos metidos hasta las rodillas en esos discos.

Cassy asintió.

—Tiene sentido —concordó—. Y Beau debe de haber sido ese primer huésped.

—Tal vez —asintió Sheila—. Pero si estamos en lo correcto, entonces podría haberse tratado de cualquier persona en cualquier parte.

—Si pensamos en todo lo que sucedió —dijo Cassy, más a Pitt que a los demás—, Beau tiene que haber sido el primero. ¿Y sabes una cosa? De no haber sido por Beau, estaríamos como todos los demás y no tendríamos idea de lo que está pasando.

—O ya estaríamos infectados —interpuso Jesse.

Estos pensamientos negros dejaron a todos abatidos y en silencio. Durante unos minutos, sólo se oyó el crujir del fuego y el canto de los pájaros afuera de las ventanas abiertas.

—¡Eh! —dijo Jonathan, rompiendo el silencio—. ¿Qué vamos a hacer, quedarnos aquí sentados?

—¡Caray, no! —declaró Pitt—. Algo haremos. Empecemos a pelear y a defendernos.

—Estoy de acuerdo —dijo Cassy—. Es nuestra responsabilidad. Al fin y al cabo, es posible que en este momento seamos los que más saben de esta calamidad en el mundo.

—Necesitamos un anticuerpo —dijo Sheila—. Un anticuerpo y tal vez una vacuna para el virus o para la proteína que lo activa. O quizás una droga antiviral. ¿Nancy, tú que opinas?

—No perdemos nada con probar —dijo ella—. Pero necesitaremos equipos y suerte.

—Claro que vamos a necesitar equipos —dijo Sheila—. Podemos montar un laboratorio aquí mismo. Necesitaremos cultivos de tejidos, incubadoras, microscopios, centrífugas. Todo está disponible. Solamente hay que traerlo hasta aquí.

—Hagan una lista —dijo Jesse—. Es posible que yo pueda conseguir casi todo.

—Tendré que entrar en mi laboratorio —dijo Nancy.

—Y yo también —concordó Sheila—. Necesitamos muestras de sangre de las víctimas de la gripe. Y tenemos que obtener la muestra de líquido del disco.

—Hagamos un resumen de ese informe que preparamos para el CCE —propuso Cassy—, y desparramémoslo.

—¡Sí! —exclamó Pitt, siguiendo la línea de pensamiento de Cassy—. ¡Lo pondremos en Internet!

—¡Eh, qué idea genial! —se entusiasmó Jonathan.

—Empecemos mandándoselo a todos los laboratorios importantes de virología —propuso Sheila.

—Por supuesto —dijo Nancy—, y a los laboratorios farmacéuticos orientados a la investigación. Toda esa gente no puede estar infectada, todavía. Alguien va a tener que escucharnos.

—Puedo armar una red de "fantasmas" —dijo Jonathan—, o de eslabones falsos en la Internet. Mientras los cambie constantemente, nadie podrá rastrearnos.

Todos se miraron por un instante. Estaban emocionados y a la vez abrumados por la enormidad y la dificultad de lo que estaban a punto de emprender. Cada uno tenía su propia evaluación de las posibilidades de éxito que había, pero a pesar de esas diferencias, todos estaban de acuerdo en que había que hacer algo. A esa altura, no hacer nada hubiera sido, en el campo psicológico, una tarea mucho más difícil.

El Sol se había puesto cuando Nancy, Sheila y Jesse salieron en hilera hacia la camioneta y subieron. Cassy, Jonathan y Pitt los saludaron desde el porche y les pidieron que tuvieran cuidado.

Después de que Sheila y Nancy hubieron dormido una muy necesaria siesta, se decidió que irían a la ciudad en busca de equipos de laboratorio. También se decidió que los jóvenes se quedarían para no llenar tanto la camioneta. Al principio ellos se opusieron, sobre todo Jonathan, pero después de mucha discusión concordaron en que sería lo mejor.

En cuanto la camioneta desapareció de la vista, Jonathan se metió adentro. Cassy y Pitt salieron a dar una caminata corta, descendiendo por entre los pinos al lago. Llegaron a un muelle y caminaron hasta el final. Se quedaron allí, maravillados ante la belleza del lugar. La noche comenzaba a caer, pintando los cerros distantes de colores violáceos y azules plateados.

—Parado aquí, en medio de esta naturaleza espléndida, siento que todo esto es una pesadilla —comentó Pitt—. Es como que no puede estar sucediendo.

—Te entiendo —dijo Cassy—, pero al mismo tiempo, saber que está sucediendo de verdad y que toda la humanidad está en peligro, me siento conectada como nunca antes. Es como que... bueno, todos estamos emparentados. Nunca en mi vida pensé que los seres humanos fuéramos una gran familia, hasta ahora. Y pensar en lo que nos hemos hecho unos a otros. —Cassy se estremeció.

Pitt se acercó y la abrazó. Fue para reconfortarla y darle calor. Como había dicho Jesse, la temperatura había caído notablemente desde que se había puesto el Sol.

—La idea de perder tu identidad también te hace rever tu vida —siguió diciendo Cassy—. Me es difícil olvidar a Beau, pero tengo que hacerlo. Desgraciadamente, el Beau al que conocí ya no existe. Es como si hubiera muerto.

—Tal vez desarrollemos un anticuerpo —dijo Pitt. Miró a Cassy y sintió deseos de besarla, pero no se atrevió.

—Ah, sí claro —masculló Cassy con sarcasmo—. Y mañana va a venir Papá Noel.

—¡Cassy, vamos! —la alentó Pitt, sacudiéndola con suavidad—. No te rindas.

—¿Quién habló de rendirse? —dijo Cassy—. Solamente estoy tratando de manejar la realidad lo mejor que puedo. Sigo amando al antiguo Beau y es probable que sea así siempre. Pero también he estado dándome cuenta de otra cosa.

—¿De qué? —preguntó Pitt en tono inocente.

—Me estoy dando cuenta de que también siempre te quise a ti —dijo Cassy. —No lo digo para hacerte sentir mal, pero antes de Beau, cuando salíamos juntos, me parecía que no sentías nada serio por mí, que mantenías las cosas en un plano amistoso a propósito. Así que nunca me puse a pensar en mis propios sentimientos. Pero hace un par de días que tengo una impresión distinta de lo que podrían haber sido tus sentimientos y que tal vez en aquel entonces me equivoqué.

Una sonrisa hizo erupción en las profundidades del alma de Pitt y subió hasta desparramarse sobre su cara como el Sol naciente.

—Te puedo asegurar —dijo— que si creíste que no sentía nada por ti estabas total, absoluta e irreversiblemente equivocada.

Pitt y Cassy se miraron en silencio en la luz del crepúsculo. A pesar de la situación, sentían un júbilo inesperado. Fue un momento mágico que duró hasta que lo quebró un grito agudo.

—¡Eh, muchachos, vengan rápido! —gritó Jonathan—. ¡Vengan a ver esto!

Con temor, Pitt y Cassy corrieron hasta la cabaña. Debajo de los altos pinos ya estaba casi oscuro, así que tropezaron con las raíces. Al entrar en la cabaña encontraron a Jonathan mirando la televisión con una pierna caída por encima del apoyabrazos del sofá. Estaba comiendo papas fritas en forma mecánica.

—Escuchen —murmuró Jonathan, señalando el televisor.

—...todos están de acuerdo en que al Presidente se lo ve más vibrante y enérgico que antes. Para citar a un empleado de la Casa Blanca: "Es un hombre nuevo".

La presentadora sucumbió luego a un ataque de tos. Se disculpó y continuó:

—Mientras tanto, esta curiosa gripe sigue barriendo a la Capital de la nación. Miembros jerárquicos del gabinete y la mayoría de los integrantes de ambas cámaras han sufrido esta fugaz enfermedad. Desde luego, todo el país lamenta la muerte del senador Pierson Cranmore. Sufría de diabetes y había sido de gran ayuda para otros que padecen la misma enfermedad crónica.

Jonathan oprimió el botón silenciador del control remoto.

—Parece que controlan casi todo el gobierno —dijo.

—Es lo que pensábamos —asintió Cassy—. ¿Qué hay del resumen que hicimos a la tarde? Pensé que ibas a tenerlo listo para ponerlo en la Internet.

—Lo hice —repuso Jonathan. Colocó un dedo sobre la computadora portátil, que estaba sobre la mesa ratona y la giró para que Cassy pudiera ver la pantalla. La línea telefónica estaba conectada a un costado de la máquina. —Todo listo —añadió.

—Bueno, mándalo bien lejos —dijo Cassy.

Jonathan oprimió el botón adecuado y la primera advertencia al mundo de lo que estaba sucediendo, más una descripción de los acontecimientos, salió disparada por la vasta autopista electrónica. La noticia corría ahora por la Internet.

16

10:30

Beau estaba sentado ante un grupo de televisores que había hecho instalar en la biblioteca. Las pesadas cortinas de terciopelo estaban cerradas para facilitar la visión. Verónica estaba detrás de él, masajeándole los hombros.

Los dedos de Beau se movieron como en una danza sobre el panel de control y los televisores cobraron vida. Elevó el volumen del que estaba en el extremo superior izquierdo. Era la NBC, haciendo una cobertura de la conferencia de prensa del secretario de Prensa del Presidente, Arnold Lerstein.

—No hay que dejarse llevar por el pánico. Es la palabra tanto del Presidente como de la inspectora general de Sanidad, la doctora Alice Lyons. Decididamente, la gripe ha alcanzado proporciones epidémicas, pero es una enfermedad breve que no tiene efectos colaterales negativos. Es más, la mayoría de las personas han informado que se sienten más vigorosas después de la enfermedad. Solamente aquellos que padecen enfermedades crónicas deberían...

Beau pasó el sonido al siguiente televisor. El entrevistador era británico y estaba diciendo:

—:.. por el Reino Unido. Si usted o algún familiar comienzan a tener síntomas, no se asusten. Se recomienda reposo, té y control de la fiebre.

Beau pasó de un monitor a otro en rápida sucesión. El mensaje era similar ya fuera en ruso, chino, español o cualquiera de los otros cuarenta y tantos idiomas representados.

—Todo esto es muy tranquilizador —comentó Beau—. La infestación se está llevando a cabo según lo planeado.

Verónica asintió y continuó con su masaje.

Beau pasó al monitor de la videocámara instalada en el portón del instituto. Era una toma de gran angular que mostraba a una aglomeración de unos cincuenta manifestantes que intentaban sobrepasar al grupo numeroso de jóvenes guardias. En el fondo se veían varios perros del instituto.

—Mi esposa está allí —gritó un manifestante—. Exijo verla. No tienen derecho a mantenerla allí.

Las sonrisas de los centinelas se mantuvieron inmutables.

—Mis dos hijos —chilló otra persona—. Están ahí, ¡lo sé! Quiero hablarles. Quiero asegurarme de que están bien.

Mientras ese grupo gritaba y vociferaba, una corriente de gente serena y sonriente entraba por el portón. Eran todas personas infectadas que habían sido llamadas a prestar servicios en el instituto y eran reconocidas sin ningún intercambio de palabras por los centinelas.

El hecho de que a algunas personas se les permitiera el ingreso sin preguntas inflamaba más aún a los manifestantes. Nadie les había prestado atención desde que habían llegado. Sin previo aviso, se lanzaron en masa a pasar por el portón.

Se produjo una gresca con muchos gritos y empujones. Hasta volaron algunos puñetazos. Pero fueron los perros los que rápidamente controlaron la situación. Se lanzaron al ataque desde la periferia. Sus gruñidos feroces y los tarascones arrojados a las piernas de los manifestantes erosionaron rápidamente el coraje colectivo del grupo, que se batió en retirada.

Beau apagó los televisores. Agachó la cabeza para que Verónica pudiera masajearle los músculos de la nuca. Solamente había dormido una hora en lugar de las dos que necesitaba.

—Deberías sentirte complacido —comentó ella—. Todo está saliendo muy bien.

—Lo estoy —respondió Beau y cambió de tema—: ¿Está Alexander Dalton en el salón de baile? ¿Lo viste cuando estuviste allí?

—La respuesta es sí a ambas preguntas —dijo Verónica—.

Es como tú dices. Jamás iría en contra de una orden tuya.

—Entonces debería bajar al salón de baile —dijo Beau. Enderezó el cuello y se puso de pie. Un breve silbido trajo a Rey a sus pies. Juntos descendieron la escalinata central.

El nivel de actividad de la amplia habitación había aumentado. Había muchos más trabajadores que el día anterior. Las vigas del cielo raso habían quedado expuestas, al igual que los ladrillos de las paredes. Habían desaparecido las enormes arañas y las cornisas decorativas. Las grandes ventanas con arco ya estaban casi todas clausuradas y selladas. En el centro de la habitación se elevaba una complicada estructura electrónica. La estaban construyendo con todas las partes pirateadas del observatorio, de varias compañías electrónicas y del Departamento de Física de la universidad cercana.

Ver toda esa actividad coordinada para lograr un objetivo de gran magnitud hizo sonreír a Beau. No pudo evitar recordar que en un tiempo la habitación se había usado para algo tan frívolo como bailar.

Alexander vio a Beau de pie en la entrada del salón y fue a reunirse con él de inmediato.

—¿Se lo ve bien, no crees?

—Fantástico —concordó Beau.

—Tengo más buenas noticias —dijo Alexander—. Estamos clausurando la mayoría de las fábricas contaminantes alrededor de los Grandes Lagos. Terminaremos antes del fin de semana.

—¿Y qué hay de Europa Central? —quiso saber Beau—. Son los que más me han estado preocupando.

—Está sucediendo lo mismo —informó Alexander—. Sobre todo en Rumania. Cerrarán esta semana.

—Excelente —dijo Beau.

Randy Nite vio a Beau hablando con Alexander y se les acercó.

—¿Qué te parece? —preguntó mirando con orgullo la emergente estructura central.

—Está saliendo todo bien —dijo Beau—. Pero me gustaría un poco más de velocidad.

—Necesitaré más ayuda, entonces —dijo Randy.

—Lo que sea —asintió Beau—. Tenemos que estar listos para la Llegada.

Randy sonrió y volvió corriendo a su proyecto.

Beau se volvió hacia Alexander.

—¿Qué hay de Cassy Winthrope? —había una repentina aspereza en su voz.

—Todavía no ha sido localizada —respondió Alexander.

—¿Cómo puede ser?

—Es un misterio —dijo Alexander—. La policía y los empleados de la universidad se han mostrado sumamente colaboradores. Ya aparecerá. Tal vez hasta llegue por su propia voluntad. En tu lugar, no me preocuparía demasiado.

Beau extendió su mano derecha como un látigo y sujetó a Alexander del antebrazo con una fuerza tal que le cortó de inmediato la circulación a la mano.

Espantado por ese gesto abiertamente hostil, Alexander miró la mano que lo estaba sujetando. No era una mano humana. Los dedos eran largos y se envolvían alrededor de su brazo como boas constrictoras en miniatura.

—Esta solicitud mía de encontrar a esta muchacha no es un capricho —le informó Beau, mirándolo con ojos que eran casi todo pupila—. La quiero ahora mismo.

Alexander levantó la mirada hacia los ojos de Beau. Sabía que no le convenía discutir.

—Trataremos el asunto con absoluta prioridad —le aseguró Alexander.

Jesse había cortado ramas de pino en el bosque y después de estacionar la camioneta junto al cobertizo, la cubrió con las ramas. Desde afuera, la cabaña se veía completamente desierta, salvo por el humo que salía de la chimenea de piedra.

En marcado contraste con el plácido exterior, el interior se había transformado en un lugar atestado de trabajo. Ocupando casi todo el espacio del suelo estaba el laboratorio biológico casero.

Nancy estaba a cargo de esa zona, y Sheila trabajaba codo a codo con ella. Todos sospechaban que Nancy había canalizado su dolor por la muerte de Eugene hacia la tarea de encontrar la forma de detener el virus extraterrestre. Parecía poseída.

Pitt estaba ocupado con la computadora. Intentaba tener un panorama más claro con la información que habían obtenido por televisión. Los medios por fin se estaban ocupando de la historia de los discos negros, pero no con respecto a la epidemia de gripe, sino como para estimular al público a salir a buscarlos.

Jesse se daba cuenta de que su función era más logística que otra cosa, sobre todo en aspectos prácticos como preparar la comida y mantener el fuego encendido. Un rato después estaba dando los toques finales a una de sus especialidades: el chile.

Cassy y Jonathan estaban sentados a la mesa, ocupados con la computadora portátil. Para gran deleite de Jonathan, había habido un cambio de funciones: ahora el maestro era él. También para su deleite, Cassy tenía puesto uno de sus delgados vestidos de algodón. Como resultaba evidente que no llevaba puesto sostén, a Jonathan le estaba costando muchísimo concentrarse.

—Bueno, entonces ¿qué hago? —preguntó Cassy.

—¿Qué? —dijo Jonathan, como si despertara de un sueño.

—¿Te aburro?

—No —se apresuró a asegurarle él.

—Te estoy preguntando si cambio las últimas tres letras del URL —dijo Cassy. Estaba concentrada en la pantalla y no tenía idea del efecto que los aspectos físicos de su femineidad estaban teniendo sobre Jonathan. Acababa de volver de nadar y sus pezones parecían canicas.

—Sí... ehhh.... sí —dijo Jonathan—. Punto gov. Después...

—Después barra, 6 0 6 , R mayúscula, g minúscula, barra —siguió Cassy—. Y después oprimo Enter.

Cassy miró a Jonathan y vio que se había sonrojado.

—¿Pasa algo? —preguntó Cassy.

—No.

—Bueno, ¿entonces lo hago?

Jonathan asintió y Cassy oprimió Enter. Casi simultáneamente se activó la impresora y comenzó a escupir hojas impresas.

—Listo —dijo Jonathan—. Entramos en nuestra casilla de correo sin que nadie pueda rastrearnos.

Cassy sonrió y dio a Jonathan un codazo amistoso.

—Eres un excelente maestro.

Jonathan volvió a sonrojarse y desvió la mirada. Se ocu-

232

pó en sacar las hojas de la impresora. Cassy se puso de pie y fue hasta donde estaba Pitt.

—La sopa va a estar lista en tres minutos —anunció Jesse. Nadie reaccionó. —Sí, ya sé, ya sé. Todos están muy ocupados, pero tienen que comer. La dejaré sobre la mesa, para cualquiera que esté interesado.

Cassy apoyó las manos sobre los hombros de Pitt y miró la pantalla de la computadora. Había otro gráfico torta y ahora la zona roja era más grande que la azul.

—¿Es así como crees que está la situación ahora? —preguntó Cassy.

Pitt tomó una de las manos de Cassy y se la apretó.

—Me temo que sí —dijo—. Si la información que obtuve de la televisión es razonable o aun si es baja, las proyecciones sugieren que el sesenta y ocho por ciento de la población del mundo está infectada.

Jonathan tocó la espalda de Nancy.

—Lamento molestarte, ma —dijo—. Aquí tienes lo último de la Red.

—¿Alguna noticia del grupo de Winnipeg sobre la secuencia de proteínas y aminoácidos? —preguntó Sheila.

—Sí —dijo Jonathan. Revolvió las hojas y sacó la de Winnipeg. Se la entregó a Sheila, que dejó su trabajo y se puso a leerla.

—También me conecté con un grupo nuevo de Trondhiem, Noruega —dijo Jonathan—. Están trabajando en un laboratorio oculto debajo del gimnasio de la universidad local.

—¿Les enviaste nuestra información original? —preguntó Nancy.

—Sí —dijo Jonathan—. Igual que a todos los demás.

—Eh, parece que los de Winnipeg han hecho algunos progresos. Ahora tenemos toda la secuencia de aminoácidos de la proteína. Eso significa que podemos empezar a fabricarla nosotros —anunció Sheila.

—Aquí está lo que mandaron los de Noruega —dijo Jonathan—. Le alcanzó la hoja a Nancy, pero Sheila la tomó y la leyó rápidamente, luego la arrugó.

—Ya determinamos todo eso —dijo—. Qué pérdida de tiempo.

—Han estado trabajando totalmente aislados —dijo Cassy en defensa de los noruegos, al oír el comentario de Sheila.

—¿Algo del grupo de Francia? —preguntó Pitt.

—Mucho —informó Jonathan. Separó las páginas francesas del resto y se las entregó a Pitt. —Al parecer, allí la infestación avanza más despacio que en otras partes.

—Debe de ser por el vino tinto —bromeó Sheila, riendo.

—Podría ser un aspecto importante —dijo Nancy—. Si continúa y no es simplemente algo casual, deberíamos descubrir por qué es; podría resultarnos útil.

—Aquí vienen las malas noticias —dijo Jonathan, levantando una hoja de papel—. La cifra de muertes por diabetes, hemofilia, cáncer y qué se yo qué más está batiendo récords en todo el mundo.

—Es como si el virus estuviera limpiando deliberadamente la cadena de genes —dijo Sheila.

Jesse llevó la comida a la mesa y pidió a Pitt que corriera la computadora. Mientras esperaba, preguntó a Jonathan con cuántos centros de investigación se había puesto en contacto el día anterior.

—Ciento seis —respondió Jonathan.

—¿Y hoy cuántos tienes? —quiso saber Jesse.

—Noventa y tres más.

—¡Caray! —exclamó Jesse, apoyando la comida en la mesa. Se dirigió luego a la cocina para buscar la vajilla. —Eso sí que es rápido.

—Bueno, había tres más que tal vez podrían haber estado bien —dijo Jonathan—, pero estaban haciendo demasiadas preguntas sobre quiénes éramos y dónde estábamos, así que los desconecté.

—Como dice el refrán: más vale prevenir que curar —dijo Pitt.

—De todos modos, es rápido —acotó Jesse.

—¿Qué hay del tipo que se hace llamar doctor M? —preguntó Sheila—. ¿Alguna novedad?

—Bastantes cosas —dijo Jonathan.

—¿Quién es el doctor M? —preguntó Jesse.

—Fue el primero que respondió a nuestra carta por la Internet —explicó Cassy—. Envió su respuesta en la primera hora. Creemos que está en Arizona, pero no sabemos dónde.

—Nos ha dado mucha información importante —acotó Nancy.

—Tanta como para despertar mis sospechas —dijo Pitt.

—Vamos, que la comida se enfría —dijo Jesse.

—Yo sospecho de todo el mundo —declaró Sheila. Caminó hasta la mesa y ocupó su lugar habitual en la cabecera—. Pero si alguien trae datos útiles, los tomo.

—Sí, pero siempre y cuando contactarnos con él no ponga en peligro nuestro escondite —objetó Pitt.

—Eso se da por sentado, por supuesto —dijo Sheila en tono condescendiente. Tomó las páginas del doctor M que Jonathan había extendido hacia ella. Las sostuvo delante de sí y comenzó a leer al mismo tiempo que comía unos bocadillos con la mano libre. Parecía una estudiante de secundaria estudiando alocadamente para los exámenes.

Todos los demás se sentaron a la mesa de un modo más civilizado y se colocaron las servilletas sobre la falda.

—Jesse, lo suyo es una maravilla —dijo Cassy después de su primer bocado.

—Se aceptan cumplidos —bromeó Jesse.

Comieron en silencio durante unos minutos hasta que Nancy carraspeó y dijo:

—No me gusta tener que decir esto, pero nos estamos quedando sin provisiones de laboratorio. No vamos a poder seguir mucho más si no hacemos otra expedición a la ciudad. Sé que es peligroso, pero me temo que no tenemos alternativa.

—No hay problema —dijo Jesse—. Háganme una lista. Me las arreglaré de algún modo. Es importante que usted y Sheila sigan trabajando. Además, necesitamos más comida, también.

—Yo también iré —dijo Cassy.

—No, sin mí no vas —declaró Pitt.

—Y cuéntenme a mí también —interpuso Jonathan.

—Tú te quedas aquí —le dijo Nancy.

—¡Ay, ma, vamos! —se quejó Jonathan—. No me traten como a un bebé. Soy parte de esto como todos los demás.

—Si vas, yo también voy —dijo Nancy—. Además, Sheila o yo deberíamos ir. Somos las únicas que sabemos lo que nos hace falta.

—¡Ay, Dios mío! —exclamó Sheila de pronto.

—¿Qué pasa? —se alarmó Cassy.

—Este tal doctor M —dijo Sheila—. Ayer nos preguntó qué teníamos sobre el índice de sedimentación de esa sección de ADN que sabíamos que contenía el virus.

—¿Le enviamos nuestro cálculo, no? —preguntó Nancy.

—Envié exactamente lo que me dieron —dijo Jonathan—. Hasta la parte que decía que nuestra centrífuga no podía alcanzar revoluciones tan altas.

—Bueno, aparentemente él tiene acceso a una que sí puede hacerlo —dijo Sheila.

—Déjame ver —le dijo Nancy. Tomó la página y la leyó. —¡Cielos estamos más cerca de aislar el virus de lo que creíamos!

—Exactamente —corroboró Sheila—. Aislar el virus no es un anticuerpo ni una vacuna, pero es un paso importante. Tal vez el paso individual más grande.

—¿Qué hora es? —preguntó Jesse.

—Las diez y media —respondió Pitt, llevándose el reloj a la cara para poder ver el dial. Estaba oscuro debajo de los árboles sobre la elevación que daba al campus universitario. Jesse, Pitt, Cassy, Nancy y Jonathan estaban sentados en la camioneta. Habían llegado media hora antes, pero Jesse había insistido con que esperaran. No quería que nadie entrara en el Centro Médico hasta el cambio de turno de las once. Contaba con que la confusión general de esa hora les hiciera más fácil conseguir lo que querían y desaparecer sin llamar la atención.

—Comenzaremos a las diez y cuarenta y cinco —dijo Jesse.

Desde su ventajoso punto de observación podían ver que en varios lugares del estacionamiento el asfalto había sido levantado y cavado. Sobre esas zonas creadas colgaban luces y numerosas personas infectadas plantaban vegetales.

—Hay que decir que están bien organizados —dijo Jesse—. Miren cómo trabajan juntos sin conversar.

—¿Pero dónde van a estacionar los automóviles? —preguntó Pitt—. Me parece que se exceden con la locura por el medio ambiente.

—Tal vez no piensan tenerlos —aventuró Cassy—. Al fin y al cabo, los autos son grandes contaminadores.

—Parecen estar limpiando la ciudad, es cierto —acotó Nancy—. Hay que reconocerles cierto mérito.

—Es probable que estén limpiando todo el planeta —argumentó Cassy—. En cierta forma, eso nos hace quedar mal. Creo que alguien de afuera puede apreciar realmente lo que nosotros siempre dimos por sentado.

—Basta —dijo Jesse—. Empiezan a hablar como si estuvieran del lado de ellos.

—Ya casi es hora —anunció Pitt—. Bueno, escuchen lo que pienso: Jonathan y yo deberíamos ir al laboratorio médico del hospital. Conozco la zona y Jonathan sabe de computadoras. Entre los dos, podremos decidir qué necesitamos y traerlo.

—Opino que debería quedarme con Jonathan —dijo Nancy.

—¡Ma! —objetó Jonathan—. Tienes que ir a una farmacia y yo no puedo hacer nada allí. Pitt me necesita.

—Es cierto —dijo Pitt.

—Cassy y yo iremos con Nancy —propuso Jesse—. Usaremos la farmacia del supermercado así mientras ella consigue las drogas que necesita, nosotros nos ocupamos de las provisiones.

—De acuerdo —dijo Pitt—. Nos encontraremos aquí dentro de treinta minutos.

—Digamos cuarenta y cinco, mejor —lo corrigió Jesse—. A nosotros nos queda más lejos.

—Perfecto —dijo Pitt—. Ya es hora. ¡Vamos!

Descendieron de la camioneta. Nancy abrazó rápidamente a Jonathan. Pitt tomó a Cassy del brazo.

—Ten cuidado —le recomendó.

—Tú también —dijo Cassy.

—Recuerden —ordenó Jonathan—. Pongan sonrisa de boludos y manténganla congelada en la cara. Es lo que hacen todos.

—¡Jonathan! —se escandalizó Nancy.

Cuando estaban por separarse, Cassy se aferró al brazo de Pitt. Cuando éste se volvió ella lo besó en la boca. Luego corrió tras Nancy y Jesse mientras Pitt alcanzaba a Jonathan. Los dos grupos desaparecieron en la oscuridad.

La fotografía de Cassy había sido tomada seis meses antes, en una pradera de aspecto alpino, con flores silvestres. Cassy estaba tendida con el pelo enmarcándole la cara como una aureola. Sonreía pícaramente a la cámara.

Beau extendió el brazo y su mano arrugada y gomosa de dedos largos como serpientes se cerró alrededor de la fotografía enmarcada. Beau se la llevó cerca de los ojos y el brillo interno iluminó la fotografía de manera que él pudo distinguir claramente las facciones de Cassy. Estaba sentado en la biblioteca del primer piso con las luces apagadas. Hasta la consola de monitores estaba apagada. La única iluminación provenía de un rayo de luna anémico que entraba inclinado por las ventanas.

Beau se dio cuenta de que alguien había entrado en la habitación a sus espaldas.

—¿Puedo encender la luz? —preguntó Alexander.

—Si es necesario —respondió Beau.

La habitación se iluminó. Los ojos de Beau se entrecerraron.

—¿Sucede algo, Beau? —preguntó Alexander antes de ver la fotografía que sostenía Beau.

Él no contestó.

—Si no te molesta que lo diga —declaró Alexander—, no deberías obsesionarte así con un individuo. No es como hacemos nosotros las cosas. Va contra el bien colectivo.

—He tratado de resistirme —admitió Beau—. Pero no lo puedo controlar.

Beau golpeó la fotografía enmarcada contra la mesa. El vidrio se hizo añicos.

—A medida que mi ADN se duplica, supuestamente tiene que suplantar al ADN humano, y sin embargo, mi mente sigue evocando estas emociones humanas.

—He sentido algo de lo que dices —admitió Alexander—. Pero mi antigua compañera tenía una falla genética y no pasó la etapa del despertar. Supongo que eso me lo hizo más fácil.

—Este sentimentalismo es una espantosa debilidad —admitió Beau—. Nuestra raza nunca se topó con una especie con lazos interpersonales tan intensos. No hay precedente que me guíe.

Los dedos viperinos de Beau se insertaron debajo del marco de la fotografía. Una esquirla de vidrio lo cortó y del dedo brotó una espuma verde.

—Te lastimaste —dijo Alexander.

—No es nada —declaró Beau. Levantó el marco roto y contempló la imagen. —Tengo que saber dónde está. Es preciso que la infectemos. Una vez que eso haya sucedido, me sentiré satisfecho.

—Ya hemos avisado a todas partes —insistió Alexander—. En cuanto la vean, nos lo informarán.

—Debe de estar ocultándose —se lamentó Beau—. Esto me está volviendo loco. No me puedo concentrar.

—Respecto del Portón... —comenzó a decir Alexander pero Beau lo interrumpió.

—Necesito que encuentres a Cassy Winthrope —exclamó—. ¡No me hables del Portón!

—¡Santo Dios! ¡Miren este lugar! —dijo Jesse.

—Estaban de pie en el estacionamiento delante del supermercado Jefferson. Había algunos automóviles abandonados, con las puertas entreabiertas, como si los ocupantes de pronto hubieran huido para salvar su vida.

Varias vitrinas del negocio estaban rotas y en la acera había trozos de vidrio. El interior estaba iluminado solamente con luces nocturnas, pero alcanzaban para ver que la tienda había sido parcialmente saqueada.

—¿Qué pasó? —preguntó Cassy—. Parecía una escena de un país del Tercer Mundo en guerra civil.

—No puedo imaginármelo —comentó Nancy.

—Tal vez la poca gente no infectada sucumbió al pánico —dijo Jesse—. Quizá ya no existen las fuerzas de la ley así como las entendemos nosotros.

—¿Qué deberíamos hacer? —preguntó Cassy.

—Lo que vinimos a hacer —repuso Jesse—. Caray, esto nos lo hace más fácil. Temía tener que entrar por la fuerza a este lugar.

El grupo avanzó con cautela y miró adentro del local a través de uno de los ventanales rotos. Había un extraño silencio.

—Está todo desordenado, pero no parece que se hubieran llevado demasiada mercadería —comentó Nancy—. Quienquiera que haya sido estaba interesado sobre todo en las cajas registradoras.

Desde donde estaban podían ver que todos los cajones de las registradoras estaban abiertos.

—¡Qué gente estúpida! —comentó Jesse—. Si la autoridad civil se desintegra, el dinero va a valer sólo por el papel en el que está impreso.

Jesse echó una última mirada al estacionamiento vacío: no había un alma.

—¿Por qué será que no hay nadie por aquí? —se preguntó—. Caminan por todas partes de la ciudad, pero aquí no. Bueno, a caballo regalado no se le miran los dientes. Entremos.

Pasaron por encima de los vidrios rotos y se dirigieron por el pasillo central hacia la farmacia, que estaba en el fondo. Era difícil caminar a media luz, puesto que el piso estaba cubierto de latas, botellas y cajas de comida que habían caído de las estanterías.

La sección de farmacia estaba separada del resto de la tienda por una reja de alambre tejido que se desenrollaba desde el cielo raso y llegaba al suelo. El que había robado la sección de alimentos también había entrado en la farmacia. Había un orificio en el alambre y cerca, en el suelo, un par de pinzas para cortar metal.

Jesse separó los extremos cortantes del orificio para que Nancy pudiera pasar sin esfuerzo. Ella se dirigió directamente a la parte de atrás del mostrador.

—¿Cómo están las cosas allí? —preguntó Jesse desde afuera de la reja.

—Se llevaron los narcóticos —respondió Nancy—, pero eso no es un problema para nosotros. Están las drogas antivirales y también los antibióticos. Denme diez minutos más y conseguiré todo lo que necesito.

Jesse se volvió hacia Cassy.

—Aprovechemos para buscar las provisiones —propuso.

Volvieron a la parte delantera de la tienda y buscaron bolsas. Después empezaron a recorrer las góndolas. Cassy seleccionaba los artículos y Jesse hacía de changarín.

Estaban en la mitad de la sección de pastas cuando Jesse resbaló sobre un líquido derramado de una botella rota. El piso estaba resbaloso como el hielo.

Cassy logró sujetarlo del brazo y mantenerlo en pie. Aun después de que recuperó el equilibrio, Jesse sintió que resbalaba, así que se vio obligado a caminar con las piernas bien abiertas, como un actor cómico.

Cassy se inclinó y echó un vistazo a la botella.

—¡Con razón! —exclamó—. Es aceite de oliva. ¡Tenga cuidado!

—Me llaman el cuidadoso —repuso Jesse—. ¿Cómo crees

que duré treinta años en la policía? —Sonrió y sacudió la cabeza. —Qué gracioso, durante mucho tiempo soñé con algo emocionante justo antes de retirarme. Pero debo admitirlo, este episodio ya es demasiado para mí.

—Es mucho más serio de lo que todos creímos —añadió Cassy.

Llegaron a la esquina y entraron en el pasillo de los cereales. Cassy tuvo que abrirse camino entre una pila gigantesca de cajas y cajones plásticos. De pronto ahogó una exclamación. Jesse estuvo a su lado en un segundo.

—¿Qué pasa? —preguntó.

Cassy señaló. En medio de lo que había sido una rústica reconstrucción hecha con cajas estaba el rostro de querubín de un niñito de no más de cinco años. Tenía la piel sucia y la ropa desprolija.

—¡Santo Dios! —exclamó Jesse—. ¿Qué está haciendo acá?

Cassy se inclinó instintivamente para levantar al niño. Jesse la contuvo.

—Un momento —dijo—. No sabemos nada de él.

Cassy quiso liberarse, pero Jesse le tenía el brazo con firmeza.

—Es apenas un niñito —dijo Cassy—. Está aterrado.

—Pero no sabemos... —objetó Jesse.

—No podemos dejarlo aquí así como así —dijo Cassy.

De mala gana, Jesse soltó el brazo de Cassy. Cassy se inclinó y sacó al niño de su casa de cajas de cereal. La criatura se aferró instintivamente a Cassy y hundió el rostro contra el cuello de ella.

—¿Cómo te llamas? —le preguntó Cassy, acariciándole la espalda. Se sorprendió ante la fuerza con que se sujetaba el niño.

Cassy y Jesse intercambiaron una mirada. Los dos estaban pensando lo mismo: ¿Cómo iba a afectar su ya desesperante situación este nuevo acontecimiento?

—Vamos —alentó Cassy al niño—. Todo va a estar bien. Estás a salvo, pero necesitamos saber tu nombre para poder hablarte.

Lentamente, el chico se echó hacia atrás.

Cassy le sonrió con calidez; cuando se disponía a tranquilizarlo otra vez, notó que el niño sonreía con expresión extasiada. Y lo más impresionante eran sus ojos. Tenía las pupilas enormes y brillaban como si estuvieran iluminadas desde adentro.

Sintiendo una oleada instintiva de repulsión, Cassy se inclinó para bajar al niño. Trató de seguir teniéndolo del brazo, pero era sorprendentemente fuerte; luego de liberarse de las manos de ella, huyó hacia la parte delantera de la tienda.

—¡Eh! —gritó Jesse—. ¡Vuelve!

—¡Está infectado! —gritó Cassy.

—Ya lo sé —dijo Jesse—. Por eso no quiero que se escape.

A Jesse no le resultó fácil correr por el pasillo en la penumbra. Todavía tenía rastros de aceite en las suelas de los zapatos, lo que dificultaba la tracción. Además, había latas, botellas y cajas de mercadería desparramadas por todas partes.

El chico no parecía tener problemas para esquivar o saltar los obstáculos y llegó al frente de la tienda mucho antes que Jesse. Se ubicó delante de una de las ventanas rotas, elevó la manito regordeta y abrió los dedos. Un disco negro levitó de inmediato desde la palma de su mano y desapareció en la noche.

Jesse, agitado de tanto correr y resbalar, alcanzó al niño. También rengueaba levemente a causa de un golpe en la cadera. Se había caído cerca de una de las cajas registradoras y se había golpeado con una lata de sopa de tomates.

—Bueno, hijo —dijo Jesse, tratando de recuperar el aliento, mientras hacía girar al niño hacia él—. ¿Cómo es el cuento? ¿Por qué estás aquí?

Con la misma sonrisa exagerada, el niño miró a Jesse sin decir palabra.

—Vamos, chico —dijo Jesse—. No es mucho lo que te pido.

Cassy se acercó desde atrás de Jesse y miró por encima de su hombro.

—¿Qué hizo? —preguntó.

—Nada, por lo que pude ver —respondió Jesse—. Simplemente corrió hasta aquí y paró. Pero me gustaría que dejara de sonreír así. Parece estar burlándose de nosotros.

Tanto Cassy como Jesse vieron la luz de los faros de un automóvil al mismo tiempo. Un vehículo había entrado en el estacionamiento del supermercado y se les estaba acercando.

—¡Uy, no! —exclamó Jesse—. Justo lo que menos necesitamos: compañía.

Resultó evidente de inmediato que el automóvil venía a alta velocidad. Jesse y Cassy retrocedieron en forma instintiva. Un chillido de neumáticos contra el asfalto anunció la detención del automóvil directamente delante de la tienda. Las luces altas inundaron el interior con fuerza cegadora. Cassy y Jesse se llevaron una mano a los ojos para protegerlos. El niño corrió hacia la luz y desapareció en el resplandor.

—¡Busca a Nancy y salgan por la parte trasera de la tienda! —susurró Jesse con fuerza.

—¿Y usted? —preguntó Cassy.

—Les haré compañía —dijo Jesse—. Si no estoy en el punto de encuentro dentro de quince minutos, váyanse sin mí. Conseguiré otro vehículo para volver.

—¿Seguro? —vaciló Cassy. No le gustaba la idea de irse sin Jesse.

—Claro que sí —replicó Jesse—. ¡Vete ya!

Los ojos de Cassy se habían adaptado lo suficiente como para poder distinguir a las figuras que descendían por ambos lados del vehículo, pero la luz intensa de los faros le impedía ver los detalles.

Cassy dio media vuelta y corrió a toda velocidad hacia las profundidades de la tienda. A mitad de camino, se volvió para ver a Jesse salir por la ventana rota y dirigirse directamente hacia la luz.

Cassy siguió corriendo y se abalanzó adrede sobre la reja que separaba la farmacia del mercado. La sacudió con fuerza y llamó a Nancy a los gritos. Nancy asomó la cabeza desde atrás del mostrador y de inmediato vio la luz que entraba por el frente.

—¿Qué pasa? —preguntó, nerviosa.

Cassy estaba sin aliento.

—Hay problemas —dijo—. Tenemos que salir de aquí.

—De acuerdo —dijo—. Ya tengo todo, por suerte.

Salió de atrás del mostrador y trató de pasar por el agujero en el alambre, pero los bordes cortados del mismo le impidieron el. avance y quedó enganchada.

—Toma esto —dijo Nancy y extendió la bolsa con drogas a Cassy. Con ambas manos, trató de desengancharse, pero no le fue fácil.

La luz que venía del frente de la tienda de pronto se intensificó en forma dramática y al mismo tiempo, se oyó un ruido creciente como de aire en movimiento. Cuando llegó a un nivel estruendoso, se cortó en forma tan repentina que el efecto derribó algunos productos de los estantes.

—¡Ay, no! —gimió Nancy.

—¿Que pasa? —exclamó Cassy.

—Fue el mismo ruido que cuando desapareció Eugene —explicó Nancy—. ¿Dónde está Jesse?

—¡Vamos! —gritó Cassy—. Tenemos que salir de aquí.

Dejó el paquete que Nancy le había dado y trató de separar los bordes filosos del alambrado. En el frente de la tienda se veían luces movedizas de linternas.

—¡Vete! —gritó Nancy—. ¡Toma el paquete y corre!

—No me voy sin ti —declaró Cassy, luchando con los alambres.

—Está bien —dijo Nancy—. Tú sostienes de este lado y yo empujaré del otro. —Trabajando juntas, Nancy pudo pasar.

Nancy tomó la bolsa de productos químicos y echaron a correr por la parte trasera de la tienda. No seguían ninguna dirección en particular. Simplemente contaban con que la tienda tuviera una entrada trasera. Pero lo único que encontraron fue un interminable conservador de productos congelados.

Al llegar al fondo, tomaron por el primer pasillo y corrieron hacia adelante. Pensaban que corriendo por la periferia del edificio terminarían por encontrar una puerta. Pero no llegaron lejos. Delante de ellos un grupo de sombras dobló la esquina. Casi todos llevaban linternas.

Un gemido de temor brotó casi simultáneamente de las bocas de Cassy y Nancy. Lo que volvía particularmente aterrador al grupo eran sus ojos. Brillaban en la oscuridad de la tienda como galaxias distantes en un cielo nocturno.

Al mismo tiempo, Cassy y Nancy tomaron en dirección opuesta, pero se encontraron ante un segundo grupo que venía por detrás. Se apretaron una contra la otra y esperaron a que los dos grupos las acorralaran. Cuando las personas estuvieron lo suficientemente cerca como para que las dos mujeres pudieran verles la cara, resultó evidente que había hombres y mujeres en iguales cantidades, ancianos y jóvenes. Lo que tenían en común eran los ojos brillantes y las sonrisas plásticas.

En unos instantes, el grupo de personas infectadas rodeó

por completo a las mujeres y se fue acercando a ellas. Cassy y Nancy estaban espalda contra espalda, con las manos contra la boca. Nancy había dejado caer la bolsa de drogas.

Aterrada ante el contacto, Cassy chilló cuando uno de los infectados de pronto se lanzó hacia ella y la tomó de la muñeca.

—Cassy Winthrope, supongo —dijo el hombre con una risotada—. Pero qué gran placer. La han estado echando de menos.

Pitt tamborileó los dedos sobre el volante de la camioneta de Jesse. Jonathan se movía, inquieto, en el asiento del acompañante. Los dos estaban nerviosos.

—¿Cuánto tiempo pasó? —preguntó Jonathan

—Llevan veinticinco minutos de atraso —repuso Pitt.

—¿Qué hacemos?

—No lo sé —admitió Pitt—. Pensé que si alguien iba a tener problemas, íbamos a ser nosotros.

—Con nuestra sonrisa tonta pintada en la cara, nadie nos prestó atención —dijo Jonathan.

—Quédate aquí —le ordenó Pitt de pronto—. Tengo que ir a ver qué pasa en ese supermercado. Si no volví en quince minutos, vete a la cabaña.

—¿Pero cómo vas a irte luego hasta allá? —gimió Jonathan.

—Está lleno de vehículos abandonados —dijo Pitt—. Eso no va a ser un problema.

—Pero...

—Hazlo —le ordenó Pitt secamente y descendió de la camioneta. Bajó la barranca y salió de entre los árboles en una calle desierta. Tomó entonces hacia el supermercado. Calculó que le faltaban unas seis cuadras hasta el local.

Delante de él, un individuo salió de un edificio y giró en dirección a Pitt. Le brillaban los ojos. Conteniendo el impulso de echar a correr, Pitt se obligó a sonreír de oreja a oreja como lo habían hecho con Jonathan en el Centro Médico. Había sonreído tanto que le dolían los músculos de la cara.

Le resultó una pesadilla caminar directamente hacia el hombre. Tenía que concentrarse no solamente en la sonrisa sino en mantener la mirada fija hacia adelante. Jonathan y él se habían dado cuenta de que el contacto ocular era visto con suspicacia.

El hombre pasó sin incidentes y Pitt dejó escapar un suspiro de alivio. Qué forma de vivir, pensó tristemente. ¿Cuánto tiempo podrán sobrevivir en este juego del gato y el ratón?

Pitt dobló la esquina y se acercó al supermercado. Lo primero que vio fue un grupo de automóviles estacionado directamente delante de la tienda. Lo que lo preocupó fue el hecho de que tenían las luces encendidas. Al acercarse, oyó que los motores estaban funcionando.

Al llegar al límite del estacionamiento, Pitt vio que un nutrido grupo de personas emergía de la tienda y comenzaba a subirse a los automóviles. Instantes después oyó el ruido de las puertas al cerrarse.

Pitt corrió y se escondió en la entrada de un edificio cercano a la salida del estacionamiento del supermercado. Casi de inmediato, los automóviles comenzaron a moverse y giraron en dirección a él. Tomaron velocidad y se colocaron en fila india. Pitt se refugió en la oscuridad interior cuando las luces del automóvil principal estaban frente a él.

Segundos después el primero de los seis automóviles pasó a cinco metros de él. El conductor vaciló unos instantes antes de salir a la calle, dándole a Pitt la oportunidad de atisbar los rostros sonrientes de los ocupados infectados.

Los automóviles fueron pasando de a uno con la misma actitud. En el instante de vacilación del último, Pitt se estremeció de horror. ¡Sentada en el asiento trasero iba Cassy!

Sin poder contenerse ni detenerse a pensar en las consecuencias, Pitt dio un paso adelante como si pensara arrojarse contra el auto y abrir la puerta. Las luces bajas pasaron sobre él y en ese momento, Cassy miró hacia allí.

Por una brevísima fracción de segundo, sus ojos se encontraron. Pitt quiso lanzarse hacia adelante, pero Cassy sacudió la cabeza y el instante pasó. El automóvil aceleró y se perdió en la noche.

Pitt cayó hacia atrás, contra la puerta, furioso consigo mismo por no haber hecho nada. Sin embargo, en el fondo, sabía que hubiera sido inútil. Lo único que pudo ver cuando cerró los ojos fue la imagen de Cassy enmarcada en la ventanilla del automóvil.

17

05:15

El cielo refulgente del desierto, que había estado blanqueado de estrellas, iba apagándose y cobrando tonalidades rosadas y azules a medida que la promesa de otro día iluminaba el oriente. Llegaba el amanecer.

Beau había estado en el balcón del dormitorio principal, disfrutando del aire nocturno desde que había oído las buenas noticias. Ahora esperaba con impaciencia que pasaran los últimos minutos. Sabía que la reunión era inminente, pues había visto llegar el automóvil y desaparecer de su vista delante de la mansión.

Beau oyó pasos por el dormitorio y el ruido del cerrojo de las puertas de vidrio. Pero no se volvió. Mantuvo los ojos fijos en el lugar donde el Sol iba a dar lugar a un nuevo día, a un nuevo comienzo.

—Tienes visitas —dijo Alexander. Luego se retiró y cerró las puertas tras él.

Beau vio emerger los primeros rayos dorados del Sol y sintió un despertar en su cuerpo que en un sentido comprendía, pero que en otro le resultaba misterioso y amenazador.

—Hola, Cassy —dijo Beau, quebrando el silencio. Lentamente se volvió. Llevaba puesta una bata de terciopelo oscuro.

Cassy levantó las manos para protegerse los ojos de los rayos del Sol, que dejaban en sombras la cara de Beau. No pudo distinguir sus facciones.

—¿Eres tú, Beau? —preguntó.

—Claro que sí —respondió Beau y se adelantó.

De pronto, Cassy pudo verlo con claridad y ahogó una exclamación. La mutación había avanzado. El pequeño trozo de piel detrás de la oreja que había visto sin querer en la visita anterior se le había desparramado por el cuello hasta la línea de la mandíbula. Algunos pequeños trozos le habían llegado hasta las mejillas. El cuero cabelludo era una mezcla de pelo escaso y piel de extraterrestre. La boca, aunque seguía sonriente, era ahora pequeña y de labios finos y los dientes se le habían ido hacia atrás y estaban amarillentos. Los ojos eran orificios negros sin iris y parpadeaban continuamente, aunque lo que se movía era el párpado inferior en lugar del superior.

Cassy dio un paso atrás, espantada.

—No temas —dijo Beau. Se acercó hacia ella y la rodeó con los brazos.

Cassy se puso rígida. Los dedos de Beau parecían víboras y había en ellos un indescriptible olor a fiera.

—Por favor, Cassy, no tengas miedo. Soy yo, Beau.

Cassy no respondió. Tuvo que obligarse a contener los deseos de gritar.

Beau se echó hacia atrás, obligándola otra vez a mirarle el rostro transformado.

—Te he extrañado tanto —dijo Beau.

Con un repentino arranque de energía, Cassy gritó y se liberó de un empujón que tomó a Beau por sorpresa.

—¿Cómo puedes decir que me extrañaste? —gritó Cassy—. Ya no eres Beau.

—Sí que lo soy —dijo él en tono apaciguador—. Pero también soy algo más. Soy una mezcla de mi antigua forma humana y una especie casi tan antigua como la galaxia misma.

Cassy lo miró. Una parte de su ser le decía que huyera, pero la otra estaba paralizada por el terror.

—Tú también serás parte de la nueva vida —dijo Beau—. Todos lo serán, al menos aquellos que no tienen terribles fallas genéticas. Tuve el honor de ser el primero, pero fue por azar. Podrías haber sido tú, o cualquier otra persona.

—¿Entonces estoy hablando con Beau, ahora? —preguntó Cassy—. ¿O con la conciencia del virus a través del medio de Beau?

—La respuesta, como ya te dije, es las dos cosas —dijo

Beau con paciencia—. Pero la conciencia extraterrestre aumenta con cada persona que cambia. La conciencia extraterrestre es un compuesto de todos los humanos infectados, del mismo modo que el cerebro humano es un compuesto de sus células individuales.

Beau extendió el brazo con movimientos vacilantes para no asustar todavía más a Cassy. Apretando los dedos de víbora en una especie de puño, le acarició la mejilla.

Cassy hizo fuerza para reprimir el asco que sentía ante la caricia de esa criatura.

—Debo confesarte algo —dijo Beau—. Al principio traté de no pensar en ti. De entrada fue fácil, pues era tanto el trabajo que había que hacer. Pero siempre volvías a mis pensamientos y me hacías comprender el poder seductor de la emoción humana. Es una debilidad única en la galaxia. El humano que hay en mí te ama, Cassy, y me entusiasma la idea de poder darte muchos mundos. Mi deseo es que tú quieras ser uno de nosotros.

—No van a venir —vaticinó Sheila—. Por más dolorosa que sea la realidad, me temo que vamos a tener que aceptarla. Se puso de pie y se desperezó. No había pegado un ojo en toda la noche.

Por las ventanas de la cabaña, se veía el sol sobre las copas de los árboles de la orilla oeste del lago. El agua estaba cubierta por una niebla que el sol pronto iba a disipar.

—Y si eso es una realidad —añadió Sheila—, entonces tendremos que huir de aquí antes de que lleguen visitas no deseadas.

Ni Pitt ni Jonathan respondieron.

Estaban sentados en sillones enfrentados, caídos hacia adelante con el mentón en la mano y los codos sobre las rodillas.

Sus expresiones eran una mezcla de cansancio, incredulidad y dolor.

—Bueno, no tenemos tiempo de llevarnos todo —siguió diciendo Sheila—. Pero creo que deberíamos llevar la información y los cultivos de tejido que, con suerte, producirán viriones.

—¿Y mi mamá? —dijo Jonathan—. ¿Y Cassy y Jesse? ¿Si vuelven aquí a buscarnos?

—Ya hablamos de eso —le recordó Sheila—. No lo hagamos más doloroso de lo que es.

—Yo también opino que no deberíamos irnos —dijo Pitt. Si bien había abandonado las esperanzas en cuanto a Cassy, todavía creía que Nancy y Jesse podían aparecer.

—Escúchenme bien los dos —ordenó Sheila—. Hace dos horas dijeron que esperaríamos hasta la madrugada. Y ahora la madrugada llegó. Cuanto más esperemos, más probabilidades hay de que nos atrapen.

—¿Pero adónde iremos? —preguntó Pitt.

—Tendremos que ver cómo se van dando las cosas, lamentablemente —dijo Sheila—. Vamos, empecemos a preparar todo.

Pitt se levantó del sofá. Miró a Sheila con tanto dolor en los ojos, que ella se ablandó y se acercó a abrazarlo.

Jonathan se puso de pie con repentina resolución y fue hasta donde estaba su computadora. La abrió y comenzó a escribir rápidamente. Después de enviar el mensaje, se quedó mirando la pantalla fijamente. Minutos después, llegó la respuesta.

—Eh —dijo a Sheila y Pitt—. Acabo de ponerme en contacto con el doctor M. Cambió de idea. Está dispuesto a encontrarse con nosotros. ¿Qué opinan?

—Yo estoy bastante escéptica —admitió Sheila—. La idea de poner nuestras vidas en las manos de alguien al que sólo conocemos como doctor M suena absurda. Pero por otra parte, nos ha estado enviando información intrigante.

—No tenemos demasiadas opciones —dijo Jonathan.

—Déjame ver su último mensaje —dijo Pitt. Fue hasta la computadora y leyó por encima del hombro de Jonathan. Luego miró a Sheila.

—Creo que deberíamos arriesgarnos. No puedo imaginar que sea un fraude. Caray, nos tiene tanto miedo como nosotros a él.

—Es mejor que seguir andando sin rumbo —insistió Jonathan—. Además, es evidente que está conectado a la Internet. Eso significa que podemos dejar un mensaje aquí, así que si mi madre o alguno de los otros viene, al menos podrá ponerse en contacto con nosotros.

—Está bien, está bien —concordó Sheila—. De acuerdo, nos encontraremos con este tal doctor M, pero eso significa que tenemos que irnos de aquí, así que ¡muévanse!

* * *

—Cassy, sé que es difícil para ti —dijo Beau—. Yo ya no me miro más en el espejo. Pero tienes que ir más allá de eso.

Cassy estaba apoyada contra la baranda, mirando el bello panorama de la propiedad del instituto. El Sol había salido y el rocío matinal estaba por desaparecer. Afuera, en el camino de entrada, había una hilera de personas infectadas que llegaban de todas partes del mundo.

—Estamos construyendo un ambiente asombroso aquí —dijo Beau—. Y pronto va a extenderse a todo el mundo. Es realmente un nuevo comienzo.

—Me gustaba nuestro antiguo mundo.

—No puedes decirlo en serio —objetó Beau—. ¡Con todos esos problemas! Los humanos pusieron a la Tierra en un camino sin retorno hacia la autodestrucción, sobre todo en el último medio siglo. Y eso no está bien, porque la Tierra es un lugar maravilloso. Existen innumerables planetas en la galaxia, pero pocos son cálidos, húmedos y acogedores como este.

Cassy cerró los ojos. Estaba exhausta y necesitaba dormir; sin embargo, algunas de las cosas que Beau estaba diciendo tenían sentido. Se obligó a tratar de pensar.

—¿Cuándo llegó el virus a la Tierra por primera vez? —preguntó.

—¿La primera invasión? Fue hace unos tres mil millones de años. Cuando las condiciones de la Tierra llegaron a un punto en el que la vida empezó a evolucionar rápidamente. Una nave exploradora liberó los viriones en los mares primordiales y se incorporaron al ADN en desarrollo.

—¿Y ésta es la primera vez que vuelve una nave? —quiso saber Cassy.

—Pero no, de ninguna manera. Cada cien millones de años, aproximadamente, vuelve una nave para despertar el virus y ver qué forma de vida se ha desarrollado.

—¿Y la conciencia del virus no permaneció?

—El virus en sí quedó —explicó Beau—. Pero tienes razón, la conciencia quedó en espera. Los organismos resultaban siempre muy poco convenientes.

—¿Cuánto tiempo pasó de la última vez que vinieron? —preguntó Cassy.

—Hace unos cien millones de años —respondió Beau—.

Fue una visita desastrosa. La Tierra se había llenado de enormes criaturas reptílicas que se cazaban unas a otras como caníbales.

—¿Te refieres a los dinosaurios?

—Sí, creo que así los llamaron ustedes —asintió Beau—. Pero de cualquier forma, era una situación totalmente inaceptable para la conciencia. Así que se puso fin a la infestación. No obstante, se realizaron adaptaciones genéticas para que los reptiles se extinguieran y permitieran el desarrollo de otras especies.

—Como los seres humanos —sugirió Cassy.

—Exactamente. Estos cuerpos son maravillosamente versátiles y los cerebros tienen un tamaño razonable. La desventaja son los sentimientos.

Cassy lanzó una carcajada involuntaria. El concepto de una cultura extraterrestre capaz de recorrer la galaxia pero no de manejar los sentimientos humanos era absurda.

—Es cierto —dijo Beau—. La primacía de los sentimientos se traduce en una exagerada importancia del individuo, que es contraria al bien colectivo. Desde mi perspectiva doble, me resulta asombroso que los humanos hayan logrado llegar donde están. En una especie en la cual cada individuo lucha para maximizar su circunstancia por encima de las necesidades básicas, la guerra y las luchas son inevitables. La paz se vuelve una aberración.

—¿De cuántas otras especies de la galaxia se ha apoderado el virus? —preguntó Cassy.

—De miles. Lo hacemos cada vez que encontramos un recipiente adecuado.

Cassy seguía contemplando la distancia. No quería mirar a Beau, porque su aspecto era tan perturbador que le dificultaba el pensamiento y era necesario pensar con claridad. Tenía la ilusión de que cuanto más supiera, más posibilidades tendría de no infectarse y seguir siendo ella misma. Y estaba aprendiendo mucho. Más hablaba con Beau, menos oía el lado humano; escuchaba solamente el lado extraterrestre.

—¿De dónde vienen? —preguntó de pronto.

—¿Cuál es nuestro planeta? —repitió Beau como si no hubiera oído la pregunta. Vaciló, tratando de usar la información colectiva que tenía a disposición. Pero la respuesta no llegaba.—Creo que no lo sé. Ni siquiera sé cuál era nuestra forma física original. ¡Que extraño! La pregunta nunca se presentó.

—¿El virus nunca se puso a pensar que no está bien apoderarse de un organismo que ya tiene una conciencia? —preguntó Cassy.

—No, porque ofrecemos algo mucho mejor —declaró Beau.

—¿Cómo puedes estar tan seguro?

—Es muy simple. Tomo como referencia la historia de ustedes. Mira lo que se han hecho mutuamente y lo que le han hecho al planeta durante su breve reinado como criaturas dominantes.

Cassy asintió. Lo que estaba oyendo no carecía totalmente de sentido.

—Ven conmigo, Cassy —dijo Beau—. Quiero mostrarte algo.

Beau fue a la puerta que daba al dormitorio y la abrió.

Cassy se obligó a volverse e hizo fuerza para no espantarse por el aspecto de Beau, que le resultó tan impresionante como momentos antes. Él le estaba sosteniendo la puerta. Con un movimiento de la mano, dijo:

—Está abajo.

Descendieron por la escalinata principal. En contraste con la tranquilidad del primer piso, la planta baja estaba llena de gente ocupada y sonriente. Nadie les prestó atención. Él la llevó al salón de baile donde el nivel de actividad era casi frenético. Resultaba difícil comprender cómo tantas personas podían trabajar juntas.

El piso, las paredes y el cielo raso del gigantesco salón estaban cubiertos de laberintos de cables. En el medio había una enorme estructura que a Cassy le pareció de otro mundo en su diseño y propósito. En el centro había un gran cilindro de acero. Sujetadores de acero salían en varias direcciones. Esta superestructura sostenía lo que a Cassy le pareció un equipo para almacenamiento y transmisión de electricidad de alto voltaje. A un costado había un centro de comando que contenía un número desconcertante de monitores, diales e interruptores.

Al principio, Beau no habló. Simplemente le permitió a Cassy que absorbiera el impacto de la escena.

—Ya está casi terminado —anunció por fin.

—¿Qué es? —quiso saber Cassy.

—Es lo que llamamos un Portón. Es una conexión formal con otros mundos que hemos infestado.

—¿Cómo, una conexión? —quiso saber Cassy—. ¿Es un aparato de comunicación?

—No, no de comunicación, de transporte.

Cassy tragó saliva. Se le había secado la garganta.

—¿Quieres decir que especies de otros planetas, que tú, bueno…, que el virus ha infectado podrán venir aquí, ¡a la Tierra!?

—Y nosotros ir allí —dijo Beau en tono triunfal—. La Tierra quedará así ligada a esos otros mundos. Su aislamiento ha llegado al fin. Será realmente parte de la galaxia.

Cassy se sintió repentinamente mareada. El horror de que la Tierra fuera invadida por innumerables criaturas extrañas ahora se sumaba al temor que sentía y a esto se añadía el agotamiento físico, emocional y mental. Cassy se desvaneció. La habitación comenzó a dar vueltas y a oscurecerse y perdió el conocimiento.

Cuando recuperó la conciencia, no pudo decir cuánto tiempo había estado desmayada. Lo primero que sintió fueron unas leves náuseas, pero se estremeció y éstas desaparecieron. Luego sintió que su mano derecha estaba cerrada con fuerza y sostenida con firmeza.

Abrió los ojos lentamente. Estaba en el suelo del salón de baile con una porción del aparato futurístico por encima de ella; el aparato que supuestamente sería capaz de transportar criaturas de otros planetas a la Tierra.

—Ya te vas a recuperar —dijo Beau.

Cassy se estremeció. Era la característica frase hecha que siempre se le decía al paciente, fueran cuales fueren sus posibilidades. Cassy dejó que sus ojos se posaran en Beau. Estaba de rodillas a su lado, sujetándole el puño. Fue entonces cuando Cassy se dio cuenta de que tenía algo en la palma de la mano, algo pesado y frío.

—¡No! —gritó Cassy. Trató de liberar la mano, pero Beau no se la soltó.

—Por favor, Beau —suplicó.

—No temas —dijo Beau en tono tranquilizador—. Te sentirás satisfecha y bien.

—Beau, si me amas no hagas esto —imploró Cassy.

—Cassy, cálmate —repuso Beau—. Claro que te amo.

—Si tienes algo de control sobre tus acciones, suéltame —le dijo Cassy—. Quiero ser yo misma.

—Pero serás tú misma. Tú misma y mucho más. Tengo control, estoy haciendo lo que quiero. Quiero el poder que me ha sido dado y te quiero a ti.

—¡Ahhhh! —exclamó Cassy. Beau le soltó la mano de inmediato. Cassy se incorporó y con una exclamación de repulsión arrojó el disco negro bien lejos. Éste se deslizó sobre el suelo antes de detenerse contra un manojo de cables.

Cassy se sujetó la mano lastimada con la otra y vio la gota de sangre que salía lentamente de la base de su dedo índice. El disco la había picado y el aplastante significado de ese hecho la hizo caer nuevamente al suelo. De cada ojo le brotó una lágrima que cayó luego por el costado de la cara. Ahora ella también era una más.

18

09:15

La estación de servicio parecía extraída de una película de los años 30 o de la tapa de una vieja revista. Había dos surtidores raquíticos que semejaban rascacielos en miniatura con dos puntas decoradas y redondas. En el medio de ellas se podía distinguir, a través de la pintura descascarada, una imagen de un Pegaso rojo.

El edificio detrás de los surtidores era de la misma cosecha. Costaba creer que realmente seguía allí. Por lo menos durante medio siglo, la arena del desierto había lijado los tablones quitándoles todo resto de pintura. Lo único que seguía razonablemente intacto era el viejo techo de pizarra. La puerta mosquitero, pero sin el alambre tejido, golpeaba en la brisa caliente: un tributo a la longevidad de sus materiales.

Pitt detuvo la camioneta a un costado del camino frente a la estación para que pudieran echarle un vistazo.

—Pero qué lugar abandonado por Dios —comentó Sheila, secándose la transpiración de los ojos. El sol del desierto comenzaba a dar muestras de su poder.

Estaban en un camino de dos manos ahora abandonado, que en un tiempo había sido una ruta importante del desierto de Arizona. Pero la interestatal, cuarenta kilómetros más al sur, había cambiado la situación. Casi ningún automóvil se aventuraba por ese camino lleno de pozos por donde asomaba la arena.

—Dijo que se reuniría con nosotros aquí —acotó Jonathan—. Y es exactamente como la describió, con puerta y todo.

256

—¿Bueno, y dónde está? —preguntó Pitt, oteando el horizonte distante. De no ser por unas solitarias mesetas en la distancia, el lugar era una planicie en todas las direcciones. El único movimiento visible era el de las matas de cardos rodadores.

—Tal vez deberíamos sentarnos a esperar —sugirió Jonathan. Por lo poco que había dormido, le estaba costando mantenerse despierto.

—Aquí no hay nada de protección —dijo Pitt—. Me pone nervioso este lugar.

—¿Qué les parece si echamos una mirada dentro de la casa? —propuso Sheila.

Pitt encendió de nuevo el motor, atravesó la vieja ruta y estacionó entre los vetustos surtidores y la desvencijada construcción. Todos la miraron con recelo. Había algo fantasmagórico en ella, sobre todo con el movimiento de vaivén de la puerta. Ahora que estaban cerca podían oír el chillido de las bisagras. Las ventanitas de vidrio, sorprendentemente intactas, estaban demasiado sucias como para que se pudiera ver a través de ellas.

—Veamos qué hay adentro —dijo Sheila.

Descendieron de la camioneta con movimientos vacilantes y se acercaron con cautela al porche. Había dos viejas mecedoras cuyos asientos de caña se habían podrido tiempo atrás. Junto a la puerta se veía el esqueleto oxidado de una vieja expendedora de Coca-Cola enfriada a hielo. La tapa estaba abierta y se veía el interior lleno de toda clase de escombros.

Pitt abrió la puerta mosquitero y probó suerte con la puerta interior. Estaba sin llave. La abrió.

—¿Vienen o no? —dijo.

—Te seguimos —declaró Sheila.

Pitt entró, seguido de Jonathan y de Sheila. Se detuvieron apenas traspuesto el umbral y miraron a su alrededor. Las ventanas sucias hacían que la luz fuera muy tenue. Había un escritorio de metal a la derecha con un calendario detrás. El año era 1938. El piso estaba cubierto de polvo, arena, botellas rotas, diarios viejos, latas de aceite vacías y repuestos antiguos de automóviles. De las vigas del techo colgaban telarañas como enredaderas. A la izquierda había una entrada. La puerta de paneles estaba semiabierta.

—Parecería que aquí no ha habido nadie durante años

—comentó Pitt—. ¿Habrá sido una trampa, todo este asunto del encuentro?

—No creo —dijo Jonathan—. Tal vez nos está esperando en el desierto y nos vigila para ver quiénes somos.

—¿Desde dónde podría estar vigilándonos? —preguntó Pitt—. Este desierto es chato como un panqueque.

Caminó hasta la puerta entreabierta y la abrió del todo, a pesar de las protestas de las bisagras. La segunda habitación estaba todavía más oscura que la primera; solamente tenía una ventana pequeña. Las paredes tenían estantes, lo que sugería que se había tratado de un depósito.

—Bueno, no sé si tiene importancia que lo encontremos o no —dijo Sheila, desanimada, corriendo escombros del suelo con el pie—. Tenía la esperanza de que como nos estaba dando información interesante, tuviera acceso a un laboratorio o algo. De más está decir que no vamos a poder realizar ningún trabajo en un lugar como este. Vámonos.

—Mejor esperemos un poco — dijo Jonathan—. Estoy seguro de que este tipo es auténtico.

—Nos dijo que estaría aquí cuando llegáramos —le recordó Sheila—. O nos mintió o ...

—¿O que? —preguntó Pitt.

—O lo atraparon —dijo Sheila—. A esta altura ya podría ser uno de ellos.

—Qué pensamiento tan optimista —ironizó Pitt.

—Hay que ser realistas —se defendió Sheila.

—¡Esperen! —dijo Pitt—. ¿Oyeron eso?

—¿Qué? —preguntó Sheila—. ¿El ruido de la puerta mosquitero?

—No, fue otra cosa —respondió Pitt—. Un ruido como áspero.

Jonathan se llevó una mano a la cabeza.

—Me cayó algo encima. Polvo o algo así —levantó la vista—. Uy, hay alguien ahí arriba.

Todos miraron hacia arriba. Sólo entonces se dieron cuenta de que no había cielo raso. Por encima de las vigas estaba más oscuro que abajo. Pero ahora que sus ojos se habían adaptado a la poca luz, pudieron ver una figura en el espacio del altillo, de pie sobre las vigas.

Pitt se agachó y recogió una llave de hierro del suelo.

—Suéltala —dijo una voz ronca desde arriba.

Con sorprendente agilidad, la figura bajó del techo descolgándose con una mano. En la otra sostenía una amenazadora Colt .45. Estudió a los visitantes con fijeza. Era un hombre de algo más de sesenta años, con piel curtida, cabello gris ondulado y cuerpo fibroso.

—Suelta esa barra —repitió el hombre.

Pitt arrojó el hierro al suelo y levantó las manos.

—Soy Jumping Jack Flash —se presentó Jonathan con entusiasmo, golpeándose repetidamente el pecho—. Era yo el de la Internet. ¿Usted es el doctor M?

—Puede ser —dijo el hombre.

—Mi verdadero nombre es Jonathan. Jonathan Sellers.

—Yo soy la doctora Sheila Miller.

—Y yo soy Pitt Henderson.

—¿Nos estaba vigilando? —preguntó Jonathan—. ¿Por eso estaba escondido entre las vigas?

—Puede ser —repitió el hombre e hizo un ademán para que todos pasaran al depósito.

Pitt vaciló:

—Somos amigos. De verdad. Somos personas normales.

—¡Entren! —ordenó el hombre, apuntando la pistola hacia la cara de Pitt.

El muchacho nunca había visto una Colt .45 en su vida, mucho menos desde el extremo del amenazador cañón.

—Voy, voy —se apresuró a decir.

—Todos —ordenó el hombre.

De mala gana, se apretujaron en el depósito oscuro.

—Dense vuelta y mírenme.

Temerosos de lo que iba a suceder, todos obedecieron. Con la boca seca, miraron a este hombre musculoso que, literalmente, había caído sobre ellos. El hombre les devolvió la mirada. Hubo un momento de silencio.

—¡Sé lo que está haciendo! —exclamó Pitt de pronto—. Se está fijando en nuestros ojos. ¡Quiere ver si brillan!

El hombre asintió finalmente.

—Tienes razón —dijo—. Y me alegro de comprobar que no brillan. ¡Qué bien! —Guardó la .45 en la cartuchera. —Mi nombre es McCay. Doctor Harlan McCay. Y creo que vamos a trabajar juntos. Me alegro de verlos, realmente.

Con gran alivio, Pitt y Jonathan siguieron al hombre afuera y le estrecharon la mano con entusiasmo. Sheila los siguió, pero parecía irritada por la recepción inicial y se quejó de que él la había asustado terriblemente.

—Perdóneme —se disculpó Harlan—. No quería asustarlos, pero ahora hay que andar con mucho cuidado. Pero todo eso ya quedó atrás. Los llevaré allí adonde trabajarán. Me temo que no nos queda mucho tiempo si queremos lograr algo.

—¿Tiene un laboratorio o algún lugar donde trabajar? —preguntó Sheila, ya con otro ánimo.

—Sí, tengo un pequeño laboratorio. Pero tenemos que ir en automóvil unos veinte minutos. —Abrió la puerta de la camioneta y entró. Pitt tomó el volante. Sheila subió adelante y Jonathan se sentó junto a Harlan.

Pitt encendió el motor.

—¿Hacia dónde? —preguntó.

—Derecho —dijo Harlan—. Te avisaré dónde doblar.

—¿Trabajaba por su cuenta antes de todo este problema? —preguntó Sheila mientras la camioneta iba saliendo al camino.

—Sí y no —respondió Harlan—. La primera parte de mi vida profesional la pasé en la Universidad de California, en Los Angeles, en una posición académica. Me especialicé en medicina clínica, con una subespecialización en inmunología. Pero hace unos cinco años, me di cuenta de que estaba cansado, así que me vine aquí afuera y comencé a trabajar como médico clínico en una pequeña ciudad llamada Paswell. Es apenas un punto en el mapa. Trabajé mucho con aborígenes norteamericanos de las reservas de los alrededores.

—¡Inmunología! —exclamó Sheila, impresionada—. Con razón nos enviaba información tan interesante.

—Lo mismo podría decir yo de usted —declaró Harlan—. ¿En qué se ha capacitado?

—Lamentablemente, casi todo en medicina de emergencia —admitió Sheila—. Aunque hice una residencia de medicina clínica.

—¡Medicina de emergencia! —exclamó Harlan—. Entonces me siento más asombrado todavía por el nivel de información que manejaba. Pensé que me estaba comunicando con un colega inmunólogo.

—Por desgracia, no puedo adjudicarme los laureles —dijo Sheila—. La madre de Jonathan estaba con nosotros en ese momento y es viróloga. Gran parte del trabajo lo hacía ella.

—Me da la impresión de que es mejor no preguntar dónde está ahora —comentó Harlan.

—No sabemos dónde está —se apresuró a responder Jonathan—. Anoche fue a una farmacia para conseguir algunas drogas y no volvió.

—Lo siento —dijo Harlan.

—Se pondrá en contacto conmigo a través de la Internet —le aseguró Jonathan, sin querer abandonar las esperanzas.

Condujeron unos minutos en silencio. Nadie quería contradecir al muchacho.

—¿Vamos en dirección a Paswell, ahora? —preguntó Sheila. La idea de estar en una ciudad le atraía mucho. Quería una ducha y una cama.

—Cielos, no —dijo Harlan—. Todo el mundo está infectado allí.

—¿Cómo logró escapar a la infección? —preguntó Pitt.

—Al principio, por pura suerte —admitió Harlan—. Estaba con un amigo en el momento en que lo picó uno de esos discos negros, así que luego no quise ni acercarme a ellos. Más tarde, cuando comencé a tener sospechas de lo que estaba ocurriendo y de que no había nada que pudiera hacer, me fugué al desierto. Y desde entonces estoy aquí.

—¿Y cómo hacía para enviar y solicitar información desde el desierto? —preguntó Sheila.

—Tengo un pequeño laboratorio, como les dije.

Sheila miró hacia afuera. El desierto se extendía hacia las montañas distantes. No se veían construcciones, mucho menos laboratorios biológicos. Comenzó a sospechar que a Harlan McCay le faltaba un tornillo.

—Tengo noticias alentadoras —informó Harlan—. Una vez que pudieron pasarme esa secuencia de aminoácidos de la proteína, logré producir un poco de la misma y desarrollé un anticuerpo monoclonal algo rudimentario.

La cabeza de Sheila giró en redondo. Estudió al hombre curtido, de ojos azules, con incredulidad.

—¿Lo dice en serio?

—Claro que sí —repuso Harlan—. Pero no se alegre mucho, porque no es tan específico como me gustaría que fuera. Pero funciona. El tema principal es que he podido demostrar que la proteína es lo suficientemente antigénica como para extraer una respuesta de anticuerpos en un ratón. Solamente me falta seleccionar un linfocito B mejor para hacer que funcione mi célula híbrida.

Pitt dirigió una rápida mirada a Sheila. A pesar de haber tomado varios cursos de biología avanzados, Pitt no tenía idea de lo que estaba hablando Harlan, ni siquiera se daba cuenta de si estaba diciendo cosas lógicas o no. Pero era evidente que Sheila estaba admirada.

—Para producir un anticuerpo monoclonal, se necesitan reactivos y materiales complicados, como una fuente de células de mieloma —dijo Sheila.

—Sin ninguna duda —concordó Harlan—. Dobla a la derecha aquí, Pitt, justo después de ese cactus.

—Pero no hay camino —objetó Pitt.

—Un mero detalle —respondió Harlan—. Dobla de todos modos.

Cassy despertó después de una breve siesta, se levantó de la cama y fue hasta el gran ventanal. Estaba en una de las habitaciones de huéspedes del primer piso de la mansión que miraba al sur. A la izquierda podía ver una línea de tránsito pedestre que iba y venía por el camino de entrada. Directamente adelante, un árbol alto y frondoso le cortaba la vista de la propiedad. A la derecha podía ver el extremo de la terraza que rodeaba la piscina y unos cien metros de jardín que terminaba contra un bosque de pinos.

Miró el reloj y se preguntó en qué momento comenzaría a sentirse mal. Trató de recordar el intervalo entre el que a Beau lo había picado el disco y había empezado con los síntomas, pero no pudo. Él le había dicho que había ido a clase, pero ella no sabía a cuál.

Volvió a la puerta y giró el picaporte. Seguía trabado como cuando la habían dejado en la habitación. Se volvió y apoyada contra la puerta, observó los alrededores. La habitación era generosa, tenía cielo raso alto, pero lo único que había era una cama. Y ésta consistía solamente de un colchón sobre un sommier.

La breve siesta la había reanimado un poco. Sentía una mezcla de depresión y furia. Pensó en volver a acostarse, pero no iba a poder dormir. Volvió entonces a la ventana.

Al ver que no había traba, intentó abrirla. Sorprendida, comprobó que lo hacía con toda facilidad. Cassy se asomó y miró hacia abajo. A unos seis metros había un camino de baldosas que conectaba la terraza con el frente. Tenía una baranda de piedra. Sería un aterrizaje muy duro si trataba de saltar, pero consideró la idea durante un buen rato. La muerte podría ser preferible al hecho de convertirse en uno de ellos. El problema es que una caída de menos de seis metros la dejaría incapacitada, pero no la mataría.

Cassy levantó la vista y miró el árbol con más atención. Una gruesa rama le interesó. Salía del tronco principal, se arqueaba directamente hacia la ventana, luego hacía un ángulo hacia la derecha. El interés de Cassy se concentró en una corta sección horizontal que estaba a un poco menos de dos metros de donde ella estaba parada.

Se preguntó si podría saltar de la ventana, tomarse de la rama y sujetarse. No lo sabía. Jamás había hecho una cosa así en su vida y ni siquiera se daba cuenta de cómo se le había ocurrido. Sin embargo, estas no eran circunstancias normales y pronto comenzó a sentirse intrigada. Al fin y al cabo, parecía posible, sobre todo con todo el trabajo de pesas que había estado haciendo los últimos seis meses con el aliento de Beau. Además, ¿qué importaba si fracasaba? Sus perspectivas actuales eran cualquier cosa menos buenas. Estrellarse contra las piedras no le parecía mucho peor y tal vez lograra matarse.

Cassy se trepó al alféizar y levantó la ventana hasta el punto máximo para crear una abertura de un metro y medio. Desde esa posición, la tierra se veía terriblemente lejana.

Cerró los ojos. El corazón le latía al galope y respiraba agitadamente. Su coraje titubeó. Recordó haber ido a un circo siendo niña y al ver a los trapecistas, supo que jamás ella podría hacer algo semejante. Pero luego pensó en Eugene y en Jesse y en lo que se estaba transformando Beau. Pensó en el horror de perder su identidad.

Con repentina resolución, abrió los ojos y saltó al aire.

Le pareció que tardaba terriblemente en hacer contacto. Tal vez guiada por un instinto que no sabía que poseía, Cassy había calculado la distancia a la perfección. Sus manos entraron en contacto adecuadamente con la rama y se sujetó con fuerza. Ahora la pregunta era si podría sujetarse mientras sus piernas se balanceaban.

Pasaron unos instantes de terror antes de que el balanceo cesara. ¡Lo había logrado! Pero todavía faltaba mucho. Estaba a seis metros del suelo, aunque ahora colgaba por encima del césped y no de las baldosas.

Utilizando las piernas como impulso, Cassy se movió a lo largo de la rama hasta que llegó a un punto donde pudo apoyar el pie derecho en una rama más baja. De allí en más le fue relativamente fácil bajar por el árbol y llegar finalmente al suelo. No bien tocó tierra, empezó a caminar. Se resistió a la tentación de correr por el enorme jardín, pues sabía perfectamente bien que con eso sólo lograría llamar la atención. Se obligó, en cambio, a caminar con serenidad luego de trepar por encima de la baranda de piedra. Siguió el sendero hasta el frente de la casa.

Imitando la sonrisa, la mirada vacía perdida en la distancia y el andar pausado de las personas infectadas, Cassy se mezcló dentro de la multitud que iba en dirección al portón. Sentía el corazón en la garganta y estaba aterrada, pero la treta funcionó. Nadie le prestó atención. Lo más difícil fue obligarse a no mirar a su alrededor, sobre todo en dirección a los perros.

—¿Cómo sabe adónde estamos yendo? —preguntó Pitt. Habían recorrido kilómetros por una huella que en algunos puntos casi no se distinguía del resto del desierto.

—Ya casi hemos llegado —dijo Harlan.

—¡Ay, por favor! —exclamó Sheila con impaciencia—. Estamos en el medio del maldito desierto. Sin el camino pavimentado, esto es todavía peor que la zona de la estación de servicio. ¿Se trata de una broma o algo así?

—De ninguna manera —repuso Harlan—. ¡Tengan paciencia! Les estoy dando la oportunidad de ayudar a salvar la raza humana.

Sheila miró a Pitt, pero él estaba concentradísimo en seguir la huella. Sheila suspiró en forma audible. Justo cuando comenzaba a confiar en Harlan, se tornaba aparente que los estaba llevando a cualquier parte. En el desierto no había ningún laboratorio. Toda la situación era absurda.

—Muy bien —indicó Harlan—. Detente allí cerca de ese cactus en flor.

Pitt obedeció. Frenó y apagó el motor.

—Vamos —ordenó Harlan—. Todo el mundo abajo. —Abrió

la puerta corrediza y bajó a la arena. Jonathan lo siguió.

—¡Vamos! —los alentó Harlan.

Sheila y Pitt se miraron y pusieron los ojos en blanco. Estaban estacionados en el medio del desierto. Con excepción de unas pocas rocas, un manojo de cactus y algunas dunas bajas, no había nada por ninguna parte.

Harlan caminó unos tres metros y luego se volvió; sorprendido, comprobó que nadie lo estaba siguiendo. Jonathan se había bajado del vehículo, pero como los otros lo habían hecho, se había quedado parado.

—¡Pero por todos los Santos! —se quejó Harlan—. ¿Qué necesitan, invitación especial?

Sheila suspiró y descendió de la camioneta. Pitt hizo lo mismo. Los tres siguieron pesadamente a Harlan, que seguía avanzando hacia la nada.

Sheila se secó la frente.

—No sé qué pensar de esto —susurró—. De pronto parece un regalo del cielo y dos segundos después se comporta como un lunático. Y encima de todo aquí hace más calor que en el infierno.

Harlan se detuvo y esperó a que los demás lo alcanzaran. Señaló el suelo y dijo:

—Bienvenidos al Laboratorio Vashburn-Kraft de Reacción contra la Guerra Biológica.

Antes de que alguien pudiera responder a esta absurda declaración, Harlan se inclinó y tiró de un aro camuflado. Lo levantó y una porción circular del suelo del desierto se abrió. Debajo había una abertura revestida de acero inoxidable. Se veía la punta de una escalera.

Harlan hizo un ademán amplio con la mano.

—Toda esta zona, hasta cerca de la ciudad de Paswell, está llena de instalaciones subterráneas. Se suponía que era un gran secreto, pero los aborígenes lo descubrieron.

—¿Es un laboratorio en funcionamiento? —preguntó Sheila. Esto sí que era lo máximo.

—Lo dejaron medio congelado —explicó Harlan—; fue construido hace años, en el apogeo de la guerra fría, pero luego pareció superfluo, cuando la amenaza de una guerra bacteriológica contra Estados Unidos disminuyó. Con excepción de algunos burócratas que siguieron manteniéndolo bien provisto, casi todo el mundo se olvidó de su existencia. En cualquier caso, cuando comenzó todo este problema, me vine aquí y le di máxima velocidad. Así que la respuesta es sí, es un laboratorio en funcionamiento.

—¿Y ésta es la entrada? —preguntó Sheila, asomándose y mirando dentro de la abertura. Abajo había luces. La escalera descendía unos nueve metros.

—No, esta es la salida de emergencia y el conducto de ventilación —admitió Harlan—. La verdadera entrada está cerca de Paswell, pero no quiero usarla por si me ve alguno de mis antiguos pacientes.

—¿Podemos entrar? —preguntó Sheila.

—Pero si para eso hemos venido —declaró Harlan—. Pero antes de hacer una visita guiada, quiero tapar la camioneta con una lona de camuflaje.

Bajaron hasta un corredor blanco de alta tecnología, iluminado por grupos de luces fluorescentes. Desde un armario de provisiones al pie de la escalera, Harlan sacó la lona de la que había hablado. Pitt volvió a subir con él para ayudarlo.

—Está genial —dijo Jonathan a Sheila mientras esperaban. El pasillo parecía seguir hasta el infinito en ambas direcciones.

—Mejor que genial —concordó Sheila—. Es un envío del cielo. Y pensar que fue construido para ayudar a bloquear un ataque bacteriológico de los rusos y ahora se va a usar para hacer lo mismo con un ataque extraterrestre. Es bastante irónico.

Cuando Harlan y Pitt regresaron, Harlan los guió hacia donde dijo que era el norte.

—Les llevará un tiempo orientarse —los previno—. Hasta que se acostumbren, les recomiendo que se mantengan juntos.

—¿Dónde están las personas que mantenían esto? —preguntó Sheila.

—Cumplían turnos, como los que solían comandar los silos misilísticos subterráneos —explicó Harlan—, pero desde que se infectaron, o se olvidaron del lugar o se fueron a otra parte. En Paswell se comentaba que mucha gente estaba yendo a Santa Fe por algún motivo. En fin, ya no están y a esta altura no creo que vuelvan.

Llegaron a un compartimiento cerrado. Harlan lo abrió

e hizo que todos pasaran a una cámara. Adentro había duchas y mamelucos azules. Harlan cerró la puerta e hizo girar algunos diales. Comenzó a entrar aire en la cámara.

—Esto era para asegurarse que ninguno de los agentes de guerra bacteriológica entrara en el laboratorio excepto en contenedores contra riesgo biológico —dijo Harlan—. Nosotros no tenemos que preocuparnos por eso.

—¿De dónde viene la energía? —quiso saber Sheila.

—Es nuclear —respondió Harlan—. Más o menos como un submarino nuclear. Este lugar es independiente de la parte de arriba.

Todos tuvieron que descomprimir los oídos a medida que fue subiendo la presión. Cuando se equilibró con el interior del laboratorio, Harlan abrió la puerta interna.

Sheila se quedó mirando, atónita. Jamás había visto un laboratorio así en toda su vida. Era una serie de tres habitaciones amplias con cámaras de incubación y refrigeración donde se podía entrar de pie. Los equipos eran de primera.

—Estos congeladores asustan un poco —dijo Harlan, golpeando una de las puertas de acero inoxidable—. Contienen todos los agentes potencialmente biológicos, bacteriales y virales. —Luego señaló otra puerta con grandes cerraduras como las de una caja fuerte. —Allí hay una biblioteca de agentes químicos.

—¿Y detrás de esas puertas? —preguntó Sheila, señalando unas escotillas selladas a presión con ventanitas redondas.

—Allí hay habitaciones de confinamiento y un consultorio de atención. Supongo que los hicieron por si alguno de los que trabajaba aquí sucumbía a aquello que estaban tratando de combatir.

—¡Miren! —exclamó Jonathan, señalando una hilera de discos negros ubicados debajo de una campana de extracción.

—¡No los toquen! —los previno Harlan.

—No se preocupe —dijo Jonathan—. Ya sabemos lo que pasa con ellos.

Todos se acercaron a mirar la colección.

—No solamente infectan gente —dijo Sheila—, hacen bastantes cosas más.

—Vaya si lo sé —repuso Harlan—. Vengan, les mostraré algo.

Los guió hasta un pasillo corto que daba a varias salas de radiología y a un mapeador MRI. Abrió la puerta del primer salón de radiología. Adentro, la máquina había quedado retorcida como si la hubieran derretido y empujado hacia adentro.

—¡Santo Cielo! —exclamó Sheila—. Igual que lo que pasó en una habitación del Centro Médico. ¿Sabe cómo sucedió esto?

—Creo que sí —dijo Harlan—. Traté de radiografiar uno de esos discos negros y no le gustó. Miren, van a creer que es una locura, pero me parece que creó un agujero negro en miniatura. Supongo que es así como llegan aquí y cómo se van.

—Genial —comentó Jonathan—. ¿Cómo lo hacen?

—Me encantaría saberlo —admitió Harlan—. Pero te diré cómo me lo expliqué a mí mismo. De algún modo tienen la capacidad de generar suficiente energía interna como para crear un enorme campo de gravitación, de forma tal que hacen una implosión subatómica.

—¿Y adónde van, entonces? —quiso saber Jonathan.

—Bueno, ahí sí que uno se puede imaginar cualquier cosa —dijo Harlan—, y tal vez apoyar la teoría del agujero del cosmos. Si creemos eso, estarían en un universo paralelo.

—Caray —masculló Jonathan.

—Para mí es demasiado —objetó Pitt.

—Para mí también —concordó Sheila—. Volvamos al laboratorio. —Mientras desandaban camino, preguntó: —¿Entonces hay ratones y células de mieloma disponibles para producción de anticuerpos monoclonales?

—No tenemos sólo ratas —dijo Harlan—. Además de ellas, disponemos de conejillos de Indias, conejos y hasta algunos monos. Es más, la mayoría del tiempo me lo paso dándoles de comer a todos.

—¿Y dónde se vive? —preguntó Sheila. Cansada y sucia como estaba, no podía más que pensar en los placeres de una ducha y una siesta.

—Por aquí —indicó Harlan.

Los guió hasta el pasillo central y por unas puertas dobles. La primera habitación a la que llegaron era un living enorme, con televisor gigante y una pared entera ocupada por una biblioteca. Pegado al living había un comedor adyacente a una cocina moderna. Más allá, por un corredor, había varios dormitorios, cada uno con su baño.

—Esto está buenísimo —dijo Jonathan, al ver que cada cuarto tenía su propia computadora.

—Sí, está buenísimo —concordó Pitt, mirando la cama—. Está realmente sensacional.

Una vez que Cassy logró salir del instituto, no tuvo problemas en conseguir un automóvil. Había cientos de ellos, simplemente abandonados, como si muchas de las personas infectadas ya no tuvieran interés en ellos. Al parecer, preferían caminar.

En cuanto llegó a un teléfono, trató de comunicarse con la cabaña. Dejó que el teléfono sonara veinte veces y después se dio por vencida. Era evidente que no había nadie allí, lo que solamente podía significar una cosa: los habían descubierto. La idea le causó una pena terrible, y por una hora se quedó adentro del automóvil, sintiéndose deprimida hasta el punto de la parálisis. Su deseo de hablar al menos una vez más con Pitt y los demás había quedado trunco.

Lo que finalmente sacó a Cassy de las profundidades de su sopor, fue una repentina sensación de picazón en la nariz seguida por una serie de estornudos violentos. De inmediato reconoció lo que le pasaba: comenzaban los síntomas de la gripe extraterrestre.

Volvió al teléfono y a pesar de saber que era en vano, intentó comunicarse nuevamente con la cabaña. Como lo supuso, no hubo respuesta. Pero mientras el teléfono sonaba, pensó que existía por lo menos una pequeña posibilidad de que aunque la cabaña hubiera sido descubierta, uno o más de sus amigos hubieran podido escapar. Fue entonces cuando pensó en lo que Jonathan le había enseñado con tanta paciencia: a conectarse con la Internet.

Para cuando volvió al automóvil, la incomodidad que sentía en la nariz se le había extendido a la garganta y comenzó a toser. Al principio fue un carraspeo leve, pero pronto se convirtió en tos.

Cassy condujo a la ciudad. Todavía había algo de tráfico, pero era leve. En contraste, se veían miles de personas caminando, ocupadas con las necesidades de la vida. Muchos estaban haciendo jardinería; todos sonreían y casi nadie hablaba.

Cassy estacionó y bajó a la acera. Aunque muchos comercios seguían funcionando, otros estaban desiertos como si los empleados se hubieran puesto de pie a una hora arbitraria y se hubieran ido tranquilamente. Nada estaba cerrado con llave.

Uno de los comercios vacíos era una tintorería. Cassy entró, pero no encontró lo que estaba buscando. Sí lo encontró, en cambio, al lado en una casa de fotocopias. Lo que quería era una computadora conectada a un módem.

Cassy se sentó y activó la pantalla. Cuando los empleados se habían ido, ni siquiera habían apagado el equipo. Cassy recordó el nombre ficticio de Jonathan, Jumping Jack Flash y comenzó a escribir.

—¿Esto es lo único que tiene? —preguntó Sheila a Harlan. En la mano sostenía un frasquito con un líquido transparente.

—Por ahora sí —dijo Harlan—. Pero tengo un grupo de ratones con las células de hibridoma implantadas en las cavidades peritoneales y también algunos cultivos de células cocinándose en la incubadora. Podemos extraer más de este anticuerpo monoclonal. Pero tiene una acción muy débil. Preferiría tratar de encontrar una célula que produzca anticuerpos más ávidamente.

Sheila, Pitt y Jonathan se habían duchado y habían descansado un rato, pero estaban demasiado acelerados como para poder dormir. Sheila estaba deseosa de ponerse a trabajar y le había pedido a Harlan que le mostrara todo lo que había hecho.

Jonathan y Pitt la habían seguido. A Pitt le estaba costando seguir las explicaciones de Harlan; Jonathan ni siquiera lo intentaba. Como casi no había estudiado biología, para él todo era chino. De modo que no prestó más atención a los demás, se sentó en una de las computadoras disponibles y comenzó a escribir.

—Les mostraré el proceso utilizado para seleccionar los linfocitos B del bazo emulsionado de un ratón —dijo Harlan—, pero ustedes deberán mostrarme los viriones que aislaron con la madre de Jonathan.

—No estamos seguros de que haya viriones en el cultivo de tejido —confesó Sheila—. Lo sospechamos, nada más. Estábamos justamente por aislarlos.

—Bueno, lo averiguaremos con toda facilidad —declaró Harlan.

—¡Ay, Dios mío! —gritó Jonathan de pronto.

Asustados por la exclamación, todos lo miraron. Tenía los ojos pegados a la pantalla.

—¿Qué pasa? —preguntó Pitt, nervioso.

—¡Hay un mensaje de Cassy! —exclamó Jonathan.

Pitt prácticamente saltó por encima de un banco del laboratorio para llegar adonde estaba Jonathan. Miró la pantalla con ojos enormes.

—Está escribiendo a la casilla de mensajes en este momento —dijo Jonathan—. Esto es de no creer.

—¡Sí, es fantástico! —logró decir Pitt.

—Qué chica genial —dijo Jonathan—. Está haciendo todo como le enseñé.

—¿Qué dice? —quiso saber Sheila—. ¿Dice dónde está?

—¡Ay, no! —exclamó Jonathan—. Dice que la infectaron.

—¡Dios! —Pitt apretó los dientes; su expresión denotaba su sufrimiento.

—Dice que ya está experimentando los primeros síntomas de la gripe —relató Jonathan—. Quiere desearnos buena suerte.

—¡Ponte en contacto con ella! —gritó Pitt—. Ahora, ya, antes de que se vaya.

—Pitt, no sirve de nada —dijo Sheila—. Sólo te será más difícil. ¡Está infectada!

—Tal vez lo esté, pero es evidente que todavía sigue siendo ella misma —objetó Pitt—. De otro modo no nos estaría deseando suerte. —Apartó a Jonathan de un empujón y comenzó a escribir frenéticamente.

Jonathan miró a Sheila. Ella sacudió la cabeza. Aunque sabía que estaba a mano no tenía el coraje de detener a Pitt.

Para Cassy, la imagen del monitor se borroneaba de a ratos. Se había puesto a llorar mientras escribía. Cerró los ojos unos instantes y luego se los secó con el dorso de la mano, tratando de controlarse. Quería dejar un último mensaje para Pitt: quería decirle que lo amaba.

Al abrir los ojos y volver a poner las manos sobre el teclado para escribir su última oración, se sorprendió al ver un mensaje en vivo aparecer en la pantalla. Se quedó mirando, azorada. Decía: "Cassy, soy yo, Pitt. ¿Dónde estás?"

Fueron los segundos más largos de la vida de Pitt. Contempló fijamente la pantalla, como para obligarla a responder. De pronto, como en respuesta a una plegaria, comenzaron a aparecer los caracteres negros en el fondo iluminado.

—¡Aleluya! —gritó Pitt, pegando un puñetazo al aire—. ¡La encontré! Sabe que estoy aquí.

—¿Qué dice? —preguntó Sheila. Tenía miedo de preguntar porque estaba segura de que este contacto iba a terminar en sufrimiento y problemas.

—Dice que no está lejos de aquí —informó Pitt—. Le voy a decir que se encuentre conmigo.

—¡Pitt, no! —gritó Sheila—. Aun si no es todavía una de ellos, pronto lo será. No puedes arriesgarte así. Y menos exponer este laboratorio al peligro.

Pitt miró a Sheila. Su sufrimiento era palpable. Respiraba agitadamente.

—No puedo abandonarla —dijo—. Simplemente no puedo.

—Es necesario que lo hagas —respondió Sheila—. Ya viste lo que pasó con Beau.

Los dedos de Pitt estaban apoyados sobre el teclado. Jamás había estado tan desgarrado ante una disyuntiva.

—Esperen —dijo Harlan de pronto—. Pregúntale hace cuánto que se infectó.

—¿Qué importancia tiene? —dijo Sheila, fastidiada. Le daba rabia que Harlan se metiera en un momento así.

—Hazlo —ordenó Harlan y fue a pararse detrás de Pitt.

Pitt escribió la pregunta. La respuesta llegó de inmediato. Unas cuatro horas. Harlan miró el reloj y se mordió la parte interna de la mejilla mientras pensaba.

—¿En qué está pensando? —exigió saber Sheila, mirándolo a los ojos.

—Tengo una pequeña confesión que hacer —admitió Harlan—. No dije toda la verdad acerca de esos discos negros. Uno de ellos me picó cuando salí a recolectar el último lote.

—¡Entonces es uno de ellos! —gritó Sheila, horrorizada.

—No, creo que no —dijo Harlan—. Ligué mi débil anticuerpo monoclonal a la proteína activadora y desde ese momento me he estado aplicando inyecciones. Se me congestionó un poco la nariz, pero no tuve gripe.

—¡Eso es fantástico! —gritó Pitt—. Se lo diré a Cassy.

—¡Espera! —le ordenó Sheila—. ¿Cuánto tiempo pasó desde que lo picó el disco hasta que se aplicó el anticuerpo?

—Eso es lo único que me preocupa —dijo Harlan—. Fue un intervalo de tres horas. En ese momento estaba en Paswell. Me llevó tres horas llegar aquí.

—Cassy ya va por cuatro horas —dijo Sheila—. ¿Qué le parece?

—Creo que vale la pena intentarlo —dijo Harlan—. Podemos ponerla en una de esas salas de confinamiento y ver qué pasa. Si no pasa nada, no podrá salir de allí. Son como calabozos.

Pitt ya no necesitó más aliento. Sin una palabra más, comenzó a contarle a Cassy que tenían un anticuerpo para la proteína y comenzó a darle indicaciones para llegar a la estación de servicio abandonada.

—¿Por qué no nos dijo que lo había picado el disco? —preguntó Sheila. No sabía si alegrarse o sentir enojo ante este nuevo acontecimiento.

—Para serle franco —dijo Harlan—, temía que no creyeran que estaba bien. Tarde o temprano se lo iba a decir. De hecho, siento cierto optimismo al ver que al parecer, ha funcionado.

—¡Pero claro! —exclamó Sheila—. Es la primera noticia positiva que tenemos hasta ahora.

Pitt terminó la comunicación con Cassy y fue hasta donde estaban Sheila y Harlan.

—Espero que hayas sido lo más discreto posible con las indicaciones —dijo Harlan—. Lo que menos queremos es que haya un camión lleno de infectados en la estación esperándote.

—Lo intenté —dijo Pitt—. Pero quería también que Cassy encontrara el lugar. Está tan aislado.

—En realidad, es probable que el riesgo sea menor —dijo Harlan—. Tengo la impresión de que los infectados no están usando la Red. No parecen necesitarla, pues es como si supieran lo que piensan los demás.

—¿No va a venir conmigo? —preguntó Pitt a Harlan.

—Creo que no —dijo Harlan—. Queda solamente una dosis parcial de mi anticuerpo. Tendré que extraer más para que esté disponible cuando llegue tu amiga. Eso significa que tendrás que encontrar solo el camino. ¿Te parece que podrás hacerlo?

—No me queda alternativa —reconoció Pitt.

Harlan le entregó a Pitt el frasquito con el anticuerpo que quedaba y una jeringa.

—Espero que sepas cómo aplicar una inyección —dijo.

Pitt repuso que pensaba que sí, pues había trabajado tres años como empleado en el hospital.

—Será mejor que se la des endovenosa —le recomendó Harlan—. Pero prepárate para aplicarle respiración boca a boca por si le da una reacción anafiláctica.

Pitt tragó saliva, pero asintió.

—Y ya que estás, llévate esto —dijo Harlan y se desprendió la cartuchera con la Colt .45—. Te recomiendo que la uses si es necesario. Recuerda, los infectados sienten la necesidad de infectarte si intuyen que no lo estás.

—¿Y yo? —preguntó Jonathan—. Iré yo con Pitt. Tal vez tenga dificultades para volver aquí y cuatro ojos son mejor que dos.

—Creo que es mejor que te quedes aquí —dijo Sheila—. Te encontraremos cosas para hacer. —Se enrolló las mangas de la camisa. —Ahora sí que vamos a estar muy ocupados.

Una vez que Cassy fue localizada y trasladada al instituto e infectada, los avances sobre el Portón se aceleraron. Si bien los miles de trabajadores no necesitaban recibir órdenes individuales en cuanto a qué hacer, en última instancia, las instrucciones provenían de Beau. En consecuencia, era necesario que Beau pasara mucho tiempo cerca de la construcción, con la mente libre de pensamientos dispersantes. Con Cassy arriba y en camino a ser una de ellos, a Beau le resultó fácil cumplir con sus responsabilidades.

Habían avanzado hasta el punto de poder energizar brevemente una porción de las grillas eléctricas. La prueba fue un éxito aunque indicó que había partes del sistema que necesitaban más protección. Beau comunicó las instrucciones y se tomó un descanso.

Subió por la escalinata principal con pasos normales, aunque era consciente del hecho de que le hubiera resultado más fácil ahora saltar hacia arriba de a seis u ocho escalones por vez. Había habido un notable incremento en el tamaño de sus muslos.

Al llegar al corredor del primer piso, sintió que algo no andaba bien. Abajo no lo había sentido porque el nivel de comunicación no hablada sobre el Portón era sumamente intenso. Pero ahora que estaba solo, era diferente. A esta altura ya debería haber estado empezando a sentir el despertar de la conciencia colectiva de Cassy. Como no recibía nada de ella, temió que hubiera muerto.

Beau apresuró el paso. Quizás Cassy hubiera estado albergando algún gen desastroso que todavía no se hubiese expresado. En ese caso, el virus se habría autodestruido.

Con un pánico que no comprendía, Beau forcejeó con la puerta cerrada. Preparándose para ver el cuerpo inerte de Cassy sobre el colchón, recibió una terrible sorpresa al ver que la habitación estaba vacía.

Beau miró la ventana abierta. Fue hasta ella y miró hacia abajo. Vio el camino de baldosas y la baranda. Luego sus ojos subieron por el árbol y contempló la rama. De pronto, lo comprendió. Cassy había huido.

Beau lanzó un alarido que retumbó por toda la mansión, salió corriendo de la habitación y bajó las escaleras. Estaba ardiendo de ira y la ira no era buena para el bien colectivo. La conciencia colectiva casi nunca había experimentado la ira y no sabía cómo manejarla.

Beau entró en el salón de baile y de inmediato todo el trabajo se detuvo. Todos los ojos se volvieron hacia él; sentían la misma ira, pero no sabían por qué. Respirando con las fosas nasales dilatadas, Beau buscó a Alexander. Lo vio junto a la consola de control.

Beau avanzó hasta su teniente y le aferró el brazo con sus dedos de víbora.

—¡Se fue! ¡Quiero que la encuentren ya!

19

12:45

Pitt pateó unas piedritas de la entrada de la vieja estación de servicio. Se inclinó y recogió otras para tirarlas distraídamente contra los vetustos surtidores. Las piedras tintinearon contra el metal oxidado.

Protegiéndose los ojos del Sol, cuya intensidad y calor eran ahora mucho mayores que hacía dos horas, Pitt oteó el horizonte, donde el camino de dos manos se perdía. Comenzó a preocuparse. Había creído que ella ya estaría allí.

Justo cuando iba a refugiarse en la sombra del porche, sus ojos captaron el brillo del Sol sobre un parabrisas. Se acercaba un vehículo.

Inconscientemente, la mano de Pitt se cerró alrededor de la culata del Colt. Existía la posibilidad de que no fuera Cassy.

A medida que el vehículo se acercaba, Pitt pudo ver que se trataba de una camioneta último modelo con neumáticos enormes y un portaequipaje en el techo. Venía a buena velocidad.

Por un instante, Pitt pensó en esconderse dentro de la casa, como había hecho Harlan, pero descartó la idea. Después de todo, la camioneta de Jesse estaba allí a la vista.

El vehículo entró en la estación. Pitt no supo que era Cassy hasta que ella abrió la puerta y lo llamó. Las ventanillas estaban polarizadas en un tono muy oscuro.

Pitt llegó a la camioneta a tiempo para ayudar a Cassy a descender. Estaba tosiendo y tenía los ojos enrojecidos.

—Tal vez te convendría no acercarte —dijo Cassy en voz

profundamente nasal—. No sabemos con certeza si esto se contagia de persona a persona como una infección.

Pasando por alto el comentario de ella, Pitt la abrazó con fuerza. La soltó solamente porque estaba ansioso por inyectarle el anticuerpo.

—Traje un poco del remedio del que te hablé por Internet —dijo Pitt—. Lo mejor es metértelo dentro del sistema sanguíneo cuanto antes, lo que significa una inyección endovenosa.

—¿Adónde podríamos hacerlo?

—En la camioneta.

Dieron la vuelta al vehículo hasta llegar a la puerta corrediza.

—¿Cómo te sientes? —preguntó Pitt.

—Pésimamente —admitió Cassy—. No encontraba la forma de sentarme en esta camioneta tan dura. Me duelen todos los músculos. Tengo fiebre, también. En medio de este calor, hace media hora estaba temblando de frío, aunque no lo puedas creer.

Pitt abrió la puerta de la camioneta e hizo que Cassy se recostara en el asiento. Preparó la jeringa, pero luego, después de colocar el torniquete, admitió que no tenía experiencia en punción de venas.

—No quiero ni enterarme —dijo Cassy, mirando hacia otro lado—. Hazlo de una vez. Al fin y al cabo, vas a ser médico.

Pitt había visto administrar medicación endovenosa miles de veces, pero nunca lo había intentado. La idea de pinchar la piel de otra persona era perturbadora, mucho más tratándose de alguien a quien amaba. Pero las consecuencias de no hacerlo superaron cualquier timidez que pudiera sentir. Todo terminó por salir bien y Cassy lo felicitó.

—Lo dices de buena, nada más —dijo Pitt.

—No, de veras —insistió ella—. Casi no lo sentí.

No bien terminó de hablar tuvo un explosivo ataque de tos que la dejó jadeando.

Pitt se sintió presa del pánico. ¿Estaría reaccionando a la inyección, como le había dicho Harlan? Si bien él estaba entrenado en recuperación cardíaca, jamás lo había hecho. Tomó el pulso de Cassy y se lo controló nerviosamente. Por fortuna, se mantenía fuerte y regular.

—Lo siento —logró murmurar Cassy cuando pudo respirar de nuevo.

—¿Estás bien?

Ella asintió.

—¡Gracias a Dios! —exclamó Pitt, tragando saliva para humedecer su garganta seca—. Quédate aquí en el asiento. Tenemos unos veinte minutos de viaje por delante.

—¿Adónde vamos? —preguntó Cassy.

—A un lugar que es como la respuesta a una plegaria —declaró Pitt—. Es un laboratorio subterráneo construido para contrarrestar un ataque con armas biológicas o químicas. Es perfecto para lo que tenemos que hacer. Quiero decir que si no pudiéramos hacer algo allí, no se podría hacer en ningún otro lado. Es sensacional. Y además, tiene una sección para enfermos donde podremos cuidarte.

Cuando Pitt se disponía a subir al asiento delantero, Cassy le sujetó el brazo.

—¿Y si este anticuerpo no funciona? Me dijiste que era débil y muy rudimentario. ¿Qué harán conmigo si me convierto en uno de ellos? No quiero poner en peligro todo lo que están haciendo.

—No te preocupes. Hay un médico, allí, llamado McCay, que se infectó, se aplicó el anticuerpo y está perfectamente bien. Pero si sucede lo peor, hay un sector que se llama de contención. Pero todo va a salir bien.

Pitt le palmeó el hombro.

—No me vengas con frases hechas, Pitt —se quejó Cassy—. Con todo lo que ha pasado, nada puede salir bien.

Pitt se encogió de hombros, pues sabía que ella tenía razón.

Tomó el volante, encendió el motor y salió al camino. Cassy se quedó tendida en el asiento trasero.

—Espero que haya aspirinas allí donde vamos —dijo. Se sentía horriblemente mal.

—Seguramente que sí —repuso Pitt—. Si el sector para enfermos es como el resto del lugar, entonces tiene todo lo que se te ocurra.

Anduvieron en silencio durante varios kilómetros. Pitt estaba concentrado en conducir, pues temía pasarse de largo del sitio donde había que doblar. A la ida, había construido un leve montículo de piedras para marcarlo, pero ahora tenía miedo de que no fuera a servir. Las piedras eran pequeñas y todo por ahí tenía el mismo color.

—No puedo dejar de pensar que el venir aquí fue una mala idea —dijo Cassy, luego de otro ataque de tos.

—¡No digas eso! —exclamó Pitt—. No quiero ni oírlo.

—Ya han pasado más de seis horas —continuó Cassy—. Tal vez más. No me acuerdo bien a qué hora me infecté. Han sucedido tantas cosas.

—¿Qué pasó con Nancy y Jesse? —preguntó Pitt. Era un tema que había tratado de evitar, pero quería cambiar el rumbo de la conversación.

—A Nancy la infectaron en mi presencia. No pude entender por qué no me lo hicieron a mí hasta más tarde. Lo de Jesse fue diferente: creo que le sucedió lo mismo que a Eugene. Pero no lo sé con seguridad. No lo vi. Solamente oí el ruido y hubo una luz muy fuerte. Nancy dijo que había sido igual que la vez anterior.

—Harlan opina que esos discos negros pueden crear agujeros negros en miniatura.

Cassy se estremeció. La idea de desaparecer por un agujero negro le parecía el epítome de la destrucción. Hasta los mismísimos átomos de uno desaparecerían del universo.

—Volví a ver a Beau —dijo.

Pitt se volvió para mirarla, antes de concentrarse nuevamente en el camino. Las palabras de ella lo habían desconcertado.

—¿Cómo estaba?

—Horrible. Los cambios son visibles. Va mutando progresivamente. La vez anterior que lo vi era solamente una mancha de piel detrás de la oreja. Ahora ya es casi todo el cuerpo. Es raro, porque el resto de los infectados no parecía estar cambiando. No sé si lo harán después o si tiene que ver con el hecho de que Beau haya sido el primero. No hay dudas de que es el líder. Todos hacen lo que él quiere.

—¿Tuvo algo que ver con la infección tuya? —preguntó Pitt.

—Sí, me temo que sí —repuso Cassy—. Lo hizo él.

Pitt sacudió la cabeza. No podía creer que su mejor amigo hubiera hecho una cosa así, pero claro, ya no era su mejor amigo. Era una criatura extraterrestre.

—Lo peor para mí fue comprobar que adentro todavía queda algo del antiguo Beau —relató Cassy—. Hasta me dijo que me extrañaba y que me amaba. ¿Puedes creerlo?

—No —replicó Pitt, echando humo por dentro. Beau, aun como extraterrestre, seguía tratando de quitarle a Cassy.

* * *

Beau estaba de pie a un costado, en las sombras, detrás de la unidad de control del Portón. Sus ojos brillaban con intensidad . Le costaba concentrarse en los problemas que tenía entre manos, pero era necesario que lo hiciera. Quedaba poco tiempo.

—Tal vez deberíamos tratar de cargar algunas de las grillas eléctricas otra vez —propuso Randy. Estaba sentado delante de los controles. Había surgido un inconveniente menor y, hasta ahora, Beau no había sugerido una solución.

Se desprendió de su ensoñación sobre Cassy, y trató de pensar. El problema desde el principio había sido crear la energía suficiente para convertir la poderosa e instantánea gravedad de un grupo de discos negros trabajando juntos en antigravedad y mantener funcionando el Portón. La reacción iba a durar solamente una milésima de segundo mientras se aspiraba materia de un universo paralelo al actual. De pronto la respuesta le llegó: se necesitaba más blindaje.

—De acuerdo —dijo Randy, satisfecho de haber recibido instrucciones. El, a su vez, alertó a los miles de trabajadores que rápidamente se aglomeraron alrededor de la superestructura gigante.

—¿Crees que funcionará? —preguntó Randy a Beau.

Beau le comunicó que así lo creía. Recomendó que energizaran todas las grillas eléctricas por un instante en cuanto se hubiera completado el blindaje adicional.

—Lo que me preocupa es que me dijiste que los primeros visitantes llegarán esta noche —señaló Randy—. Sería una calamidad que no estuviéramos preparados. Los individuos quedarían perdidos en el vacío como meras partículas primarias.

Beau emitió un gruñido. Estaba más interesado en la repentina aparición de Alexander. Lo miró acercarse y las vibraciones que recibió no le agradaron. Supo entonces que no la habían encontrado.

—Seguimos su rastro —informó Alexander, manteniéndose deliberadamente fuera del alcance de Beau—. Nos llevó hasta donde se apoderó de un vehículo. Ahora estamos tratando de localizarlo.

—¡Encuéntrenla! —rugió Beau.

—La encontraremos —repitió Alexander en tono tranquilizador—. A esta altura su conciencia ya debe de estar expandiéndose y eso nos ayudará mucho.

—Encuéntrenla —repitió Beau.

—No hallo una explicación, si quiere que le sea franca —dijo Sheila.

Ella y Harlan estaban sentados sobre taburetes con ruedas, especiales para laboratorio, que les permitían ir de una mesa a la otra.

Harlan tenía el mentón apoyado en una mano y estaba mordiéndose la parte interna de la mejilla, lo que indicaba que estaba sumido en sus pensamientos.

—¿Habremos hecho alguna estupidez? —preguntó Sheila.

Harlan sacudió la cabeza.

—Revisamos el protocolo muchas veces. No fue la técnica. Tiene que tratarse de un verdadero descubrimiento.

—Repasemos todo una vez más —propuso Sheila—. Nancy y yo sacamos un cultivo de tejido de células nasofaríngeas humanas y le agregamos la proteína activadora.

—¿Cuál fue el vehículo de la proteína?

—Medio de cultivo normal. La proteína es completamente soluble en solución acuosa.

—Bien; ¿y después? —preguntó Harlan.

—Después, simplemente dejamos que incubara. Nos dimos cuenta de que el virus se había activado por la rápida síntesis de ADN, muy por encima de lo que se necesitaba para réplica de células.

—¿Cómo lo evaluaron? —interrogó Harlan.

—Utilizamos adenovirus inactivo para llevar sondas marcadas con fluoresceína a las células.

—¿Y después?

—Hasta ahí llegamos. Dejamos que los cultivos siguieran incubando y esperábamos conseguir virus.

—Bueno, y los consiguieron.

—Sí, pero mire esta imagen. Bajo el microscopio electrónico el virus parece haber pasado por una picadora de carne. Este virus no es infeccioso. Algo lo mató, pero no había nada en el cultivo capaz de hacerlo. No lo puedo entender.

—No, no tiene sentido, pero el instinto me dice que nos

está tratando de decir algo —declaró Harlan—. Lo que pasa es que somos tan tontos que no podemos verlo.

—Tal vez deberíamos intentarlo de nuevo —propuso Sheila—. Quién sabe, quizás el cultivo recibió demasiado calor durante el viaje.

—Pero si lo habían empacado bien —dijo Harlan—. No creo que ésa sea la respuesta, pero muy bien, hagámoslo de nuevo. Ah, y tengo algunos ratones a los que he estado infectando. Supongo que podríamos tratar de aislar el virus de ellos.

—¡Excelente idea! —aprobó Sheila—. Eso sería mucho más fácil.

—No creo. Los ratones infectados demuestran una sagacidad y una fuerza asombrosas. Tengo que mantenerlos separados y bajo llave.

—Santo Dios —exclamó Sheila—. ¿Está diciendo que también se están volviendo extraterrestres?

—Me temo que sí —confesó Harlan—. Algo les pasa. Mi opinión es que si hubiera suficientes ratones infectados en un mismo lugar, podrían actuar colectivamente como un único individuo inteligente.

—Tal vez sea mejor que sigamos con los cultivos de tejidos, por ahora— dijo Sheila—. De un modo u otro es necesario aislar virus vivos e infecciosos. Tiene que ser el paso siguiente, si es que queremos lograr algo contra esta infestación.

Se oyó el silbido de la traba de presurización de aire.

—¡Ha de ser Pitt! —exclamó Jonathan. Corrió hasta la compuerta y espió por la escotilla. —¡Sí, es Pitt y está Cassy con él! —gritó.

Harlan tomó un frasco de anticuerpo monoclonal recién extraído:

—Creo que debo hacer de médico por un rato.

Sheila extendió la mano para que él le diera el frasco.

—La medicina de urgencia es mi especialidad —dijo—. A usted lo necesitamos como inmunólogo.

Harlan se lo entregó.

—Con todo gusto —se alegró—. Siempre fui mejor investigador que clínico.

La compuerta se abrió. Jonathan ayudó a Cassy a entrar. Estaba pálida y afiebrada. El entusiasmo de Jonathan se aplacó. Estaba mucho peor de lo que él había imaginado.

De todos modos, no pudo evitar preguntar dónde estaba su madre.

Cassy le apoyó una mano sobre el hombro.

—Lo siento —dijo—. Nos separaron en seguida después de que nos atraparon en el supermercado. No sé dónde está.

—¿La infectaron? —preguntó Jonathan.

—Lamentablemente, sí —respondió Cassy.

—¡Vamos! —dijo Sheila—. Tenemos trabajo que hacer. —Pasó el brazo de Cassy por encima de sus hombros. —Te llevaremos a la enfermería.

Escoltada por Sheila y Pitt, Cassy pasó por el laboratorio en dirección al sector para enfermos. Le presentaron a Harlan por el camino y él le abrió la puerta.

—Creo que será mejor que ocupe una de las habitaciones de contención —dijo Harlan. Pasó delante de ellos y les mostró el camino.

La habitación era parecida a las de hospital, con excepción de la entrada, que tenía una cerradura de aire para que la habitación pudiera ser mantenida a una presión menor que el resto del complejo. La puerta interna también se podía cerrar con llave y el vidrio de la escotilla tenía tres centímetros de espesor.

Todos se amontonaron en la habitación. Con ayuda de Sheila y Pitt, Cassy se tendió sobre la cama y suspiró, aliviada.

Sheila se puso a trabajar de inmediato. Con pericia, instaló una vía endovenosa y luego le aplicó una dosis considerable del anticuerpo monoclonal por la cánula.

—¿Tuviste alguna reacción adversa a la primera inyección? —preguntó Sheila mientras aceleraba momentáneamente la vía para que entrara todo el anticuerpo en el organismo de Cassy.

Ella sacudió la cabeza.

—No, no hubo ningún problema —dijo Pitt—. Salvo un acceso de tos que me asustó. Pero no creo que haya tenido algo que ver con la medicación.

Sheila conectó a Cassy a un monitor cardíaco. Los latidos eran normales y el ritmo, regular.

—¿Sentiste alguna diferencia desde la primera aplicación? —quiso saber Harlan.

—No, no me di cuenta de nada —dijo Cassy.

—No es para sorprenderse —comentó Sheila—. Los síntomas son, en su mayoría, de tus propios linfocitos, que aumentan muchísimo en las primeras fases, como lo hemos comprobado.

—Quiero agradecerles a todos por permitirme venir aquí —dijo Cassy—. Sé que están corriendo un gran riesgo.

—Nos alegra tenerte —repuso Harlan, apretándole la rodilla—. Quién sabe, tal vez seas un valioso aporte experimental.

—Ojalá —dijo Cassy.

—¿Tienes apetito? —preguntó Sheila.

—No, en absoluto —dijo Cassy—. Pero me vendría bien una aspirina.

Sheila miró a Pitt.

—Eso lo dejaré en manos del doctor Henderson —dijo con una sonrisa—. Nosotros tenemos que volver a trabajar.

Harlan fue el primero en irse. Sheila se detuvo con una pierna dentro de la compuerta de sellado. Miró hacia atrás y llamó a Jonathan con un movimiento de la mano.

—Vamos, dejemos a la paciente con su médico.

Jonathan la siguió de mala gana.

—Tenías razón —dijo Cassy a Pitt—. Este lugar es increíble.

—Justo lo que recomendó el médico —bromeó él—. Te conseguiré aspirina.

Le llevó un rato a Pitt localizar la farmacia y varios minutos más encontrar aspirinas. Cuando volvió a la habitación de confinamiento, descubrió que Cassy había estado durmiendo.

—No te quiero molestar —dijo Pitt.

—No hay problema —respondió ella. Tomó la aspirina, y luego volvió a recostarse. Palmeó la cama a su lado. —Siéntate un minuto —pidió—. Tengo que contarte lo que me dijo Beau. Esta pesadilla está a punto de empeorar.

La tranquilidad del desierto quedó súbitamente destrozada por el ruido de las hélices y el motor Huey del helicóptero militar que barría el paisaje árido. Adentro, Vince Garbon contemplaba el panorama a través de un par de binoculares. Le había dicho al piloto que siguiera el camino de asfalto negro que cortaba la arena de horizonte a horizonte. En el asiento de atrás iban dos antiguos oficiales de policía de la vieja unidad de Vince.

—Lo último que supimos es que el vehículo tomó este camino —gritó Vince al piloto por encima del ruido del motor. El hombre asintió.

—Veo acercarse algo —anunció Vince—. Parece una vieja estación de servicio, pero hay un vehículo como el que estamos buscando.

El piloto aminoró la marcha. Vince mantuvo el largavista lo más firme posible.

—Sí —dijo—. Creo que es ése. Bajemos a echarle una mirada.

El helicóptero bajó a tierra, levantando un horrendo remolino de arena y polvo. Luego de aterrizar, el piloto apagó el motor. Las pesadas hélices aminoraron la marcha hasta detenerse. Vince descendió de la cabina.

Lo primero que revisó fue el vehículo. Abrió la puerta y pudo sentir de inmediato que Cassy había estado allí. Buscó en el compartimiento para equipaje. Estaba vacío.

Los dos ex oficiales de policía entraron en la casa. Vince se quedó afuera y dejó que sus ojos recorrieran el horizonte. La temperatura era tan alta que podía ver el calor elevándose en el aire.

Los policías salieron en seguida, sacudiendo la cabeza. La chica no estaba allí.

Vince les indicó que volvieran a subir al helicóptero. Estaba cerca. Lo sentía. Al fin y al cabo ¿cuán lejos podía ir a pie con ese calor?

Pitt entró en el laboratorio. Todos estaban trabajando tan concentrados que ni siquiera levantaron la cabeza.

—Se durmió, por fin —anunció.

—¿Cerraste la puerta externa? —preguntó Harlan.

—No —respondió Pitt—. ¿Les parece que debería hacerlo?

—Por supuesto —dijo Sheila—. No queremos sorpresas.

—Ya vuelvo.

Regresó a la compuerta y miró a Cassy. Seguía durmiendo pacíficamente. La tos se le había calmado notablemente. Pitt cerró la puerta.

Al volver al laboratorio se sentó; nuevamente, nadie le prestó atención. Sheila estaba inoculando cultivos de tejido con la proteína activadora. Harlan estaba extrayendo más anticuerpo. Jonathan estaba sentado frente a una computadora, con los auriculares puestos, trabajando con un *joystick*.

Pitt le preguntó qué estaba haciendo. Jonathan se quitó los auriculares.

—Está genial —dijo—. Harlan me mostró cómo conectarme con todo el equipo de monitoreo de arriba. Hay cámaras ocultas en cactus falsos que pueden manejarse con esta palanca de mando. También hay micrófonos de escucha y sensores de movimiento. ¿Quieres probar?

Pitt rechazó el ofrecimiento. Fue hasta donde estaban los otros y les contó que Cassy le había dicho cosas asombrosas e inquietantes acerca de los extraterrestres.

—¿Como cuáles? —preguntó Sheila, sin dejar de trabajar.

—Lo peor de todo —dijo Pitt—. Es que los infectados están construyendo una enorme máquina futurista a la que llaman el Portón.

—¿Y qué es el tal Portón? —preguntó Sheila, mientras agitaba suavemente un frasco.

—Es una especie de transportador —explicó Pitt—. Le dijeron a Cassy que traerá a la Tierra a toda clase de criaturas extraterrestres, provenientes de planetas distantes.

—¡Dios Todopoderoso! —exclamó Sheila y dejó el frasco—. No podemos enfrentarnos a más adversarios. Tal vez sea mejor que abandonemos todo.

—¿Cuándo va a empezar a funcionar el Portón? —preguntó Harlan.

—Yo le hice la misma pregunta —respondió Pitt—. Cassy no sabía, pero tenía la impresión de que faltaba muy poco. Beau le dijo que ya estaba casi terminado. Cassy vio que había miles de personas trabajando en el aparato.

Sheila dejó escapar un suspiro de exasperación.

—¿Y qué otras novedades fascinantes te contó?

—Varios hechos interesantes —repuso Pitt—. Por ejemplo, el virus extraterrestre llegó por primera vez a la tierra hace tres mil millones de años. Fue allí cuando insertó su ADN en la vida en evolución.

Sheila entrecerró los ojos.

—¿Tres mil millones de años? —repitió.

Pitt asintió.

—Se lo contó Beau. También le contó que los extraterrestres han estado enviando la proteína activadora cada cien millones de años, aproximadamente, para despertar al virus y ver qué clase de vida se ha desarrollado aquí y si les resulta conveniente. Dice que él hablaba de "años Tierra", pero ella no preguntó a qué se refería.

—Tal vez tenga algo que ver con la capacidad que tienen de pasar de un universo a otro —dijo Harlan—. Aquí en el nuestro estamos atrapados en un congelamiento de espacio y tiempo. Pero desde el punto de vista de otro universo, lo que son miles de millones de años aquí podrían ser solamente diez años allá. Todo es relativo.

La explicación de Harlan trajo un momento de silencio.

Pitt se encogió de hombros.

—Bueno, no puedo decir que tenga mucho sentido para mí —admitió.

—Es como una quinta dimensión —clarificó Harlan.

—Lo que sea —dijo Pitt—. Pero para volver a lo que me contaba Cassy, aparentemente este virus extraterrestre es responsable de las extinciones masivas que ha sufrido la tierra. Cada vez que vinieron, las criaturas a las que infestaron no les resultaron adecuadas, así que se fueron.

—¿Y las criaturas infectadas murieron? —preguntó Sheila.

—Así lo entendí yo —repuso Pitt—. El virus debe de haber provocado algún cambio letal en el ADN que causó la desaparición de toda la especie. Eso dio la oportunidad de desarrollarse a otras criaturas. Me dijo que Beau le habló específicamente de los dinosaurios.

—Caramba —masculló Harlan—. Al diablo con la teoría del asteroide o el cometa.

—¿Cómo morían las criaturas? —quiso saber Sheila—. Me refiero a la causa específica de la muerte.

—Me parece que eso no lo sabía —dijo Pitt—. No me habló de este tema. Pero puedo preguntárselo más tarde.

—Podría ser importante —dijo Sheila, que se había quedado mirando a la distancia con ojos perdidos. Su mente funcionaba a toda velocidad. —¿Entonces el virus llegó a la Tierra hace tres mil millones de años?

—Eso dijo.

—¿En qué está pensando? —preguntó Harlan.

—¿Hay bacterias anaeróbicas en el laboratorio? —dijo Sheila.

—Sí, por supuesto —repuso Harlan.

—Busquémoslas e infectémoslas con la proteína activadora —propuso Sheila, con repentina vehemencia.

—De acuerdo —dijo Harlan y se puso de pie. —¿Pero qué tiene en mente? ¿Por qué quiere bacterias que crecen sin oxígeno?

—Déme el gusto —dijo Sheila—. Consígamelas mientras preparo más proteína activadora.

Beau abrió las puertas-ventana que daban de la sala a la terraza que rodeaba la piscina. Salió y cruzó la terraza. Alexander corrió tras él.

—¡Beau, por favor! —dijo—. No te vayas. Te necesitamos aquí.

—Encontraron su automóvil —declaró Beau—. Está perdida en el desierto. Sólo yo la puedo encontrar. A esta altura ya debería estar convirtiéndose en una de nosotros.

Beau descendió al jardín y avanzó hacia el helicóptero que esperaba. Alexander se mantuvo en sus talones.

—Pero esta mujer no puede ser tan importante —insistió—. Puedes tener la mujer que quieras. Este no es momento para alejarse del Portón. Ni siquiera hemos probado las grillas en su poder máximo. ¿Y si no están listas?

Beau giró en redondo. Sus labios angostos estaban contraídos de furia.

—Esta mujer me está volviendo loco. Tengo que encontrarla. Regresaré. Mientras tanto, arréglenselas sin mí.

—¿Por qué no esperar hasta mañana? —insistió Alexander—. Para entonces, ya se habrá producido la Llegada. Entonces podrás buscarla. Habrá tiempo de sobra.

—Si está perdida en el desierto, mañana ya habrá muerto —replicó Beau—. La decisión está tomada.

Se volvió nuevamente hacia el helicóptero y avanzó hacia él, pasando por debajo de la hélice en movimiento. Se sentó en el asiento delantero, junto al piloto, saludó a Vince, que iba atrás, con la cabeza y luego indicó al piloto que despegara.

—¿Cuánto tiempo pasó? —preguntó Sheila.

—Cerca de una hora —respondió Harlan.

—Debería alcanzar con eso —dijo Sheila con impaciencia—. Una de las primeras cosas que descubrimos fue lo rápido que funcionaba la proteína activadora una vez que era absorbida por una célula. Ahora démosle al cultivo una dosis suave de rayos X.

Harlan miró a Sheila de reojo.

—Empiezo a darme cuenta de lo que está pasando por su cabecita —dijo—. Está tratando a este virus como si fuera un provirus, cosa que es. Y ahora quiere cambiarlo de su forma latente a su forma lítica. ¿Pero por qué las bacterias anaeróbicas? ¿Por qué sin oxígeno?

—Veamos qué pasa antes de que le explique todo —dijo Sheila—. Mantenga los dedos cruzados. Esto podría ser lo que estamos buscando: el Talón de Aquiles extraterrestre.

Le dieron al cultivo bacteriano infectado la dosis de rayos X sin perturbar la atmósfera de dióxido de carbono. Mientras preparaban el microscopio electrónico, Sheila descubrió que las manos le temblaban de emoción. Esperaba con todas sus fuerzas que estuvieran al borde del descubrimiento.

Con una de sus poderosas piernas, Beau abrió la puerta de la estación de servicio abandonada. El golpe la sacó de las bisagras y la hizo caer contra la pared del otro extremo de la habitación. Beau entró; en la tenue luz, sus ojos brillaban con intensidad. El viaje en helicóptero no había servido para aplacar su ira.

Se quedó varios segundos en la penumbra, luego giró en redondo y salió a la luz del día.

—Aquí adentro no estuvo —declaró.

—Tuve la misma sensación —dijo Vince. Estaba agachado sobre la arena del otro lado de los surtidores. —Aquí hay otras huellas frescas de neumáticos. —Se puso de pie y miró hacia el este. Debe de haber habido un segundo vehículo. Tal vez la vinieron a buscar.

—¿Qué sugieres? —preguntó Beau.

—Hasta ahora no apareció en ninguna ciudad —informó Vince—, pues si hubiese sido así, nos habríamos enterado. Eso significa que está aquí, en el desierto. Sabemos que hay grupos aislados de fugitivos aún no infectados que se ocultan por aquí. Es posible que se haya unido a alguno de ellos.

—Pero está infectada —objetó Beau.

—Lo sé —concordó Vince—. Esa parte es un misterio. En fin, creo que deberíamos tomar hacia el este por este camino y ver si encontramos huellas que se internan en el desierto. Debe de haber algún campamento o algo así.

—De acuerdo —dijo Beau—. Vamos, pues nos estamos quedando sin tiempo.

Treparon nuevamente al helicóptero y despegaron. El piloto recibió la orden de volar lo suficientemente alto como para no levantar mucha arena, pero no a tanta altura como para no poder ver las huellas que se adentraran en el desierto.

—Santo Cielo, ahí está —masculló Harlan. Habían enfocado un virión magnificado unas sesenta veces. Era un virus grande y filamentoso como un filovirida con pequeñas proyecciones ciliformes.

—Es asombroso pensar que tenemos ante nuestros ojos una forma de vida extraterrestre altamente inteligente —dijo Sheila—. Siempre hemos considerado a los virus y bacterias organismos primitivos.

—No creo que éste sea extraterrestre de por sí —comentó Pitt—. Cassy dijo que la forma viral era lo que permitía al organismo extraterrestre soportar el viaje espacial e infestar otras formas de vida de la galaxia. Aparentemente, Beau no sabía qué aspecto original tenía la forma extraterrestre.

—Tal vez para eso sea el Portón —dijo Jonathan—. Tal vez al virus le gusta tanto la Tierra que vendrán los mismísimos extraterrestres.

—Podría ser —concordó Pitt.

—Muy bien —dijo Harlan a Sheila—. Así que esta treta de las bacterias anaeróbicas funcionó. Ya vimos el virus. ¿Adónde quería llegar usted?

—Al hecho de que el virus vino a la Tierra hace tres mil millones de años. En ese tiempo, en la atmósfera primitiva había muy poco oxígeno. Desde entonces, las cosas han cambiado mucho. El virus sigue estando bien cuando se encuentra en forma latente o aun cuando está activado y ha transformado la célula. Pero si se lo induce a formar viriones, el oxígeno lo destruye.

—Muy interesante —aprobó Harlan. Miró el cultivo, que estaba destapado, recibiendo el aire de la habitación en su superficie. —Si es así, entonces ahora veríamos el virus dañado y sin poder de infección en el microscopio.

—Es justo lo que estoy esperando —admitió Sheila.

Sin pérdida de tiempo, ella y Harlan se pusieron a trabajar para crear una segunda muestra. Pitt los ayudó en lo que pudo. Jonathan volvió a sus juegos con el sistema de seguridad de la computadora.

Cuando Harlan enfocó el microscopio sobre la nueva muestra, resultó aparente de inmediato que Sheila tenía razón. Los virus parecían haber sido parcialmente devorados.

Sheila y Harlan se levantaron de un salto, chocaron las manos y luego se abrazaron, eufóricos.

—¡Qué idea brillante! —exclamó Harlan—. La felicito. Es una alegría ver la ciencia en acción.

—Si estuviéramos haciendo ciencia de veras —dijo Sheila—, volveríamos atrás y probaríamos exhaustivamente la hipótesis. Por ahora, la tomaremos así como viene.

—Sí, sí, concuerdo totalmente —declaró Harlan—. Pero es absolutamente lógico. Resulta asombroso lo tóxico que es el oxígeno y casi nadie lo sabe.

—No entiendo nada —dijo Pitt—. ¿En qué nos ayuda esto?

Sheila y Harlan se pusieron serios. Se miraron por un instante y luego volvieron a sus asientos, sumidos en profundos pensamientos.

—No sé cómo va a ayudarnos este descubrimiento —confesó Sheila por fin—, pero tiene que servir. ¡Caray, es el Talón de Aquiles de los extraterrestres!

—Así es como deben de haber matado a los dinosaurios —dijo Harlan—. Una vez que decidieron poner fin a la infestación, los virus pasaron de latentes a viriones. y ¡zas! Entraron en contacto con el oxígeno y se desató el desastre.

—No suena demasiado científico que digamos —objetó Sheila, sonriendo.

Harlan rió.

—Tiene razón —dijo—. Pero nos da una pista. Tenemos que inducir al virus de los infectados a dejar de estar latente y abandonar la célula.

—¿Cómo se induce un virus latente? —preguntó Pitt.

Harlan se encogió de hombros.

—Hay muchas formas de hacerlo —respondió—. En cultivos de tejido, por lo general se hace con radiación electromagnética como luz ultravioleta o rayos X suaves como los que usamos con el cultivo de bacterias anaeróbicas.

—Existen químicos que lo hacen —añadió Sheila.

—Es cierto —concordó Harlan—. Algunos antimetabólicos y otros venenos celulares. Pero eso no nos ayuda. Tampoco los rayos X. Me refiero a que no podemos lanzar rayos X por todo el planeta.

—¿Existen otros virus que están latentes como el extraterrestre? —preguntó Pitt.

—Muchos —repuso Sheila.

—Sí, como el virus del sida —concordó Harlan.

—O el grupo de los herpes virales —acotó Sheila—. Se pueden esconder de por vida o causar problemas intermitentes.

—¿Como llagas, quieres decir? —preguntó Pitt.

—Exacto —repuso Sheila—. Ese es el herpes simple, que siempre está latente en algunas neuronas.

—¿Entonces cuando te sale una llaga, quiere decir que un virus latente ha sido inducido a formar partículas virales? —preguntó Pitt.

—Sí —asintió Sheila con impaciencia.

—A mí me salen llagas en la boca cada vez que me resfrío —comentó Pitt.

—Vaya, qué interesante —dijo Sheila con sarcasmo—. Pitt, creo que deberías dejarnos solos un rato para que podamos pensar. Esto no es una lección.

—Un momento —interpuso Harlan—. Pitt acaba de darme una idea.

—¿Yo? —preguntó Pitt inocentemente.

—¿Saben cuál es el mejor agente de inducción viral? —preguntó Harlan en forma retórica—. Otra infección viral.

—¿Y qué tiene eso que ver con lo nuestro? —quiso saber Sheila.

Harlan señaló el enorme congelador que estaba en un extremo de la habitación.

—Allí adentro tenemos toda clase de virus. ¡Estoy comenzando a pensar que al fuego hay que combatirlo con más fuego!

—¿Habla de desencadenar una especie de epidemia? —preguntó Sheila.

—Precisamente. Algo extraordinariamente infeccioso.

—Pero ese congelador está lleno de virus destinados a usarse en guerras biológicas. Será como ir de Guatemala a Guatepeor.

—Ese congelador tiene de todo, desde los virus más tontos a los más letales —declaró Harlan—. Simplemente tenemos que dar con el más adecuado.

—Bueno... —musitó Sheila, pensativamente—, es cierto que nuestro cultivo original fue probablemente inducido por el vehículo adenoviral que utilizamos para la prueba de ADN.

—¡Vamos! —exclamó Harlan—. Le mostraré el inventario.

Sheila se puso de pie. No le gustaba la idea de combatir el fuego con más fuego, pero no iba a descartar la propuesta.

Junto al congelador había un escritorio con un estante encima. Sobre el estante, tres grandes cuadernos negros. Harlan entregó uno a Sheila , otro a Pitt y él se encargó del tercero.

—Es como la lista de vinos de un restaurante elegante —bromeó—. Recuerden, necesitamos algo realmente infeccioso.

—¿A qué le llama infeccioso? —preguntó Pitt.

—Que se transmita de persona a persona —explicó Harlan—. Y por aire, no como el sida o la hepatitis. Queremos una epidemia mundial.

—¡Dios mío! —exclamó Pitt, mirando el índice de su volumen—. Nunca creí que hubiera tantos virus distintos. ¡Uy, aquí está el virus de Ebola!

—No, demasiado fuerte —objetó Harlan—. Queremos una enfermedad que no mate, de manera que el individuo infectado pueda contagiarla al mayor número posible de personas. Las enfermedades rápidamente fatales tienden a limitarse a sí mismas, aunque resulte difícil de creer.

—Aquí está el adenovirus —dijo Sheila.

—Demasiado virulento, también —señaló Harlan.

—¿Qué me dice del orthomyxoviridae? —preguntó Pitt—. La influenza es ciertamente contagiosa. Y ha habido epidemias mundiales.

—Ése tiene posibilidades —admitió Harlan—. Pero el período de incubación es demasiado largo y puede ser fatal. Me gustaría encontrar algo rápidamente contagioso y un poco más benigno. ¡Aquí está! Esto es lo que estoy buscando.

Harlan dejó el cuaderno sobre el escritorio. Estaba abierto en la página 99. Sheila y Pitt se inclinaron a mirar.

—Picornaviridae —leyó Pitt con dificultad—. ¿Qué causan?

—Lo que me interesa es esto —dijo Harlan y señaló uno de los subgrupos.

—Rinovirus —leyó Pitt.

—Exactamente —dijo Harlan—. El resfrío común. ¿No sería irónico que el resfrío común salvara a la humanidad?

—Pero no todo el mundo se resfría cuando anda el virus suelto —objetó Pitt.

—Es cierto —admitió Harlan—. Todo el mundo tiene distintos niveles de inmunidad a los cientos de cepas distintas que existen. Pero no es lo que encontraron nuestros microbiólogos empleados por el Pentágono.

Harlan dio vuelta las páginas hasta que encontró la sección de rinovirus. Comprendía treinta y siete páginas. La primera tenía un índice de serotipos y un breve resumen.

Todos leyeron el resumen en silencio. Sugería que los rinovirus tenían utilidad limitada como agentes de guerra biológica. La razón que se daba era que aunque las infecciones de las vías respiratorias superiores afectarían el desempeño de un ejército moderno, no sería tan efectivo como un enterovirus que causara diarrea.

—Al parecer, no les gustó mucho el rinovirus —comentó Pitt.

—Es cierto —dijo Harlan—. Pero nosotros no estamos tratando de destruir un ejército. Solamente queremos que el virus entre y provoque problemas metabólicos que hagan salir al virus extraterrestre.

—Aquí hay algo que parece interesante —anunció Sheila, señalando una subsección del índice, que decía: "Rinovirus artificiales".

—Es lo que necesitamos —se entusiasmó Harlan. Buscó la página de la sección y leyó rápidamente. Pitt trató de hacer lo mismo, pero el texto parecía escrito en sánscrito. Era una jerga sumamente técnica.

—¡Esto es genial! ¡Absolutamente fantástico! —exclamó Harlan y miró a Sheila—. Es hecho a medida para nosotros, literal y figurativamente. Armaron un rinovirus que nunca vio la luz del día, lo que significa que nadie tiene inmunidad a él. Es un serotipo al que nadie ha sido expuesto, así que todo el mundo se lo contagiará. ¡Nos viene como anillo al dedo!

—Me parece que nos estamos lanzando al vacío —argumentó Sheila—. ¿No le parece que deberíamos poner a prueba de alguna forma esta hipótesis?

—Por supuesto —dijo Harlan con gran entusiasmo. Apoyó la mano sobre la puerta del congelador. —Obtendré una muestra del virus para cultivar. Luego lo probaremos sobre los ratones que infecté. ¡Cómo me alegro de haberlos infectado! —Harlan abrió la cámara de congelación y se metió adentro.

Pitt miró a Sheila.

—¿Cree que funcionará? —preguntó.

Ella se encogió de hombros.

—Harlan parece muy optimista.

—¿Si funciona, matará a la persona? —preguntó Pitt. Estaba pensando en Cassy y hasta en Beau.

—No hay forma de saberlo —admitió Sheila—. La verdad es que estamos manoteando en la oscuridad.

—¡Despacio! —exclamó Vince, que tenía el largavista pegado a los ojos—. Creo que veo unas huellas que van hacia el sur.

—¿Dónde? —preguntó Beau.

Vince señaló.

Beau asintió e indicó al piloto que aterrizara.

El piloto posó el helicóptero sobre el asfalto, pero la arena y el polvo se elevaron como una nube.

—Espero que toda esta polvareda no cubra las huellas —dijo Vince.

—No estamos tan cerca —dijo el piloto. Apagó el motor y la hélice se detuvo. Vince bajó junto con el otro policía, llamado Robert Therman y corrieron camino arriba hasta donde estaban las huellas. Beau y el piloto descendieron de la cabina, pero se mantuvieron junto al helicóptero.

Beau respiraba pesadamente por la boca; la lengua le colgaba hacia afuera como la de un perro jadeante. La piel extraterrestre no estaba equipada con glándulas sudoríferas y se le estaba acumulando demasiado calor. Miró a su alrededor en busca de sombra, pero no había donde ocultarse del despiadado sol.

—Quiero volver al helicóptero —dijo Beau.

—Hará demasiado calor adentro —objetó el piloto.

—Quiero que enciendas el motor —ordenó Beau.

—Pero eso dificultará el retorno de los otros —dijo el piloto.

—¡Se enciende el motor! —gruñó Beau.

El piloto asintió y obedeció. El aire acondicionado refrescó la cabina en seguida.

Afuera, las aspas de la hélice levantaban una tormenta de arena en miniatura. Casi no podían ver a los dos hombres que estaban a cien metros, revisando el suelo.

La radio se activó y el piloto se puso los auriculares. Beau contempló el horizonte hacia el sur. Sentía furia y una creciente ansiedad. Detestaba esas emociones humanas.

—Hay un mensaje del instituto —anunció el piloto—. Se presentó un problema. No pueden darles potencia máxima a las grillas eléctricas. El sistema obstaculiza los circuitos.

Los dedos viperinos de Beau se entrelazaron con fuerza. El pulso se le aceleró. La cabeza le latía.

—¿Qué les digo? —preguntó el piloto.

—Diles que volveré pronto —respondió Beau.

Después de cortar la comunicación, el piloto se quitó los auriculares. Estaba experimentando parte del estado mental de Beau a través de la conciencia colectiva y se movía inquieto en su asiento. Sintió alivio al ver regresar a los otros.

Vince y Robert tuvieron que protegerse la cara de la arena mientras se zambullían debajo de la hélice para trepar al helicóptero. No dijeron nada hasta que la puerta se cerró.

—Son las mismas huellas que había en la estación de servicio —dijo Vince—. Van hacia el sur. ¿Qué quieres hacer?

—¡Seguirlas! —respondió Beau.

Con gran dificultad, Harlan, Sheila, Pitt y Jonathan habían logrado introducir seis ratones infectados dentro de un gabinete de seguridad biológica de tipo III.

—Qué suerte que no eran ratas —comentó Pitt—. Si hubieran sido más grandes que estos ratones, creo que no hubiéramos podido dominarlos.

Harlan estaba dejando que Sheila le desinfectara y vendara los mordiscones que había recibido.

—Sabía que nos iban a causar problemas —dijo.

—¿Y ahora qué hacemos? —preguntó Jonathan. El experimento lo tenía intrigado.

—Introducimos el virus —explicó Harlan—. Está en ese frasco de cultivo que ya está adentro del gabinete.

—¿Por dónde ventila el gabinete? —preguntó Sheila—. No queremos que el virus salga afuera si el experimento no funciona.

—El extractor está irradiado —dijo Harlan—. No hay que preocuparse por eso.

Harlan metió sus manos vendadas dentro de un par de gruesos guantes de goma que penetraban el frente del gabinete. Tomó el frasco de cultivo de tejido, le quitó el tapón y volcó la sustancia dentro de un plato playo.

—Esto se vaporizará rápido y entonces nuestros peludos amiguitos comenzarán a respirar el virus artificial.

—¿Qué son los puntos negros en el lomo de los ratones? —quiso saber Jonathan.

—Cada punto indica cuántos días hace que fue infectado —dijo Harlan—. Los estuve infectando secuencialmente para poder seguir el aspecto fisiológico de la infestación. Me alegro ahora de haberlo hecho así. Podría haber diferentes reacciones según el grado de expresión que tiene el virus activado.

Durante algunos minutos los cuatro se quedaron delante del gabinete, contemplando la carrera de ratones dentro de la jaula.

—No pasa nada —se quejó Jonathan.

—Nada a nivel del organismo entero —lo corrigió Harlan—. Pero intuyo que están sucediendo muchas cosas en el nivel molecular celular.

Minutos después, Jonathan bostezó.

—Ufa —protestó—. Esto es como ver secarse la pintura. Me vuelvo a la computadora.

Más tarde, Pitt quebró el silencio.

—Lo interesante es ver cómo trabajan aparentemente juntos. Miren cómo forman una pirámide para explorar la parte superior del vidrio.

Sheila gruñó. Había visto el fenómeno, pero no le interesaba en absoluto. Quería ver suceder algo físico en los ratones. Puesto que el nivel de actividad no había cambiado, comenzaba a sentirse cada vez más nerviosa. Si este experimento no resultaba, estarían nuevamente en foja cero.

Como si le leyera los pensamientos, Harlan dijo:

—No debería faltar mucho. Pienso que con sólo inducir una célula, se iniciará una cascada. Lo único que me preocupa es que no probamos la viabilidad del virus. Quizá debiéramos hacerlo.

Harlan se volvió para hacer lo que había propuesto, pero de pronto, Sheila lo sujetó del brazo.

—¡Espere! —exclamó—. ¡Mire el ratón que tiene tres puntos!

Harlan siguió la dirección del dedo de Sheila. Pitt se apretujó detrás y espió por encima del hombro de Harlan. El ratón en cuestión repentinamente había cesado en sus incesantes corridas alrededor de la jaula y se había sentado sobre los cuartos traseros para limpiarse repetidamente los ojos con las patas delanteras. Luego hizo algunos movimientos espasmódicos más.

Los tres observadores intercambiaron miradas.

—¿Serán estornudos de ratón? —preguntó Sheila.

—Vaya uno a saber —masculló Harlan.

El ratón se bamboleó y cayó.

—¿Se murió? —preguntó Pitt.

—No —repuso Sheila—. Sigue respirando, pero no tiene buen aspecto. Miren esa sustancia parecida a espuma que le está saliendo de los ojos.

—Y de la boca —añadió Harlan—. Y otro ratón está comenzando a tener los mismos síntomas. ¡Me parece que está dando resultado!

—Todos están con síntomas —anunció Pitt—. Miren el que tiene mayor cantidad de puntos. Parece estar sufriendo una convulsión.

Al oír el alboroto, Jonathan se acercó y logró introducir la cabeza entre las de los demás. Echó un vistazo a los ratones enfermos.

—¡Puaj! —exclamó—. La espuma es verdosa.

Harlan volvió a introducir las manos dentro de los guantes y levantó el primer ratón. A diferencia de su anterior comportamiento beligerante, no se resistió. Se quedó quieto en la palma de su mano, respirando rápidamente. Harlan dejó el animal y recogió el que había tenido la convulsión.

—Este está muerto —dijo—. Como era el que estaba infectado desde hace más tiempo, creo que eso nos dice algo.

—Sí, cómo murieron los dinosaurios, por ejemplo —sugirió Sheila—. Fue verdaderamente rápido.

Harlan dejó el animal muerto y retiró las manos del gabinete, para frotárselas con entusiasmo.

—Bueno, la primera parte del experimento salió muy, muy bien, diría. Ahora que las pruebas con animales han quedado atrás, es hora de empezar con las pruebas en humanos.

—¿Habla de soltar el virus? —dijo Sheila—. ¿Como abrir la puerta y lanzarlo afuera?

—No, todavía no estamos listos para trabajo de campo clínico —respondió Harlan con un brillo en los ojos—. Estaba pensando en algo más cercano a nosotros. En ser yo el objeto del experimento, a decir verdad.

—Pero... —protestó Sheila.

Harlan levantó una mano.

—Hay muchos antecedentes de personalidades de la medicina que se utilizaron a sí mismos como los proverbiales conejillos de Indias —dijo—. Esta es una oportunidad perfecta para seguir sus ejemplos. Yo me infecté y aunque han pasado varios días, mantuve la infestación en un nivel mínimo gracias al anticuerpo monoclonal. Ya es hora de que me deshaga del virus por completo. Así que en lugar de considerarme el cordero del sacrificio, me considero el afortunado recipiente de nuestra inteligencia colectiva.

—¿Y cómo piensa hacerlo? —preguntó Sheila. Una cosa era experimentar con ratones, otra muy distinta con un ser humano.

—Vamos —dijo Harlan. Tomó uno de los cultivos inoculados con el rinovirus artificial y se encaminó a la enfermería. —Lo haremos del mismo modo que lo hicimos con los ratones. La diferencia está en que me encerrarán en uno de los cuartos de contención.

—No sé si no deberíamos utilizar otro animal, antes —dijo Sheila, vacilando.

—De ninguna manera —declaró Harlan—. Ni que nos sobrara el tiempo. Recuerden el asunto del Portón.

Todos siguieron a Harlan, que estaba evidentemente decidido a utilizarse a sí mismo en el experimento. Sheila trató de disuadirlo durante todo el camino hasta la habitación de confinamiento, pero fue en vano.

—Me tienen que prometer que cerrarán la puerta con llave —dijo Harlan—. Si sucediera algo realmente extraño, no quisiera ponerlos en peligro a todos.

—¿Y si necesitara atención médica? —preguntó Sheila—. O masajes cardíacos o respiración artificial...

—Es un riesgo que tengo que correr —declaró Harlan con aire fatalista—. Bueno, ahora váyanse, así puedo resfriarme en paz.

Sheila vaciló un instante, mientras trataba de buscar otra forma de disuadir a Harlan de lo que, para ella, era una audacia prematura. Finalmente dio un paso atrás y cerró la puerta hermética. Miró a través del vidrio y vio que Harlan levantaba el pulgar en señal de que todo estaba bien.

Ella le devolvió el gesto, sintiendo profunda admiración por su coraje.

—¿Qué está haciendo? —preguntó Pitt desde el pasillo. Junto a la puerta hermética había solamente lugar para una persona.

—Le está sacando el tapón al frasco con el cultivo de tejido —informó Sheila.

—Me vuelvo a la computadora —anunció Jonathan. La tensión lo estaba poniendo incómodo.

Pitt se acercó a la otra cerradura hermética y miró a Cassy, que seguía durmiendo pacíficamente.

Regresó adonde estaba Sheila.

—¿Alguna novedad? —preguntó.

—Todavía no —dijo Sheila—. Está acostado, haciéndome muecas. Se comporta como si tuviera doce años.

Pitt se preguntó cómo se comportaría él si la situación estuviera invertida y fuera él el que estaba en la habitación de confinamiento. Pensó que estaría aterrado y no podría bromear como lo estaba haciendo Harlan.

—¡Un momento! —exclamó Vince con entusiasmo—. Den la vuelta para que pueda ver el lugar por donde acabamos de pasar.

El piloto viró el helicóptero a la izquierda en un gran círculo. Vince se llevó el largavista a los ojos. El terreno debajo parecía tan monótono como el que habían recorrido la hora anterior. Había resultado muy difícil seguir las huellas de neumáticos desde el aire y se habían perdido varias veces.

—Allí abajo hay algo raro —anunció Vince.

—¿Qué es? —preguntó Beau con aspereza. Su estado de ánimo había empeorado. Lo que había creído que sería un asunto sencillo se estaba convirtiendo en un fracaso.

—No lo sé —dijo Vince—. Pero vale la pena acercarse. Recomiendo que bajemos.

—¡Aterricen! —ordenó Beau.

El helicóptero se asentó en el medio de la tormenta de arena levantada por las hélices. Sin el asfalto, era peor que antes. Cuando el aire se despejó, todos vieron lo que había llamado la atención de Vince. Era una camioneta con una lona de camuflaje parcialmente corrida por el viento generado por la hélice.

—Por fin algo positivo —gruñó Beau al tiempo que descendía del helicóptero y se dirigía a la camioneta. Tomó la lona y se la arrancó de encima. Luego abrió la puerta del lado del pasajero.

—Estuvo aquí adentro —declaró. Revisó toda la camioneta, luego se volvió a mirar a su alrededor.

—Beau, hay otra comunicación del instituto —anunció el piloto, que se había quedado junto a helicóptero. Quieren que sepas que recibieron noticias de que la Llegada está programada para dentro de cinco horas Tierra. Y quieren recordarte que el Portón no está listo. ¿Qué les digo?

Beau se llevó las manos a la cabeza y con los dedos largos se apretó las sienes en un intento por aflojar la tensión. Exhaló lentamente. Sin prestar atención al piloto, gritó a Vince que Cassy estaba cerca.

—¡Lo puedo sentir! —añadió—. Pero la sensación me llega extrañamente débil.

Vince y Robert se habían alejado de la camioneta en círculos cada vez más amplios. De pronto, Vince se detuvo y se inclinó. Al enderezarse, llamó a Beau.

Beau se acercó a los dos hombres.

Vince señaló el suelo.

—Es una escotilla camuflada —dijo—. Está cerrada desde adentro.

Los dedos de Beau se curvaron debajo del borde. Fue aplicando progresivamente toda su fuerza hacia arriba hasta que la escotilla se rompió y saltó por el aire. Vince y Beau se asomaron y vieron el corredor iluminado. Luego intercambiaron miradas.

—Está allí abajo —dijo Beau.

—Lo sé —respondió Vince.

—¡La puta madre! —exclamó Jonathan, con los ojos desorbitados. Luego gritó con todas sus fuerzas: —¡Pitt, Sheila, que venga alguien, pronto!

Pitt arrojó sobre la mesada una jeringa de anticuerpo que había estado preparando para Cassy y corrió por el pasillo en dirección al laboratorio donde se encontraba Jonathan. No tenía idea de lo que había sucedido, pero había oído la desesperación en la voz de Jonathan. Oyó los pasos de Sheila detrás de él.

Encontraron a Jonathan sentado ante la computadora. Tenía los ojos pegados al monitor y estaba palidísimo.

—¿Qué pasa? —gritó Pitt, acercándose a él.

Jonathan no podía hablar. Lo único que pudo hacer fue señalar la pantalla de la computadora. Pitt la miró y se llevó una mano a la boca.

—¿Qué hay? —exclamó Sheila al llegar junto a ellos.

—¡Es un monstruo! —logró exclamar Jonathan.

Sheila inhaló con horror cuando vio lo que estaba en la pantalla.

—¡Es Beau! —dijo Pitt, espantado—. Cassy dijo que había sufrido mutaciones pero no imaginé que...

—¿Adónde está? —dijo Sheila, obligándose a ser práctica a pesar del grotesco aspecto de Beau.

—Me llamó la atención una alarma —explicó Jonathan—. Después la computadora activó automáticamente la cámara adecuada.

—¡Quiero saber dónde está! —dijo Sheila con desesperación.

Jonathan toqueteó el teclado y logró dar con un esquema de las instalaciones. Una flecha roja parpadeaba en uno de los tubos de emergencia y ventilación.

—Creo que se trata del mismo lugar por donde entramos —dijo Pitt.

—Tienes razón —concordó Sheila—. ¿Qué significa la alarma, Jonathan?

—Dice "escotilla sin sellar" —informó Jonathan—. Supongo que quiere decir que la abrieron.

—¡Santo Dios! —exclamó Sheila—. ¡Van a entrar!

—¿Qué hacemos? —dijo Pitt.

Sheila se pasó una mano por el pelo rubio; sus ojos verdes vagaban erráticamente por la habitación. Se sentía como un ciervo acorralado.

—Pitt, ve a ver si puedes trabar la puerta hermética —masculló—. Eso los demorará un tiempo.

Pitt salió corriendo.

—¿Adónde está la pistola de Harlan? —preguntó Jonathan.

—No lo sé —replicó Sheila con aspereza—. Búscala, Jonathan.

Sheila partió en dirección a la enfermería.

—¿Adónde va? —la interrogó Jonathan.

—Tengo que sacar a Harlan y a Cassy de esas habitaciones de contención —respondió ella.

—¿Qué quieres que haga, Beau? —preguntó Vince, quebrando un largo silencio.

—¿Qué piensas que podrá ser este lugar? —dijo Beau señalando el corredor blanco y reluciente donde terminaba la escalera.

—No tengo idea —admitió Vince.

Beau miró hacia el helicóptero. El piloto esperaba obedientemente. Beau volvió a posar su mirada en la abertura. Su mente era un torbellino y tenía las emociones al rojo vivo.

—Quiero que tú y tu colaborador bajen a este extraño agujero y encuentren a Cassy —dijo Beau lentamente y con deliberación, como si estuviera esforzándose por no dejarse llevar por la furia—. Cuando la encuentren, quiero que me la traigan. Debo volver al instituto. Enviaré el helicóptero para que los busque.

—Como digas —respondió Vince con cautela. Tenía miedo de decir algo equivocado. La fragilidad de las emociones de Beau era evidente.

Beau sacó un disco negro de su bolsillo y se lo entregó a Vince.

—Utilízalo como mejor te parezca —dijo—. ¡Pero no lastimen a Cassy! —Luego dio media vuelta y enfiló hacia el helicóptero.

20

19:10

Con manos temblorosas, Sheila destrabó la puerta de la habitación donde estaba Harlan. Cuando logró abrirla, él la esperaba del otro lado, sorprendido y fastidiado.

—¿Qué diablos hace? —la interrogó—. Se contaminó usted y contaminó todas las instalaciones.

—Mala suerte —dijo Sheila—. ¡Están aquí!

—¿Quiénes? —preguntó Harlan. Su expresión cambió a una de consternación.

—Beau y por lo menos un infectado más —anunció Sheila—. ¡Abrieron la escotilla por la que entramos nosotros! Han de haber seguido a Cassy: llegarán en cualquier momento.

—¡Demonios! —exclamó Harlan. Se detuvo un momento a pensar, luego salió por la puerta hermética.

Se encontraron con Cassy y Pitt que salían de la habitación contigua. Si bien Cassy estaba adormilada y confundida, tenía mejor color que horas antes.

—¿Adónde está Jonathan? —preguntó Harlan.

—En el laboratorio —respondió Pitt—. Estaba buscando su Colt.

Con Harlan en la delantera, el grupo corrió hacia allí, pasando de habitación en habitación. Encontraron a Jonathan en la última, escondido cerca de la puerta que daba al pasillo, con la pistola en las manos.

—¡Nos vamos! —gritó Harlan a Jonathan. Se metió dentro de la incubadora y salió instantes después cargado de frascos de cultivos con rinovirus.

Se oyó un ruido desde el pasillo. Todos miraron hacia la puerta abierta. Cayó una lluvia de chispas, como si alguien estuviera soldando en el corredor. En forma simultánea, la presión de la habitación cayó repentinamente, obligando a todos a aclarar con los oídos.

—¿Qué pasó? —exclamó Sheila.

—¡Están cortando la puerta de presión! —gritó Harlan—. ¡Vamos, rápido! —Indicó a todos con un movimiento de la mano que retrocedieran hacia la enfermería. Pero antes de que pudieran moverse, un disco negro dobló desde el corredor y entró en el laboratorio. Estaba rojo y lo rodeaba una aureola brumosa.

—¡Es un disco! —gritó Sheila—. No se acerquen.

—¡Sí! —concordó Harlan—. Cuando está activo, es radiactivo. Lanza partículas alfa.

El disco revoloteó cerca de Jonathan, que lo esquivó y corrió hacia los demás. Harlan llevó al grupo al siguiente laboratorio. Luego de entrar, cerró la pesada puerta contra incendios, que tenía cinco centímetros de espesor.

—¡Rápido! —ordenó.

Cuando estaban cruzando el segundo laboratorio, oyeron el mismo ruido que habían oído antes y volvieron a ver la lluvia de chispas. Harlan giró en redondo y vio que el disco pasaba sin esfuerzo a través de la puerta.

Entraron en el tercer laboratorio y corrieron hacia las puertas dobles de la enfermería. Harlan se tomó el tiempo de cerrar la segunda puerta contra incendios antes de correr detrás de los demás. A sus espaldas, otra vez el ruido. Las chispas le cayeron sobre la cabeza en el momento en que entraba en la enfermería. Las puertas se cerraron detrás de él.

—¿Adónde, ahora? —gritó Sheila.

—¡A la sala de rayos X! —ordenó Harlan, señalando con una mano en la que tenía un frasco de cultivo—. La que todavía funciona.

Jonathan fue el primero en llegar. Abrió la puerta blindada y la sostuvo para que entraran los demás.

—¡De aquí no hay adónde ir! —protestó Sheila—. ¿Para qué nos trajo aquí?

—Pónganse detrás del blindaje —ordenó Harlan. Rápidamente entregó a Sheila y Pitt los frascos con cultivos de tejido. Luego activó la máquina que ponía la columna de rayos X en posición. Apuntó la luz de posición directamente a la puerta que daba al pasillo antes de correr y ocultarse detrás del biombo blindado con los demás.

Las manos de Harlan hicieron girar diales y oprimieron botones del control de la máquina de rayos. El chisporroteo comenzaba a oírse en la puerta. El blindaje de plomo hizo que el disco demorara un poco más en entrar en la habitación. Cuando apareció adentro, su color rojo se había vuelto algo menos intenso.

Harlan accionó el interruptor que enviaba el alto voltaje de la máquina a la fuente de rayos X. Se oyó un zumbido electrónico y la luz del cielo raso titiló.

—Son los rayos más fuertes que puede producir la máquina —explicó Harlan.

Bombardeado con los rayos X, el color del disco cambió inmediatamente de rojo a blanco luminoso. La aureola pálida se intensificó, se expandió y rápidamente se tragó al disco. El sonido de un enorme horno al encenderse fue cortado en seguida con un golpe. En el mismo momento, casi toda la máquina de rayos, la mesa, una bandeja de instrumentos, parte de la puerta y la lámpara se deformaron como si hubieran sido succionados hacia el punto donde había estado el disco. Todos ellos habían sentido esta fuerza implosiva y se habían aferrado instintivamente a lo que habían encontrado cerca.

Un humo acre quedó colgando en la habitación; todos estaban aturdidos.

—¿Están todos bien? —preguntó Harlan.

—Me estalló el reloj —dijo Sheila.

—El de la pared también estalló —indicó Harlan, señalando. El vidrio del reloj estaba destrozado y las agujas no se veían por ninguna parte.

—Eso fue un agujero negro en miniatura —informó Harlan.

El ruido de un golpe en el laboratorio hizo que todos volvieran a la realidad.

—Es evidente que lograron atravesar la compuerta sellada —dijo Harlan—. ¡Vamos! —Le sacó el arma a Jonathan y le dio un frasco de cultivo. Cassy y Pitt tomaron el resto de los frascos. Harlan guió a todos por detrás del blindaje torcido hacia la puerta.

—No toquen nada —los previno—. Puede haber radiación, todavía.

Necesitaron la fuerza combinada de los tres hombres para poder abrir la puerta retorcida. Harlan se asomó hacia afuera. Veía las puertas dobles que daban al laboratorio. La derecha tenía un agujero pequeño en el medio. Miró hacia el otro lado. No había nadie.

—A la izquierda —ordenó—. Por la puerta del fondo hasta el living ¿entendieron?

Todos asintieron.

—¡Ya! —dijo Harlan. Mantuvo la mirada en las puertas dobles hasta que todos habían cruzado el corredor. Cuando se disponía a seguirlos, una de las puertas dobles se abrió.

Harlan disparó un tiro. El ruido fue atronador. La bala dio contra la hoja de la puerta que estaba cerrada e hizo añicos el vidrio. La puerta que se había abierto se cerró.

Harlan corrió por el pasillo hasta el living; sentía las piernas de goma.

—¿Harlan? —preguntó Sheila—. ¿Le dispararon?

Todos habían oído el ruido. Harlan sacudió la cabeza. De su boca y sus ojos salía un poco de espuma.

—Creo que es el rinovirus que se está deshaciendo del virus extraterrestre, —logró decir. Luego se apoyó contra la pared. —Está sucediendo, pero en el momento menos indicado, me temo.

Pitt fue hasta él y pasó el brazo de Harlan por encima de su hombro. Tomó la pistola de la mano laxa de él.

—Dame el arma —dijo Sheila y Pitt se la entregó.

—¿Cómo vamos a salir de aquí? —le preguntó Sheila a Harlan.

Desde el laboratorio se oían ruidos de vidrios rotos.

—Usaremos la entrada principal —dijo Harlan—. Allí debe de estar mi camioneta Range Rover. No quería salir por allí por temor a que nos descubrieran. Ahora ya nada importa.

—Perfecto —concordó Sheila—. ¿Cómo llegamos?

—Hay que salir al corredor principal y tomar a la derecha —explicó Harlan—. Pasamos luego por los depósitos y allí habrá otra puerta hermética. Después viene un pasillo largo con carritos eléctricos. La salida está adentro de un edificio que parece una granja.

Sheila entreabrió la puerta que daba al pasillo y espió hacia los laboratorios. Sintió la bala antes de oír el ruido distante del disparo. La bala le quemó algo de pelo antes de incrustarse en la puerta entreabierta.

Ella retrocedió dentro de la sala.

—Saben dónde estamos, parece —dijo. Se secó la frente con la mano y la revisó, esperando ver sangre. —¿Hay otro camino hasta la salida? No vamos a poder utilizar el pasillo.

—Es necesario usarlo —dijo Harlan.

—¡Ay, mierda! —exclamó Sheila. Miró el arma que tenía en la mano, mientras se preguntaba a quién creía estar engañando. Jamás había disparado ni siquiera en tiro al blanco, así que nada sabía de defenderse con la pistola.

—Podemos utilizar el sistema de incendios —dijo Harlan de pronto. Señaló el panel de seguridad de la pared del living. —Si tiran de la palanca, todo el lugar se llena de retardador de incendios. Los intrusos no podrán respirar bien, es más, no sé si podrán respirar.

—Ah, claro, fantástico —exclamó Sheila con sarcasmo—. Y nosotros salimos conteniendo la respiración.

—No, no —explicó Harlan—. En el gabinete debajo del panel hay máscaras que duran por lo menos media hora.

Sheila fue hasta el gabinete y lo abrió. Estaba lleno de lo que parecían ser máscaras de gas. Sacó cinco y las repartió. Las indicaciones sobre el tubo decían que había que romper el sello, agitarlas y luego colocárselas.

—No es que tengamos demasiadas opciones —dijo Pitt.

Todos activaron sus unidades y luego se las colocaron. Cuando levantaron el pulgar en señal de que todo andaba bien, Sheila tiró de la palanca de incendios.

Se oyó una alarma seguida de una voz de computadora que anunciaba: "Incendio en las instalaciones" una y otra vez. Instantes después se activó el regador que envió nubes de fluido que se vaporizó de inmediato. La habitación se llenó de una nube similar al smog.

—Tenemos que mantenernos juntos —gritó Sheila.

Era difícil hablar con la máscara y también se estaba tornando difícil ver algo. Se asomó y miró hacia los laboratorios. No veía más allá de un metro y medio. Salió al corredor. No se oyeron disparos.

—¡Vamos! —dijo a los demás—. Pitt, ve adelante con Harlan, para que nosotros sepamos para dónde ir. Cassy y Jonathan, lleven los frascos de cultivos.

Manteniéndose muy juntos, avanzaron por el corredor, que en la bruma parecía interminable. Por fin llegaron a la puerta hermética. Sheila la cerró detrás de ellos. Pitt abrió la puerta exterior.

Más allá de esa puerta, la atmósfera se fue aclarando, sobre todo cuando llegaron a los carritos eléctricos. Al arribar a las escaleras de salida, ya podían respirar sin máscaras. Había que subir seis pisos para llegar a la superficie. Emergieron por una puerta trampa del tamaño de una alfombrita del living de una casa de campo. Cuando la puerta estuviera cerrada, nadie se daría cuenta de su existencia.

—Mi camioneta debería de estar en el granero —dijo Harlan sacando el brazo de alrededor de los hombros de Pitt—. Gracias, Pitt —añadió—. No creo que hubiera podido arreglármelas sin ti, pero ahora ya me siento mejor. —Se sonó la nariz ruidosamente.

—Apresurémonos —dijo Sheila—. Es posible que esas personas que nos seguían también hayan encontrado máscaras.

Salieron por la puerta principal y fueron hacia el granero. El Sol se había puesto y el calor del desierto se estaba disipando rápidamente. El horizonte del oeste estaba rojo como la sangre. El resto del cielo era una bóveda azul profundo. Ya brillaban algunas estrellas.

La Range Rover de Harlan estaba estacionada y a salvo dentro del granero. Harlan puso todos los frascos atrás en el lugar para equipaje y luego subió al asiento del conductor. Guardó la pistola que le dio Sheila en el bolsillo de la puerta.

—¿Está seguro de que puede conducir? —preguntó ella, asombrada por la forma en que se había recuperado.

—Ningún problema —le aseguró Harlan—. Me siento completamente diferente que hace quince minutos. Los únicos síntomas que tengo ahora son de un resfrío común. ¡Debo decir que nuestro experimento en humanos fue un éxito rotundo!

Sheila se ubicó adelante. Cassy, Pitt y Jonathan, subieron atrás. Pitt pasó un brazo alrededor de los hombros de Cassy y ella se acurrucó contra él. Harlan puso el automóvil en marcha y salió del granero. Giró en U y se dirigió al camino.

—Esta infestación extraterrestre ha reducido el tránsito, hay que admitir —se alegró—. Miren esto, no se ve un solo automóvil y estamos a quince minutos de Paswell.

Harlan tomó a la derecha y aceleró.

—¿Adónde vamos? —preguntó Sheila.

—Me parece que no tenemos demasiadas opciones —dijo Harlan—. Intuyo que el rinovirus se va a encargar de la infestación. El problema se reduce entonces a este asunto del Portón. Tenemos que tratar de hacer algo al respecto.

Cassy se irguió.

—¡El Portón! —exclamó—. Pitt les habló de eso.

—Sí, por supuesto —dijo Harlan—. Nos contó que te parecía que ya estaba casi listo para ser utilizado. ¿Escuchaste algo acerca de cuándo lo utilizarían?

—No me lo dijeron directamente —respondió Cassy—, pero creo que lo usarán en cuanto esté terminado.

—Ahí tienen —declaró Harlan—. Esperemos llegar a tiempo y encontrar la forma de meterles una palanca entre las ruedas.

—¿Qué es esto del rinovirus? —preguntó Cassy.

—Buenas noticias, en realidad —admitió Harlan, mirándola por el espejito retrovisor—. Sobre todo para ti y para mí.

Le contaron entonces a Cassy toda la secuencia de acontecimientos que habían llevado a descubrir la forma de liberar a la raza humana de la plaga viral extraterrestre. Tanto Sheila como Harlan le adjudicaron el mérito a Cassy, por la información que le había proporcionado a Pitt.

—Lo que resultó fundamental fue el hecho de saber que el virus había llegado aquí por primera vez hace tres mil millones de años —explicó Sheila—. De otro modo no se nos hubiera ocurrido que podía ser sensible al oxígeno.

—¿No debería estar respirando un poco de ese rinovirus yo también? —preguntó Cassy.

—No es necesario —respondió Harlan—. El solo hecho de estar andando en el automóvil hace que todos se estén infectando adecuadamente. Calculo que con un par de viriones alcanza, ya que nadie tiene ningún tipo de inmunidad a ellos.

Cassy se apoyó contra el respaldo y volvió a acurrucarse contra Pitt.

—Hace solamente algunas horas pensaba que estaba todo perdido. Es impresionante poder volver a tener esperanzas.

Llegaron a las afueras de Santa Fe minutos después de

las once de la noche. Habían conducido de un solo tirón, deteniéndose solamente una vez en una estación de servicio abandonada para cargar combustible. También habían tomado golosinas y maní de una máquina expendedora. Había muchas monedas en la caja registradora.

Cassy se había quedado en el automóvil. A esa altura, había estado atravesando el período de malestar, debilidad y eliminación de espuma por ojos y boca por el que había pasado Harlan anteriormente. Él se había mostrado encantado, pues tomaba el malestar temporario de Cassy como otra prueba de la eficacia de la "rinocura" como la llamaba él.

Esquivaron el centro de Santa Fe y siguieron las indicaciones de Cassy para llegar al Instituto para un Nuevo Comienzo. A esta hora de la noche, el portón estaba iluminado con reflectores. Los manifestantes que acudían todos los días se habían retirado, pero seguía el movimiento de personas infectadas en el lugar.

Harlan estacionó a un costado del camino. Se inclinó hacia adelante y contempló la escena.

—¿Adónde está la mansión? —preguntó.

En el camino, Cassy les había explicado a todos lo que recordaba del instituto, en especial el hecho de que el Portón estaba ubicado en el salón de baile de la planta baja, a la derecha de la entrada principal.

—El edificio principal está detrás de esa línea de árboles —dijo Cassy—. No se ve desde aquí.

—¿Para qué lado dan las ventanas del salón de baile? —preguntó Harlan.

—Creo que para atrás —respondió Cassy—. Pero no estoy segura, porque las habían clausurado.

—Adiós a la idea de entrar por las ventanas —se lamentó Harlan.

—Al tener en cuenta lo que supuestamente realizará el Portón —dijo Pitt—, sabemos que debe utilizar muchísima energía y tiene que ser eléctrica. Podríamos desconectarla.

—¡Sería realmente divertidísimo! —exclamó Harlan—. Pero tratándose de transportar extraterrestres por el tiempo y el espacio, dudo de que dependan de la misma energía que usamos nosotros para la tostadora. Hemos visto lo que puede hacer un diminuto disco negro, así que piensen en lo que podrían hacer muchos de ellos si trabajasen en conjunto.

—Era nada más que una idea —se defendió Pitt. Se sintió tonto, así que decidió guardarse sus pensamientos.

—¿Cuán lejos está la mansión del Portón? —quiso saber Sheila.

—Bastante —respondió Cassy—. Unos doscientos metros, más o menos. La entrada pasa por entre los árboles primero y luego llega a un jardín enorme y abierto.

—Bueno, creo que ese es nuestro primer problema —declaró Sheila—. Vamos a tener que entrar en la casa si queremos hacer algo.

—Es cierto —dijo Harlan.

—¿Qué me dicen de cruzar por encima de la cerca en algún rincón del fondo? —sugirió Jonathan—. Hay luces cerca del portón de entrada, pero no se ven en otras partes.

—Hay perros patrullando la propiedad —dijo Cassy—. Están infectados igual que la gente y trabajan juntos. Pienso que sería peligroso tratar de acercarse a la casa desde el jardín.

De pronto el cielo nocturno por encima de los árboles se encendió con bandas ondulantes de energía que se parecían a la aurora boreal. Formaron una esfera y comenzaron a expandirse y contraerse, como un organismo al respirar. Pero cada expansión sucesiva era más grande, de modo tal que el fenómeno crecía con cada segundo que pasaba.

—¡Uy! —exclamó Sheila—. Creo que es demasiado tarde. Ya está empezando.

—¡Abajo, todo el mundo abajo! —ordenó Harlan.

—¿Cómo dice? —dijo Sheila.

—Quiero que se bajen todos —explicó Harlan—. Voy a hacer algo impulsivo. Voy a meterme allí con el automóvil y embestir el salón de baile. No puedo permitir que esto siga.

—Pues no va a hacerlo solo —declaró Sheila.

—Como quiera —dijo Harlan—. No tengo tiempo para discutir. Que los demás bajen, entonces.

—Bueno, pero no tenemos adónde ir —dijo Sheila. Miró a Pitt y a Jonathan, que asintieron con la cabeza. —Creo que en esto estamos todos juntos.

—¡Ufa, por el amor de Dios! —protestó Harlan mientras ponía la tracción en las cuatro ruedas—. Justo lo que necesita la raza humana: un auto lleno de mártires idiotas. —Aceleró el motor y ordenó a todos que se ataran con los cinturones de seguridad. Harlan se lo ajustó al máximo. Después encendió el equipo de música y eligió su compacto favorito: el *La Consagración de la Primavera* de Stravinski. Lo hizo avanzar hasta la parte que más le gustaba, donde había un fuerte sonido de timbales. Con el volumen casi al máximo, salió al camino.

—¿Qué va a decirles a los guardias de la entrada? —gritó Sheila.

—¡Que se van a llenar de polvo! —bramó Harlan.

Había un portón de madera negro y blanco en la entrada. El tránsito pedestre lo rodeaba. Harlan lo embistió a casi ochenta kilómetros por hora y las barras delanteras de la Range Rover lo convirtieron en carne picada. Los sonrientes centinelas se lanzaron hacia los costados para salvarse.

Sheila se volvió y miró por el vidrio trasero. Los guardias se habían recuperado y corrían detrás de ellos. También los perseguía una jauría de perros ruidosos. Tanto los guardias como los perros desaparecieron de la vista cuando Harlan tomó una curva en S alrededor de un grupo de coníferas.

La Range Rover salió disparada por entre los árboles. Ante ellos, en la noche, apareció la mansión. Todo el edificio estaba iluminado, particularmente las ventanas. Las bandas ondulantes de luz que se expandían rítmicamente hacia el cielo parecían salir del techo como llamas gigantescas.

—¿No va a aminorar un poco? —gritó Sheila.

El motor rugía como la turbina de un avión y los timbales atronaban. Era como si toda la orquesta estuviera adentro del vehículo. Sheila se tomó de la manija encima de la puerta para estabilizarse.

Harlan no respondió. Hasta ese momento, había estado conduciendo con mucha concentración por el camino de entrada. Ahora que tuvo la casa a la vista, se lanzó directamente hacia ella por el jardín, para esquivar a los transeúntes. La gente salía de la mansión en fila india camino al portón.

A unos veinticinco metros de los anchos escalones que subían a la terraza, Harlan hizo un rebaje a pesar de que las revoluciones del motor estaban cerca de la zona roja del medidor. El automóvil respondió aminorando considerablemente la velocidad. Al mismo tiempo, las ruedas traseras tomaron más fuerza.

—¡La puta madre! —gritó Jonathan al ver que la distancia hasta los escalones se acortaba. Se veía gente lanzándose por encima de la baranda de piedra para escapar de las tres toneladas de acero que se les venían encima.

La Range Rover embistió el primer escalón y la parte delantera se elevó, lanzando todo el vehículo al aire. Las ruedas volvieron a tocar tierra en el extremo trasero de la terraza, a tres metros de la puerta de vidrio. Alrededor de la puerta principal había luces.

Todos excepto Harlan cerraron los ojos cuando se produjo la colisión contra la casa. Hubo un ruido sordo de vidrios rotos que sonó por encima de la música, pero el efecto sobre el impulso hacia adelante del automóvil fue poco. Harlan pisó el freno y giró el volante hacia la derecha, decidido a esquivar la escalera principal que tenía directamente delante.

El vehículo derrapó sobre el piso de mármol blanco y negro, pasó debajo de una araña de cristal y luego chocó contra una mesa de mármol y una pared interior. Se oyó un ruido fuerte y todos cayeron contra los cinturones de seguridad. La bolsa de aire del lado del pasajero se infló y envió a la sorprendida Sheila hacia el respaldo del asiento.

Harlan luchó por controlar el volante mientras el vehículo rebotaba sobre la mesa rota. La colisión final fue contra una estructura de metal y madera envuelta en cables eléctricos. La camioneta se detuvo delante de un eje de acero que destrozó el parabrisas.

Afuera del automóvil se oían chisporrotazos y zumbidos y también un ruido mecánico.

—¿Todo el mundo está bien? —gritó Harlan, soltando el volante. Tenía los brazos rígidos. Bajó el volumen del equipo de música.

Sheila luchaba con la bolsa de aire, que le había raspado las mejillas y los antebrazos.

Todos anunciaron que estaban ilesos.

Harlan miró a través del parabrisas roto; lo único que se veía eran cables y escombros.

—¿Crees que éste es el salón de baile, Cassy? —preguntó.

—Sí, es éste —respondió ella.

—Misión cumplida, entonces —declaró Harlan—. Con todos estos cables, resulta evidente que hemos chocado contra algún aparato de alta tecnología y a juzgar por las chispas, diría que algo hemos logrado.

Como el motor de la Range Rover seguía encendido, Harlan puso la marcha atrás y aceleró. Con diversos ruidos, el vehículo retrocedió por el camino de destrucción. Después de unos metros, la camioneta quedó del otro lado de la superestructura del Portón. Todos pudieron ver una plataforma que parecía estar hecha de vidrio blindado. Se llegaba hasta allí por escaleras ovaladas del mismo material. De pie sobre la plataforma había una horrible criatura extraterrestre iluminada por incesantes chispas eléctricas. Sus ojos negros estaban fijos con incredulidad sobre los ocupantes del vehículo.

De pronto, la criatura echó la cabeza hacia atrás y dejó escapar un grito de sufrimiento. Lentamente, cayó de bruces sobre la plataforma y hundió la cabeza entre las manos, presa de una angustia terrible.

—¡Dios mío, es Beau! —exclamó Cassy desde el asiento trasero.

—Creo que sí —concordó Pitt—. La mutación se ha completado.

—¡Déjenme bajar! —gritó Cassy, mientras se desabrochaba el cinturón.

—No —dijo Pitt.

—Hay demasiados cables sueltos —declaró Harlan—. Es demasiado peligroso, sobre todo con este chisporroteo. El voltaje ha de ser astronómico.

—No me importa —dijo Cassy. Extendió el brazo por encima de Pitt y abrió la puerta.

—No te lo puedo permitir —suplicó Pitt.

—¡Suéltame! —dijo Cassy—. Tengo que bajar.

De mala gana, Pitt le permitió descender del automóvil. Cassy pasó con cuidado por encima de los cables y luego subió lentamente la escalera hasta la plataforma. Al acercarse, pudo oír los gemidos de Beau por encima del zumbido mecánico y el chisporroteo de los cables. Lo llamó y él levantó lentamente la mirada.

—¿Cassy? —dijo—. ¿Por qué no te sentí?

—Porque me han liberado del virus —dijo Cassy—. ¡Hay esperanzas, Beau! Podemos recuperar nuestra antigua vida.

Beau sacudió la cabeza.

—Yo no —dijo—. No puedo volver y sin embargo, tampoco puedo seguir. He traicionado la confianza que fue depositada en mí. Las emociones humanas son una carga terrible, son completamente inadecuadas. Al quererte a ti traicioné el bien colectivo.

Un repentino aumento del chisporroteo eléctrico anunció una vibración. Al principio fue leve, pero comenzó a volverse cada vez más fuerte.

—Debes huir, Cassy —dijo Beau—. La energía de las grillas ha sido interrumpida. No habrá fuerza para contrarrestar la antigravedad. Se producirá una dispersión.

—Ven conmigo, Beau —suplicó Cassy—. Tenemos una forma de liberarte del virus.

—Yo soy el virus —dijo Beau.

La vibración llegó a un punto en que Cassy casi no podía mantener el equilibrio sobre los escalones transparentes.

—¡Vete, Cassy! —gritó Beau con vehemencia.

Cassy le tocó por última vez el dedo extendido y echó a correr escaleras abajo. La habitación entera se sacudía ahora como si hubiera un terremoto.

Logró llegar a la camioneta; Pitt la ayudó a subir y cerró la puerta.

—Beau dijo que debemos huir —gritó Cassy—. Va a haber una dispersión.

Para Harlan eso fue más que suficiente: puso la marcha atrás y pisó el acelerador. Se oyeron ruidos y crujidos, pero pronto estuvieron nuevamente en el vestíbulo central. Con pericia, Harlan giró el vehículo para dejarlo mirando la destrozada entrada principal. La araña se sacudía tanto que los caireles volaban hacia todas partes. Como no había parabrisas, Sheila tuvo que protegerse la cara con las manos.

—Sujétense fuerte —gritó Harlan. Lanzó la camioneta por la entrada, atravesó la terraza y bajó la escalinata. El sacudón al golpear el camino de entrada fue tan fuerte como el golpe con el que habían embestido la pared del salón de baile.

Harlan condujo por el jardín hacia la abertura entre los árboles donde comenzaba el camino.

—¿Es necesario ir a esta velocidad? —se quejó Sheila.

—Cassy dijo que iba a haber una dispersión —repuso Harlan—. Supuse que cuanto más lejos estuviéramos, mejor sería para nosotros.

—¿Qué diablos es una dispersión? —quiso saber Sheila.

—No tengo la más remota idea —admitió Harlan—. Pero no suena bien.

En ese momento hubo una tremenda explosión detrás de ellos, pero sin el ruido ni la onda expansiva habituales. Cassy justo se había vuelto y pudo ver cómo la casa volaba literalmente en pedazos. Tampoco hubo una luz que indicara el punto de conflagración.

En el mismo momento, todos en la camioneta se dieron cuenta de que estaban en el aire. Sin tracción alguna, el motor siguió rugiendo hasta que Harlan sacó el pie del acelerador.

El vuelo duró solamente cinco segundos y el regreso a tierra fue acompañado por un sacudón, pues las ruedas habían perdido velocidad, pero no había sucedido lo mismo con el envión del automóvil.

Desconcertado por este extraño fenómeno, Harlan pisó el freno e hizo detener la camioneta. Estaba asustado por haber perdido el control del vehículo aunque más no fuera por unos segundos.

—Estuvimos volando —dijo Sheila—. ¿Cómo pudo suceder?

—No lo sé —confesó Harlan. Miró los aparatos del tablero como si pudieran darle una respuesta.

—¡Miren lo que le pasó a la casa! —exclamó Cassy—. ¡Desapareció!

Todos se volvieron. Afuera del automóvil, los peatones estaban haciendo lo mismo. No había humo ni escombros. La casa simplemente había desaparecido.

—Así que ahora sabemos lo que es una dispersión —dijo Harlan—. Ha de ser lo opuesto a un agujero negro. Supongo que lo que se dispersa queda reducido a sus partículas primarias y éstas se vuelan, simplemente.

Cassy sintió un desborde de emoción. Por un instante, la sensación de pérdida fue intensa; las lágrimas le rodaron por las mejillas.

Por el rabillo del ojo, Pitt la vio llorar. Comprendió de inmediato y le pasó un brazo alrededor de los hombros.

—Yo también lo voy a extrañar —dijo.

Cassy asintió.

—Creo que siempre lo voy a amar —dijo, secándose los ojos con los nudillos. Pero luego se apresuró a agregar: —Lo que no significa que no te ame a ti también.

Con una tenacidad que dejó sin aliento a Pitt, Cassy lo abrazó y lo besó con todas sus fuerzas. Pitt le devolvió el beso, en forma tentativa al principio y luego con el mismo ardor.

Harlan descendió del automóvil y dio la vuelta por atrás para bajar los frascos.

—Vamos, gente —dijo—. Ahora nos toca a nosotros infectar un poco a los demás.

—¡La gran flauta! —exclamó Jonathan—. ¡Ahí está mi madre!

Todos miraron hacia donde él estaba señalando.

—¡Sí, creo que es ella! —dijo Sheila.

Jonathan descendió del automóvil con la intención de echar a correr por el césped. Harlan lo tomó del brazo y le puso un frasco en la mano.

—Hazla oler esta delicia, hijo —le recomendó—. Cuanto antes, mejor.